Le grand livre des Horoscopes Chinois

Couverture
- Maquette et illustration:
  CLAUDINE BUJOLD

Maquette intérieure
- Conception graphique:
  JEAN-GUY FOURNIER
- Calligraphie:
  KENNETH LAU

DISTRIBUTEURS EXCLUSIFS:

- Pour le Canada:
  AGENCE DE DISTRIBUTION POPULAIRE INC.*
  955, rue Amherst, Montréal H2L 3K4 (tél.: 514-523-1182)
  * Filiale de Sogides Ltée

- Pour la France et l'Afrique:
  INTER FORUM
  13, rue de la Glacière, 75013 Paris (tél.: (1) 43-37-11-80)

- Pour la Belgique, le Portugal et les pays de l'Est:
  S. A. VANDER
  Avenue des Volontaires, 321, 1150 Bruxelles
  (tél.: (32-2) 762.98.04)

- Pour la Suisse:
  TRANSAT S.A.
  Route des Jeunes, 19, C.P. 125, 1211 Genève 26
  (tél.: (22) 42.77.40)

Theodora Lau

Le grand livre des Horoscopes Chinois

**traduit de l'américain
par
Jean Roy**

le jour,
éditeur

Ce livre a été publié en américain sous le titre:
The Handbook of Chinese Horoscopes
chez Harper Colophon Books

Bibliothèque nationale du Québec
Dépôt légal — 2e trimestre 1982

ISBN 2-89044-096-6

Introduction

Les douze signes animaux ou les embranchements de la Terre

Le calendrier lunaire chinois constitue la forme de registre chronologique la plus ancienne que l'on connaisse. Il remonte à l'année 2637 av. J.-C. alors que l'empereur Huang Ti introduisait le premier cycle de ce zodiaque au cours de la 61e année de son règne. Un cycle complet a une durée de 60 ans et se compose de 5 cycles simples de 12 années chacun. Le 77e cycle a débuté le 5 février 1924 et se terminera le 1er février 1984. La légende raconte que le seigneur Bouddha ayant demandé à tous les animaux de venir le rencontrer au moment où il allait quitter la terre, seulement douze se présentèrent pour lui faire leurs adieux. Alors en guise de récompense, utilisant l'ordre de leur arrivée, il nomma une année du cycle lunaire en l'honneur de chacun d'eux. Le rat arriva le premier, puis vinrent le boeuf, le tigre, le lièvre, le dragon, le serpent, le cheval, le mouton, le singe, le coq, le chien et le sanglier. De là, les signes animaux que nous utilisons encore aujourd'hui. L'animal qui gouverne l'année au cours de laquelle est née une personne exercera une profonde influence sur la vie de cette dernière. Comme le disent les Chinois: "Cet animal se cache dans votre coeur."

Au cours d'un cycle complet de 60 ans, chacun des signes animaux (que l'on appelle aussi parfois les douze embranchements de la Terre) se combine avec les 5 principaux éléments: le Bois, gouverné par la planète Jupiter; le Feu, gouverné par Mars; la Terre, gouvernée par Saturne; le Métal ou l'Or, gouverné par la planète Vénus et l'Eau gouvernée par Mercure. Ces cinq éléments se séparent encore selon les pôles magnétiques, positif et négatif, que les Chinois appellent respectivement Yang et Yin.

7

Dans le calendrier chinois, la journée débute à 23 heures et les vingt-quatre heures se subdivisent en douze portions de deux heures chacune. Chaque portion est gouvernée par un signe animal. Comme dans l'astrologie occidentale, le signe qui gouverne le moment de la naissance constitue l'ascendant et influence lui aussi la personnalité. Par exemple, une personne agressive du signe Rat pourrait être née entre 3 et 5 heures, les heures du Tigre. Par ailleurs, une personne née sous le même signe mais calme de caractère sera probablement née entre 9 et 11 heures, les heures gouvernées par l'influence apaisante du Serpent.

Tout comme leurs contreparties occidentales, les douze embranchements de la terre sont répartis entre une moitié positive et une moitié négative. Les signes Rat, Tigre, Dragon, Cheval, Singe et Chien appartiennent à la souche positive; tandis que les autres, Boeuf, Lièvre, Serpent, Mouton, Coq et Sanglier sont des signes négatifs. En plus de l'élément particulier à son année (lequel change continuellement) chacun des embranchements de la terre se rattache à un élément et à une saison qui sont fixes.

Le tableau suivant indique ces éléments et saisons de même que la souche négative ou positive.

Souche	Signe	Nord (Hiver)	Est (Printemps)	Sud (Été)	Ouest (Automne)
—	Sanglier	Eau			
+	Rat	Eau			
—	Boeuf	Eau			
+	Tigre		Bois		
—	Lièvre		Bois		
+	Dragon		Bois		
—	Serpent			Feu	
+	Cheval			Feu	
—	Mouton			Feu	
+	Singe				Métal
—	Coq				Métal
+	Chien				Métal

La Terre n'apparaît pas dans ce tableau, car les Sages chinois l'interprètent comme composée symboliquement des quatre autres et en conséquence elle ne peut être attribuée à aucun des douze signes lunaires. Certains Chinois diseurs de bonne aventure prennent un représentant de chacun des autres éléments, le Boeuf d'Eau, le Dragon de Bois, la Chèvre de Feu et le Chien de Métal et lui attribuent la Terre comme élément secondaire. D'autres devins prétendent que la présence des quatre éléments dans une charte de naissance recrée l'élément Terre qui en était absent.

On dit que l'année du Rat confère la bonté, celle du Boeuf, la responsabilité et l'ardeur au travail. Les personnes nées au cours de l'année de la Chèvre passent pour des "mangeurs de papier", expression populaire pour la prodigalité. Quant aux personnes nées sous le signe du Serpent, elles ont la réputation d'être charmantes et d'un physique agréable, mais aussi froides et sans pitié.

Certaines années, à cause des éléments qu'elles regroupent, inspirent une crainte générale. C'est le cas de l'année du Cheval de Feu. Au cours de la dernière, en 1967, il s'est produit en Asie un nombre considérable d'avortements volontaires et le taux de naissances a baissé radicalement démontrant que les Orientaux croient toujours que les enfants, particulièrement les filles, nés dans l'année du Cheval de Feu apportent le malheur à leurs familles et à leurs futurs conjoints. En fait cette crainte qu'éprouvent de très nombreux Asiatiques au sujet de la naissance d'un enfant Cheval de Feu crée les mêmes inhibitions chez l'Occidental superstitieux qui a peur de passer sous une échelle ou qui craint de se trouver sur le passage d'un chat noir. Toutefois, une chose est certaine: les Chevaux de Feu se font remarquer. Mais il n'y a pas de raisons qui puissent justifier qu'ils se signalent par leurs actions néfastes plutôt que par leurs bonnes actions.

Bien que le calendrier occidental basé sur le mouvement du soleil soit plus cohérent et d'utilisation plus facile, le calendrier lunaire oriental enregistre avec plus de précision les changements de saisons et la croissance de toutes les formes de vie de l'univers. Les fermiers chinois utilisaient leur calendrier à la façon d'un almanach lorsque, chaque année, ils cherchaient à déterminer les journées les plus favorables pour les semences et les récoltes. De même avant la mise au point des méthodes scientifiques modernes pour la prévision du temps, les Chinois se basèrent longtemps sur l'horoscope pour prédire la pluie. Ce que d'ailleurs ils font encore en grand nombre. Nous verrons plus loin que, lorsque l'Eau est l'élément naturel d'une année, on assiste soit à une abondance d'eau ou à des crues dévastatrices selon l'influence négative ou positive de l'élément. Bien plus, on consultait le calendrier lunaire afin de déterminer le jour le plus propice à une visite chez le barbier, au début de la construction d'une maison, à un mariage et naturellement à la tenue des nombreux festivals chinois. Un calendrier authentique contient donc les indications de toutes les obligations et interdictions rattachées à chaque jour de l'année, allant même jusqu'à préciser sur une base quotidienne, les heures les plus favorables et les plus défavorables. (Chose curieuse, le cycle menstruel de la femme a une durée identique à celle du mois lunaire.) Le calendrier-almanach complet est encore publié chaque année à Hong-Kong et Taïwan et son interprétation exige la connaissance d'un code particulier. Difficulté qui n'empêche pas tout diseur de bonne aventure qui se respecte d'en posséder un exemplaire.

L'année lunaire est divisée en douze mois de 29 jours et demi. Tous les deux ans et demi, on ajoute un mois intercalaire qui sert à ajuster le calendrier. Le mois intercalaire est inséré en succession du 2e au 11e mois de l'année lunaire. L'addition de ce mois supplémentaire tous les trois ans produit l'année bissextile lunaire. Enfin pour faciliter la référence, chaque mois lunaire débute à la date indiquée pour la nouvelle lune dans le calendrier occidental.

Vous serez peut-être intéressé à savoir que le premier jour du printemps, selon les indications du calendrier lunaire, un oeuf fraîchement pondu tient debout sur sa base. Je vous recommande d'en tenter l'expérience, car je sais qu'il faut le voir pour le croire. À Hong-Kong, on appelle ce jour le Lap Choun. Dans le calendrier grégorien, le premier jour du printemps arrive toujours un 4 ou 5 février. En 1979, le Lap Choun tombait le 4 février, en 1980, le 5 février et en 1981, le 4 février. Dans le calendrier lunaire, sa position varie constamment. Certaines années lunaires peuvent avoir deux Lap Chouns alors que d'autres années lunaires n'en auront aucun (comme c'est le cas lorsque la nouvelle année chinoise débute après le 5 février et qu'elle se termine avant le premier jour du printemps de l'année suivante). Les devins chinois disent d'une année sans Lap Choun que c'est une année "aveugle" car elle n'a pas "vu" la première journée du printemps, et ces années ne sont pas considérées propices au mariage.

Ce livre, vous permettra d'étudier l'animal correspondant à l'année de votre naissance, le signe lunaire qui gouverne l'heure de votre naissance, le signe lunaire qui correspond à votre signe solaire (voir page 20), l'élément de l'année de votre naissance et l'élément stable de votre signe animal. Par l'intégration de ces facteurs, de leurs attributs, des effets des forces négatives et positives et de toutes les combinaisons et variations possibles, vous découvrirez (si vous ne l'avez déjà fait) les secrets de votre coeur et du coeur des autres. Non seulement comprendez-vous alors votre moi total, mais vous serez en mesure de prédire ce à quoi vous pouvez vous attendre dans vos relations personnelles et professionnelles, aussi bien que ce que vous réserve une année en particulier.

Prenons par exemple 1976, l'année du Dragon de Feu positif, qui a apporté un grand nombre de calamités naturelles dans le monde: gros tremblement de terre en Chine, raz-de-marée aux Philippines, éruptions volcaniques, etc. Cependant, en dépit des forces destructives du feu, cette année du Dragon fut également considérée comme chanceuse car elle comprenait deux Lap Chouns: elle était donc extrêmement favorable aux mariages et aux affaires. Nous avons pu constater que cette année du Dragon s'est avérée chanceuse pour les personnes nées sous les signes du Rat, du Dragon et du Singe. Jimmy Carter, né sous le Rat, est passé de l'anonymat à la présidence. Walter Mondale, son partenaire à la vice-présidence, né sous le Dragon, était l'un des choix les plus heureux que pouvait faire une personne née sous le Rat. Il en est résulté une équipe Rat-Dragon qui s'est avérée imbattable. Il faut également prendre en considération le pays où s'est déroulé cet événement. Les États-Unis d'Amérique, fondés en 1776, sont gouvernés par le signe du Singe; il s'agit donc d'un pays favorable aux personnes nées sous le Rat et le Dragon.

L'année 1977 était l'année du Serpent de Feu négatif. Comme l'élément naturel ou l'élément stable du Serpent est également le Feu, cette double année du Feu a donné lieu à beaucoup de conflits; beaucoup de petites guerres et de conflits internationaux se sont déclarés et il y a eu de la sécheresse dans plusieurs parties du monde, des enlèvements et des prises d'otages, les attaques et le terrorisme ont connu, cette année-là, un sommet. Malgré cela, comme le Serpent est aussi un signe de progrès et d'avancement, les excès désastreux de 1977 ont été contrebalancés par des résultats positifs dans le secteur du commerce et de l'industrie. Les pourparlers Sadate-Begin qui ont débuté cette année-là illustrent bien l'influence bénéfique du Serpent lors de la négociation de situations politiques délicates.

Comme il existe beaucoup d'incompréhension et de fausse représentation lorsque le Serpent et le Singe se rencontrent, les États-Unis ont connu de gros problèmes financiers. La balance de paiement de ce pays était mauvaise et sa monnaie faible en comparaison avec d'autres. Ce fut également une période difficile pour le président Carter et pour toutes les personnes nées sous le Rat. L'euphorie et l'optimisme de la précédente année du Dragon s'étaient évanouis et il a fallu faire face à beaucoup de réalités pénibles en présence du Serpent. Comme on se méfie souvent du Singe au cours des années du Serpent, les États-Unis n'ont fait que peu de progrès sur le plan diplomatique et leurs propositions sincères de règlement de conflits ont été dans plusieurs cas mal interprétées.

L'année 1978 fut celle du Cheval de Terre positif. L'élément naturel du Cheval est le Feu et c'est un signe Yang (positif). C'était également une année aveugle car la nouvelle année chinoise commençait cette année-là après le premier jour du printemps et se terminait avant le Lap Choun de 1979. La Terre, élément stable de cette année-là en a atténué les tendances destructrices et 1978 a été une année clémente comportant moins de crises et de soubresauts que n'en aurait produits une année du Cheval de Métal ou de Feu. Cette année a aussi vu la fin des sécheresses apportées par les deux années de Feu qui l'avaient précédée.

Les chutes de neige record qui ont marqué le début de cette année du Cheval ont apporté plus d'eau qu'il n'en fallait aux terres agricoles desséchées. Cette année a été particulièrement bonne pour l'agriculture et l'almanach lunaire chinois portait une illustration montrant un fermier dont le bas du pantalon était relevé (ce qui signifiait qu'il aurait à marcher dans des rizières inondées) et conduisant un boeuf du printemps corpulent et robuste, symbole d'une année prospère. Lorsque le fermier de l'illustration porte des chaussures de bois, il annonce une année où il n'y aura pas beaucoup d'eau; lorsqu'il ne porte que des sandales de paille et qu'il conduit un boeuf du printemps à l'air affamé, cela signifie que l'année apportera de la sécheresse et qu'on connaîtra de mauvaises récoltes.

L'année 1978 a vu l'économie mondiale se stabiliser ou se rétablir grâce à l'élément Terre, générateur de croissance et de prospérité. Dans l'ensemble, cette année a présenté des difficultés pour les Rats à moins qu'ils ne soient nés au cours d'une année de Bois, la Terre pouvant être contrôlée par le Bois.

L'année 1979* est celle du Mouton de Terre négatif. L'élément stable du Mouton est également le Feu mais c'est un signe Yin (néga-

---

* N.d.T. Il faut se rappeler que ce livre a été publié, originellement, en 1979.

12

tif). Cette année compte deux Lap Chouns, un au début et un à la fin. Aussi, à bien des points de vue, 1979 est-elle une bonne année, une année de calme et de progrès bien que sous la gouverne du Mouton on ressente généralement trop de sensibilité et un manque de décision. Néanmoins, le Mouton est quand même considéré comme un signe chanceux car il apporte la paix et la prospérité sans demander trop d'efforts. Les ennemis ne seront pas portés à susciter des confrontations et on parviendra donc à des solutions assez satisfaisantes. Pour les industries reliées à la terre et au bois on enregistrera des gains importants tandis que l'acier et les autres commerces basés sur le métal connaîtront un recul. Si l'élément naturel de votre signe ou l'élément gouvernant l'année de votre naissance est la Terre ou le Bois, vous aurez de la chance vous aussi.

1980, année du Singe de Métal, sera positive et ne manquera pas de secouer le marasme causé par l'année du Mouton qui l'a précédée. Une année forte, quasi arrogante et qui voudra laisser sa marque dans l'Histoire. Le Singe réactivera complètement la vie commerciale; des fusions, de nouvelles inventions et des coalitions réussies marqueront cette année. L'élément naturel du Singe étant également le Métal, cette année doublement gouvernée par le Métal ne sera pas sans connaître quelques conflits causés par une ambition exagérée. Plusieurs pays feront montre de grandes aspirations soudaines et même l'homme de la rue prendra des risques inaccoutumés et en tirera du plaisir.

Le Métal de cette année pourrait bien symboliser une pièce d'argent car le profit est facile au cours d'une année du Singe. Il pourrait aussi, et c'est l'envers de la médaille, symboliser une épée puisque la cupidité engendre des conflits et la méfiance. Sur le plan mondial, les scènes économique, sociale et diplomatique seront très actives. La Russie, Serpent de Feu, connaîtra une période agitée au cours de l'année du Singe et sera impliquée dans beaucoup de disputes résultant de son manque de bonne foi ou de sa méfiance.

L'année 1981 est placée sous l'égide de l'énergique Coq de Métal. Le Coq est également un signe de Métal et cette double combinaison va causer beaucoup de problèmes, particulièrement des problèmes financiers suscités par un trop grand optimisme. On ne s'y ennuiera pas et on aura à payer cher pour le progrès et la réussite auxquels on parviendra en cette année gouvernée par le Coq. Ce sera également une autre année aveugle (l'année aveugle suivante n'arrivera qu'en 1986, année du Tigre de Feu).

Bien entendu, ces quelques prédictions sont d'ordre général et concernent l'ensemble de la planète. Chaque pays sera différemment affecté, en raison de son propre signe de naissance. La Chine par exemple, a connu une nouvelle naissance en 1949, année du Boeuf de Terre. On reconnaîtra, aussi, qu'elle a progressé principalement grâce à son dur labeur et à un effort constant de toute sa population. Étant gouvernée par le signe du Boeuf, la Chine connaîtra un sort différent de celui de la France, née en 1958 (avec la Cinquième République), et qui est un Chien; ou du Canada, né en 1867 (Acte de l'Amérique du Nord britannique), sous le signe du Lièvre; ou de la pittoresque Hong-Kong, née en 1842 (Traité de Nankin), qui est gouvernée par le Tigre.

J'ai écrit ce livre dans l'espoir qu'il aidera à conserver le folklore de l'horoscope chinois qui a présentement tendance à disparaître rapidement. En effet, même si dans le passé il a été transmis durant un nombre incalculable de générations, cette coutume n'est plus populaire, ni même encouragée dans la Chine d'aujourd'hui. Ce travail est donc le résultat de compilations de livres chinois, de dictons populaires, de légendes et de mythologies de même que d'interprétations de diseurs de bonne aventure chinois; il est aussi la somme de mes propres théories et observations. J'espère également qu'il vous apportera quelques nouvelles intuitions sur vous-même et sur les gens qui vous entourent. Il pourra peut-être vous aider à comprendre plus facilement les sautes d'humeur occasionnelles de votre patron né sous le signe du Chien, l'esprit changeant et capricieux d'un client né sous le Cheval, les manières dominatrices et expansives d'un ami né sous le Dragon, ou la nature sereine mais sceptique d'une personne née sous le Serpent.

Vous pourrez être surpris de découvrir que l'homme à tout faire de votre voisinage, qui est capable de tout réparer avec une dextérité incomparable, est né au cours de l'année du Singe, et que votre banquier au caractère lent, assuré et conservateur est pour sa part né durant l'année du Boeuf. Vous pourrez peut-être devenir plus patient avec ce partenaire insupportable toujours le premier à se plaindre et à s'alarmer, lorsque vous découvrirez qu'il est né au cours de l'année du Mouton. Enfin, vous éclaterez peut-être de rire en apprenant que ce personnage de votre bureau qui porte toujours d'affreuses et flamboyantes cravates, est né au cours de l'année du Coq.

Ce livre pourrait vous éclairer sur les raisons pour lesquelles certaines personnes vous sont antipathiques, alors que d'autres deviennent instantanément vos amis. Vous découvrirez les signes qui s'apparentent le mieux ou le moins bien au vôtre. Mais là encore, il faut toujours vous rappeler qu'il y aura des exceptions dues au signe qui influence l'heure de votre naissance, et à celui qui gouverne le mois au cours duquel vous êtes né.

La section qui traite de la façon dont chaque signe se comporte au cours des différentes années, de même que les combinaisons de mariage et les tableaux de compatibilité, ont été établis pour servir de guide général et supposent que nous avons affaire à des signes lunaires purs et nettement dominants. Un Serpent né au cours des heures du Serpent est un signe "pur". Un Dragon né au cours des heures du Lièvre conservera probablement davantage de ses caractéristiques "dominantes" de Dragon. Mais un Mouton né durant les heures du Tigre pourrait afficher les traits plus forts de son signe ascendant, et être compatible avec un Chien, ce qui ne serait normalement pas le cas d'après les tableaux de compatibilité. Il en résulte que, lorsque l'on consulte les combinaisons de mariage et les tableaux de compatibilité, il est important de garder en mémoire que les autres facteurs composant l'horoscope peuvent affecter les relations entre deux signes. Ainsi, la plupart des gens démontrent une forte affinité pour les personnes nées sous leur signe ascendant, même si ce signe n'est pas des plus compatibles avec leur signe de naissance. Par exemple, une femme née sous le signe du Sanglier, au cours des heures du Serpent, pourra très bien s'entendre avec les Serpents, alors que normalement il n'y aurait aucune compatibilité.

Lorsqu'une personne naît durant les heures du signe le plus incompatible avec son signe de naissance, il devient difficile (même pour les diseurs de bonne aventure les plus expérimentés) de prédire les traits qui marqueront sa personnalité. Prenons l'exemple d'un Coq né pendant les heures du Lièvre. Il se pourrait qu'il devienne un Coq timide et cultivant en secret des projets grandioses et de grandes ambitions, ou à l'opposé un Coq bavard s'avérant rusé, diplomate mais incapable de passer aux actes malgré toutes ses fanfaronnades. Inutile de le mentionner, de telles personnes sont généralement de nature compliquée et de tempérament instable. Le meilleur moyen de déterminer quel signe domine la vie de ces personnes est d'observer le signe lunaire des personnes dont elles préfèrent la compagnie ou pour lesquelles elles éprouvent une attirance.

Voici un exemple de la façon dont on analyse les trois principaux signes animaux de la vie d'une personne. Prenons un sujet qui serait né le:

Son signe de naissance: Chien (année — 1946)	1er degré
Son ascendant: Rat (heure — 12)	2e degré
Son mois de naissance est gouverné par le Cancer	3e degré
ou le Mouton	

En commençant par regarder le signe de naissance du sujet, nous pouvons dire qu'il sera principalement compatible avec le Tigre, le Cheval, ou le Lièvre. Cependant, comme son signe ascendant est le Rat, nous pouvons déduire que ce Chien aura une affinité pour les personnes nées sous le Rat et qu'il pourra s'entendre avec le Singe, et ce qui est surprenant avec les personnes nées sous le Dragon. Si son signe ascendant tient une place dominante dans sa personnalité, ce Chien pourrait fuir le Cheval (normalement un excellent partenaire pour le Chien) car son signe ascendant, le Rat, est tout à fait incompatible avec le Cheval.

Afin de découvrir de quelle manière le fait d'être né durant le mois du Mouton va marquer la vie d'un sujet, vous pouvez vous référer au chapitre traitant du Mouton et consulter la combinaison "Cancer/Chien" au chapitre 14 "La rencontre des signes solaires et des signes lunaires."

Dans le contexte des cycles lunaires chinois, la charmante coutume occidentale de donner aux enfants le nom de ses grands-parents paternels et maternels est encore plus significative et appropriée qu'on pourrait le penser. Car si le grand-parent a 60 ans de plus que son homonyme, cela équivaut à un cycle complet du calendrier lunaire. Tous les deux seront alors nés sous le même signe animal et sous l'influence du même élément.

Peut-être après avoir lu ce livre y croirez-vous suffisamment pour prêter l'oreille à la sagesse du Serpent, rechercher la sympathie du tendre Mouton, vous fier à la finesse des stratégies du Singe, vous amuser avec le Cheval toujours jeune et insouciant, vous fier à la diplomatie infaillible du Lièvre, ou faire confiance à l'indomptable Dragon. Vous pourrez peut-être également obtenir gain de cause en prenant à la légère les exigences du Coq, en discutant avec le Chien, en vous chamaillant avec l'optimiste Tigre ou en marchandant avec l'infatigable Rat.

Les années des signes lunaires de 1900 à 1995

Rat	1900	1912	1924	1936	1948	1960	1972	1984
Boeuf	1901	1913	1925	1937	1949	1961	1973	1985
Tigre	1902	1914	1926	1938	1950	1962	1974	1986
Lièvre	1903	1915	1927	1939	1951	1963	1975	1987
Dragon	1904	1916	1928	1940	1952	1964	1976	1988
Serpent	1905	1917	1929	1941	1953	1965	1977	1989
Cheval	1906	1918	1930	1942	1954	1966	1978	1990
Mouton	1907	1919	1931	1943	1955	1967	1979	1991
Singe	1908	1920	1932	1944	1956	1968	1980	1992
Coq	1909	1921	1933	1945	1957	1969	1981	1993
Chien	1910	1922	1934	1946	1958	1970	1982	1994
Sanglier	1911	1923	1935	1947	1959	1971	1983	1995

Note: La liste plus détaillée qui suit vous permettra de déterminer dans quelle année lunaire se place votre date de naissance, car ces années se juxtaposent.

Années lunaires précises de 1900 à 1995

Signe		*Élément*	
Rat	Du 31 janvier 1900 au 18 février 1901	Métal	(+)
Boeuf	Du 19 février 1901 au 7 février 1902	Métal	(−)
Tigre	Du 8 février 1902 au 28 janvier 1903	Eau	(+)
Lièvre	Du 29 janvier 1903 au 15 février 1904	Eau	(−)
Dragon	Du 16 février 1904 au 3 février 1905	Bois	(+)
Serpent	Du 4 février 1905 au 24 janvier 1906	Bois	(−)
Cheval	Du 25 janvier 1906 au 12 février 1907	Feu	(+)
Mouton	Du 13 février 1907 au 1 février 1908	Feu	(−)
Singe	Du 2 février 1908 au 21 janvier 1909	Terre	(+)
Coq	Du 22 janvier 1909 au 9 février 1910	Terre	(−)
Chien	Du 10 février 1910 au 29 janvier 1911	Métal	(+)
Sanglier	Du 30 janvier 1911 au 17 février 1912	Métal	(−)
Rat	Du 18 février 1912 au 5 février 1913	Eau	(+)
Boeuf	Du 6 février 1913 au 25 janvier 1914	Eau	(−)
Tigre	Du 26 janvier 1914 au 13 février 1915	Bois	(+)

Signe		Élément	
Lièvre	Du 14 février 1915 au 2 février 1916	Bois	(−)
Dragon	Du 3 février 1916 au 22 janvier 1917	Feu	(+)
Serpent	Du 23 janvier 1917 au 10 février 1918	Feu	(−)
Cheval	Du 11 février 1918 au 31 janvier 1919	Terre	(+)
Mouton	Du 1 février 1919 au 19 février 1920	Terre	(−)
Singe	Du 20 février 1920 au 7 février 1921	Métal	(+)
Coq	Du 8 février 1921 au 27 janvier 1922	Métal	(−)
Chien	Du 28 janvier 1922 au 15 février 1923	Eau	(+)
Sanglier	Du 16 février 1923 au 4 février 1924	Eau	(−)
Rat	Du 5 février 1924 au 24 janvier 1925	Bois	(+)
Boeuf	Du 25 janvier 1925 au 12 février 1926	Bois	(−)
Tigre	Du 13 février 1926 au 1 février 1927	Feu	(+)
Lièvre	Du 2 février 1927 au 22 janvier 1928	Feu	(−)
Dragon	Du 23 janvier 1928 au 9 février 1929	Terre	(+)
Serpent	Du 10 février 1929 au 29 janvier 1930	Terre	(−)
Cheval	Du 30 janvier 1930 au 16 février 1931	Métal	(+)
Mouton	Du 17 février 1931 au 5 février 1932	Métal	(−)
Singe	Du 6 février 1932 au 25 janvier 1933	Eau	(+)
Coq	Du 26 janvier 1933 au 13 février 1934	Eau	(−)
Chien	Du 14 février 1934 au 3 février 1935	Bois	(+)
Sanglier	Du 4 février 1935 au 23 janvier 1936	Bois	(−)
Rat	Du 24 janvier 1936 au 10 février 1937	Feu	(+)
Boeuf	Du 11 février 1937 au 30 janvier 1938	Feu	(−)
Tigre	Du 31 janvier 1938 au 18 février 1939	Terre	(+)
Lièvre	Du 19 février 1939 au 7 février 1940	Terre	(−)
Dragon	Du 8 février 1940 au 26 janvier 1941	Métal	(+)
Serpent	Du 27 janvier 1941 au 14 février 1942	Métal	(−)
Cheval	Du 15 février 1942 au 4 février 1943	Eau	(+)
Mouton	Du 5 février 1943 au 24 janvier 1944	Eau	(−)
Singe	Du 25 janvier 1944 au 12 février 1945	Bois	(+)
Coq	Du 13 février 1945 au 1 février 1946	Bois	(−)
Chien	Du 2 février 1946 au 21 janvier 1947	Feu	(+)
Sanglier	Du 22 janvier 1947 au 9 février 1948	Feu	(−)

Signe		Élément	
Rat	Du 10 février 1948 au 28 janvier 1949	Terre	(+)
Boeuf	Du 29 janvier 1949 au 16 février 1950	Terre	(−)
Tigre	Du 17 février 1950 au 5 février 1951	Métal	(+)
Lièvre	Du 6 février 1951 au 26 janvier 1952	Métal	(−)
Dragon	Du 27 janvier 1952 au 13 février 1953	Eau	(+)
Serpent	Du 14 février 1953 au 2 février 1954	Eau	(−)
Cheval	Du 3 février 1954 au 23 janvier 1955	Bois	(+)
Mouton	Du 24 janvier 1955 au 11 février 1956	Bois	(−)
Singe	Du 12 février 1956 au 30 janvier 1957	Feu	(+)
Coq	Du 31 janvier 1957 au 17 février 1958	Feu	(−)
Chien	Du 18 février 1958 au 7 février 1959	Terre	(+)
Sanglier	Du 8 février 1959 au 27 janvier 1960	Terre	(−)
Rat	Du 28 janvier 1960 au 14 février 1961	Métal	(+)
Boeuf	Du 15 février 1961 au 4 février 1962	Métal	(−)
Tigre	Du 5 février 1962 au 24 janvier 1963	Eau	(+)
Lièvre	Du 25 janvier 1963 au 12 février 1964	Eau	(−)
Dragon	Du 13 février 1964 au 1 février 1965	Bois	(+)
Serpent	Du 2 février 1965 au 20 janvier 1966	Bois	(−)
Cheval	Du 21 janvier 1966 au 8 février 1967	Feu	(+)
Mouton	Du 9 janvier 1967 au 29 janvier 1968	Feu	(−)
Singe	Du 30 janvier 1968 au 16 février 1969	Terre	(+)
Coq	Du 17 février 1969 au 5 février 1970	Terre	(−)
Chien	Du 6 février 1970 au 26 janvier 1971	Métal	(+)
Sanglier	Du 27 janvier 1971 au 15 janvier 1972	Métal	(−)
Rat	Du 16 janvier 1972 au 2 février 1973	Eau	(+)
Boeuf	Du 3 février 1973 au 22 janvier 1974	Eau	(−)
Tigre	Du 23 janvier 1974 au 10 février 1975	Bois	(+)
Lièvre	Du 11 février 1975 au 30 janvier 1976	Bois	(−)
Dragon	Du 31 janvier 1976 au 17 février 1977	Feu	(+)
Serpent	Du 18 février 1977 au 6 février 1978	Feu	(−)
Cheval	Du 7 février 1978 au 27 janvier 1979	Terre	(+)
Mouton	Du 28 janvier 1979 au 15 février 1980	Terre	(−)
Singe	Du 16 février 1980 au 4 février 1981	Métal	(+)
Coq	Du 5 février 1981 au 24 janvier 1982	Métal	(−)

Signe		Élément	
Chien	Du 25 janvier 1982 au 12 février 1983	Eau	(+)
Sanglier	Du 13 février 1983 au 1 février 1984	Eau	(−)
Rat	Du 2 février 1984 au 19 février 1985	Bois	(+)
Boeuf	Du 20 février 1985 au 8 février 1986	Bois	(−)
Tigre	Du 9 février 1986 au 28 janvier 1987	Feu	(+)
Lièvre	Du 29 janvier 1987 au 16 février 1988	Feu	(−)
Dragon	Du 17 février 1988 au 5 février 1989	Terre	(+)
Serpent	Du 6 février 1989 au 26 janvier 1990	Terre	(−)
Cheval	Du 27 janvier 1990 au 14 février 1991	Métal	(+)
Mouton	Du 15 février 1991 au 3 février 1992	Métal	(−)
Singe	Du 4 février 1992 au 22 janvier 1993	Eau	(+)
Coq	Du 23 janvier 1993 au 9 février 1994	Eau	(−)
Chien	Du 10 février 1994 au 30 janvier 1995	Bois	(+)
Sanglier	Du 31 janvier 1995 au 18 février 1996	Bois	(−)

Le texte concernant les années est tiré du Calendrier lunaire perpétuel chinois (dix mille ans).

Les douze signes et leurs heures

23h à 1h — Heures gouvernées par le Rat
1h à 3h — Heures gouvernées par le Boeuf
3h à 5h — Heures gouvernées par le Tigre
5h à 7h — Heures gouvernées par le Lièvre
7h à 9h — Heures gouvernées par le Dragon
9h à 11h — Heures gouvernées par le Serpent
11h à 13h — Heures gouvernées par le Cheval
13h à 15h — Heures gouvernées par le Mouton
15h à 17h — Heures gouvernées par le Singe
17h à 19h — Heures gouvernées par le Coq
19h à 21h — Heures gouvernées par le Chien
21h à 23h — Heures gouvernées par le Sanglier

Les 24 segments de l'almanach agricole lunaire

Vous êtes-vous déjà demandé pourquoi les signes astrologiques occidentaux coïncidaient avec des jours impairs plutôt qu'avec le premier et le trente du mois? En étudiant le calendrier lunaire, je me suis aperçue qu'il était divisé en 24 sections qui à l'origine servaient de guide pour l'agriculture. En comparant les dates les plus rapprochées de ces 24 sections ou souches avec le calendrier occidental, on découvre qu'elles coïncident avec les douze signes astrologiques solaires. Comme chacun des signes animaux représente un mois particulier de ce calendrier, nous pouvons donc rapprocher l'Orient et l'Occident.

Date la plus rapprochée du calendrier occidental	Traduction des termes chinois	Occident Signe solaire	Orient Signe lunaire
21 jan. au 5 fév.	Grands froids	Verseau	Tigre
5 fév. au 19 fév.	Début du printemps	(21 fév. — 19 fév.)	
19 fév. au 5 mars	Eaux de pluie	Poisson	Lièvre
5 mars au 20 mars	Insectes fébriles	(20 fév. — 20 mars)	
20 mars au 5 avril	Équinoxe* du printemps	Bélier	Dragon
5 avril au 20 avril	Lumière et clarté	(21 mars — 19 avril)	
20 avril au 5 mai	Pluies des semences	Taureau	Serpent
5 mai au 20 mai	Début de l'été	(20 avril — 20 mai)	
20 mai au 6 juin	Grains se forment	Gémeaux	Cheval
6 juin au 21 juin	Grains à l'oreille	(21 mai — 21 juin)	
21 juin au 7 juillet	Solstice** d'été	Cancer	Mouton
7 juillet au 22 juillet	Chaleur modérée	(22 juin — 21 juillet)	
22 juillet au 7 août	Grande chaleur	Lion	Singe
7 août au 22 août	Début de l'automne	(22 juillet — 21 août)	
22 août au 8 sept.	Fin de la chaleur	Vierge	Coq
8 sept. au 23 sept.	Rosée blanche	(22 août — 22 sept.)	
23 sept. au 8 oct.	Équinoxe* d'automne	Balance	Chien
8 oct. au 23 oct.	Rosée froide	(23 sept. — 22 oct.)	
23 oct. au 7 nov.	Arrivée des gelées	Scorpion	Sanglier
7 nov. au 22 nov.	Début de l'hiver	(23 oct. — 21 nov.)	
22 nov. au 7 déc.	Légères neiges	Sagittaire	Rat
7 déc. au 21 déc.	Neiges abondantes	(22 nov. — 21 déc.)	
21 déc. au 6 janv.	Solstice** d'hiver	Capricorne	Boeuf
6 janv. au 21 janv.	Légers froids	(22 déc. — 21 janv.)	

* *Équinoxe*: Moment où le soleil traverse l'équateur et où le jour et la nuit sont d'égale longueur.

** *Solstice*: Moment où le soleil est le plus éloigné de l'équateur et apparaît fixe. Le solstice d'été débute avec le plus long jour et celui d'hiver avec la plus longue nuit.

Les signes en général

Comme les douze signes animaux ou embranchements de la terre sont également tous assignés à un mois particulier du calendrier lunaire, nous pouvons réunir chaque signe du zodiaque occidental avec sa contrepartie orientale.

Ainsi, comme le mois de décembre est dominé par le Rat, nous l'associons à la personnalité confiante du Sagittaire. En janvier le Boeuf a comme complément le robuste Capricorne, tandis que le bienheureux Tigre du mois de février partage plusieurs traits du Verseau. Le Lièvre et le Poisson cohabitent en mars tout comme c'est le cas du Dragon et du Bélier en avril. En mai le Taureau coïncide avec le Serpent, et en juin les Gémeaux s'apparentent énormément au Cheval. Ensuite, nous découvrons que le Cancer et le Mouton ont beaucoup plus en commun que le fait de se partager le mois de juillet. Le Lion et le Singe gouvernent le mois d'août, et la Vierge ne pourrait pas avoir de meilleur compagnon que le Coq en septembre. La Balance est très bien assortie avec son ami le Chien tandis que les deux signes du dévouement, le Scorpion et le Sanglier, se trouvent réunis en novembre.

Tout comme leur pendant occidental, les signes lunaires se distinguent par certaines caractéristiques particulières à chacun.

Ainsi nous pouvons souligner le côté pétillant, pratique et assuré des femmes nées sous les signes combinés Coq/Vierge et Cheval/Gémeaux de même que le charme, la fraîcheur et l'élégance de celles nées sous les signes Singe/Lion et Tigre/Verseau. De la même manière on peut identifier la beauté chaleureuse, robuste et attirante des femmes qui sont Chien/Balance ou Rat/Sagittaire ou encore être séduit par l'allure sophistiquée et captivante des femmes Serpent/Taureau. Ensuite, il devient facile de détecter les ultra-féminines si sensibles qui allient les signes Mouton/Cancer et Lièvre/Poisson et qui ont toujours un mouchoir parfumé à la main comme pour essuyer des larmes destinées à attendrir les coeurs les plus durs.

Puis, ce sera madame Dragon elle-même, Bélier qui n'a besoin de l'aide de personne car elle contrôle entièrement la situation et est pleinement consciente de ses énormes pouvoirs. En dernier lieu, mais ce qui ne leur enlève rien, le calme, le talent et les bonnes manières des jeunes filles des combinaisons Boeuf/Capricorne et Sanglier/Scorpion qui les rendent très sympathiques.

Du côté des hommes, il est impossible de ne pas remarquer le puissant Coq qui avec apparat prend plaisir à croiser le fer avec ses opposants ou le Dragon dynamique et victorieux et ses nombreux exploits d'endurance et de dévouement. On peut dormir tranquille connaissant la fiabilité du Boeuf et sachant qu'il a le plein contrôle de ses entreprises, tandis que le candide Sanglier, exemple parfait d'obéissance, consacre son temps à aider ses voisins ou à occuper des fonctions sociales. Fidèle et soucieux, le Chien deviendra facilement activiste syndical et se portera à la défense de la famille et de la patrie, tandis qu'obstiné et jouisseur le Serpent se consacrera entièrement à sa dernière conquête amoureuse ou à une manoeuvre financière.

Loin des regards, sensibles et préoccupés d'esthétique, les messieurs nés sous le Mouton et le Lièvre établiront discrètement les canons de la mode ou dirigeront les arts.

Il ne faut pas ignorer ni négliger le Tigre indomptable, toujours à se rebeller, et le Cheval, fringant et débonnaire, capable de s'adapter à tout ce qui l'entoure. Affable mais astucieux est le Rat, occupé à surveiller et à accroître son compte en banque, tandis que l'ingénieux Singe prend un malin plaisir à résoudre les problèmes les plus déroutants et à mettre au point ses propres combines.

Le Yin et le Yang

Depuis les temps anciens les Chinois ont attribué la source de tous les mouvements de la matière et de la force vitale à la pulsion constante et équilibrée des aspects positif et négatif de l'énergie auxquels ils ont donné les noms de Yin et de Yang.

Le Yin et le Yang sont imbriqués dans ce symbole chinois tiré du T'ai Chi:

Yang, ou Jour   Yin, ou Nuit

Ce cercle (ou oeuf, selon l'interprétation de certains) est utilisé pour symboliser l'origine de la vie. Yang signifie la naissance ou le jour, Yin la mort ou la nuit. Du fait que les deux portions du T'ai Chi s'équilibrent parfaitement l'une l'autre, on présente aussi ce symbole comme étant le "principe fondamental de toute existence".

En Orient, qu'il s'agisse d'art, de médecine ou de philosophie, toutes les classifications respectent ces deux souches. Le maintien de l'harmonie et de l'ordre universel ou de l'ordre corporel consistent à maintenir le Yin et le Yang en équilibre constant. L'harmonie disparaît et fait place au chaos lorsque leur force respective est perturbée. Tout comme les pôles opposés d'un aimant, le Yin attire le Yang, mais sera repoussé par une autre force Yin. Pour la lecture de l'horoscope chinois, il faut noter que le Yin ou le Yang ne repousse que la souche positive ou négative directement opposée à sa polarité. Si on se réfère au cercle de l'incompatibilité apparaissant à la page 38, vous pourrez constater que tous les signes conflictuels proviennent de la même souche. Ce n'est que lorsque les signes animaux sont situés face à face qu'ils se repoussent. Dans le triangle des affinités (page 36) vous pouvez constater comment trois signes positifs ou négatifs peuvent être en harmonie lorsqu'ils sont éloignés de 120 degrés.

L'application du principe du Yin et du Yang aux cinq éléments de l'horoscope peut présenter davantage de complications. Par exemple la souche positive du Bois est un sapin tandis que sa souche négative consiste en un bambou flexible. La souche positive du Feu peut être un feu de forêt, tandis que la négative peut être la flamme d'une lampe ou d'une chandelle qui émet une lumière bénéfique. Le côté positif de l'élément Terre est une colline; son côté négatif, une vallée. Le positif du Métal, un gong ou une arme; le négatif, une casserole ou une pièce de monnaie. La souche positive de l'Eau, une vague; sa souche négative, l'eau calme.

Le mot "négatif" ne doit pas être pris dans un sens péjoratif car dans ce contexte, il ne signifie rien de mauvais ou d'indésirable. Les deux forces, la positive (Yang) et la négative (Yin) possèdent leurs bons et leurs mauvais aspects. Par exemple, une personne née sous un signe positif se trouvera plus efficace lorsqu'elle procédera de manière active. Il serait pour elle "négatif" au sens péjoratif du terme de procéder de manière passive. Pour les mêmes raisons, une personne née sous un signe négatif se sentira mieux lorsqu'elle se comportera d'une façon passive ou non agressive. La première est portée vers l'action et l'innovation, tandis que la seconde excelle comme penseur et négociateur. Généralement, les personnes Yang sont plus spontanées et les personnes Yin davantage intuitives et réfléchies.

Dans le système adopté par l'horoscope chinois, le Yin et le Yang apparaissent en alternance avec le même élément et chacun des douze signes animaux.

Ainsi, le Yang (+) sera accouplé avec l'élément Feu qui se présente le premier, disons pour l'année du Rat 1936. Immédiatement après, dans l'année du Boeuf (1937), le Yin (−) sera à son tour combiné avec le même élément, le Feu, de façon à équilibrer la force Yang.

Nous découvrirons donc qu'il n'y a que six changements d'élément au cours d'un cycle normal de 12 ans car chaque élément doit apparaître deux fois, une fois dans son état positif et une fois dans son état négatif.

Les cinq éléments

Un aspect fondamental de la philosophie de l'Orient consiste dans les interrelations qu'on y fait entre les cinq éléments de base. On fait une distinction entre interrelations favorables et interrelations de contrôle, selon le tableau suivant.

Favorables

Du Métal nous obtenons l'Eau

Le Métal est habituellement représenté par le caractère chinois signifiant l'or, mais dans ce contexte, le Métal peut signifier un vase ou un contenant destiné à renfermer de l'eau, ce qui nous permet de dire que le Métal emprisonne l'Eau. D'un autre point de vue, le métal est le seul élément qui se changera en liquide sous l'effet de la chaleur.

De l'Eau nous obtenons le Bois

Ici l'Eau signifie la pluie et la rosée qui permettent l'épanouissement de la vie végétale, assurant du même fait la production du bois.

Du Bois nous obtenons le Feu

Le Feu ne peut pas exister de lui-même et a besoin de la combustion du Bois. Par ailleurs, le feu est produit par le frottement de deux morceaux de bois.

Du Feu nous obtenons la Terre

Symboliquement, le feu réduit tout en cendres, lesquelles à leur tour sont réintégrées à la terre.

De la Terre nous obtenons le Métal

Tous les métaux doivent être extraits de la terre.

Contrôleurs

L'univers entier est composé de ces 5 éléments. Ils sont inter-dépendants et chacun d'eux est contrôlé par un autre.

Le Métal est contrôlé par le Feu

Le métal ne peut être ramolli et forgé qu'à l'aide d'une grande chaleur.

Le Feu est contrôlé par l'Eau

Rien ne peut éteindre un feu aussi rapidement que l'eau.

L'Eau est contrôlée par la Terre

Nous creusons des canaux dans la terre pour irriguer les champs et nous construisons des barrages pour conserver ou absorber l'eau.

La Terre est contrôlée par le Bois

Les arbres et leurs racines maintiennent le sol et tirent leur nourriture de la terre.

Le Bois est contrôlé par le Métal

Même le plus grand arbre peut être abattu au moyen d'une hache faite de métal.

Selon cette philosophie, nous nous apercevons qu'aucun des éléments ne peut être appelé le plus fort ou le plus faible. Comme le Yin et le Yang, ils sont à jamais dépendants l'un de l'autre et sont égaux. Ils sont reliés par la chaîne de la vie qui est à la source de leur existence et il n'existe entre eux aucune lutte de pouvoir. Chacun a une place et une fonction qui lui est propre.

Même à l'intérieur du corps humain, les 5 éléments maintiennent leurs relations réciproques. Pour la médecine chinoise et l'acupuncture, les éléments gouvernent les 5 principaux organes du corps. Le Métal est relié au poumon, le Feu contrôle le coeur, l'Eau est associée aux reins, la Terre représente la rate et le pancréas et le Bois est identifié au foie.

Ce qui oblige le médecin chinois, herboriste ou acupuncteur à tenir compte de ces relations lorsqu'il a à traiter une maladie. À titre d'exemple, lorsque la Terre (pancréas) est affectée, le Métal (poumon) est également affaibli. S'il y a malfonction de l'Eau (reins), alors celle-ci ne peut plus reproduire sa contrepartie qui est le Bois. Il s'ensuit que l'organe du Bois, le foie, commencera à se détériorer.

L'élément Métal

Les personnes nées au cours des années contrôlées par l'élément Métal s'avéreront aussi rigides et résolues dans leur façon d'être que le permet leur signe animal particulier. Elles sont guidées par des sentiments forts et poursuivront leurs objectifs avec intensité et sans hésitation. Stimulées par leurs ambitions, elles sont capables d'efforts prolongés pour parvenir à leurs fins. Elles veulent absolument réussir et leur détermination ne faiblit jamais.

Il est difficile d'influencer ces personnes ou de les amener à changer d'avis une fois qu'elles ont décidé quelque chose; même les difficultés, les reculs et les échecs partiels n'y parviennent pas. Quelles que soient la constance et la persévérance attribuables au signe lunaire sous lequel elles sont nées, l'élément Métal les augmentera encore. Cependant elles ont de la difficulté à abandonner lorsqu'une situation devient impossible et peuvent se montrer inutilement entêtées et d'esprit rigide.

Elles préfèrent étudier et régler leurs problèmes elles-mêmes et n'apprécieront guère toute interférence ou aide qu'elles n'ont pas sollicitée. Ces personnes tracent leur propre destinée, choisissent leurs moyens et fixent leur but sans aide extérieure.

Bien qu'elles puissent paraître inflexibles et froidement autonomes, les personnes gouvernées par le Métal sont conductrices d'électricité; la force de leurs impulsions et leur pouvoir générateur peuvent être ressentis par ceux avec qui elles sont en contact, obtenant ainsi les changements et les transformations qu'elles désirent.

Elles sont très portées vers l'argent et, d'instinct, elles l'accumulent. Elles utilisent ces caractéristiques pour soutenir leur esprit d'indépendance et leur forte propension pour le luxe, l'opulence et le pouvoir.

Pour être totalement efficaces, il leur faut cependant apprendre à faire des compromis et à ne pas trop insister pour obtenir gain de cause. Elles se montrent souvent inflexibles et obstinées et mettront fin à une bonne relation simplement parce que les autres continuent à exprimer des souhaits ou ne se conforment pas spontanément à leur volonté.

L'élément Eau

Les personnes nées au cours d'une année dominée par l'élément Eau ont une habileté à communiquer supérieure à la moyenne et font avancer leurs idées en influençant la pensée des autres. L'esprit des autres leur fournit les canaux par lesquels elles parviennent à transformer leurs idées créatrices en une action positive. Leurs vibrations sont généralement sympathiques et en autant que leur signe animal de naissance le permette elles réussissent à bien communiquer leurs sentiments et leurs émotions.

Elles ont un don d'observation et peuvent être d'une aide précieuse lorsqu'il s'agit de juger du potentiel d'une situation. Elles réussissent à donner aux événements la tournure qu'elles désirent en stimulant et en utilisant le talent et les ressources des autres. Cependant elles savent user de doigté et ne feront jamais sentir qu'elles imposent quoi que ce soit. De ce fait, comme leur élément, l'Eau, elles réussiront à éroder les oppositions les plus fortes par leurs efforts silencieux mais constants. Parce que ces personnes préfèrent infiltrer plutôt que dominer, elles sauront qui approcher pour un sujet donné et se montreront perspicaces quant à l'endroit et au moment idéal pour le faire.

Elles ont le talent d'amener les gens à désirer ce qu'elles-mêmes désirent, atteignant ainsi leur but d'une façon sûre mais indirecte. Elles aiment susciter l'action plutôt qu'y contraindre.

Du fait de leur lucidité et de leur flexibilité fondamentales, ces personnes sont fluides, à l'image de leur élément. Aspect négatif, de telles personnes peuvent avoir tendance à se montrer trop conciliantes et à choisir la plus facile des voies qui leur soient accessibles. Au pire, elles seront inconstantes et passives et rechercheront beaucoup trop le soutien d'autrui, détruisant ainsi leur habileté à atteindre les buts qu'elles poursuivent. Pour réussir, elles doivent se montrer plus fermes et utiliser leur immense pouvoir de persuasion pour donner réalité à leur plan. Quant aux autres personnes avec qui elles entrent en contact, elles seraient sages de se laisser guider par leur intuition.

L'élément Bois

Les personnes nées sous les auspices de l'élément Bois, ont un sens éthique très développé; elles possèdent de grandes valeurs morales ainsi qu'une immense confiance en elles-mêmes. Elles connaissent la valeur intrinsèque des choses et leurs champs d'intérêt sont vastes et variés. Leur nature expansive et coopérative leur permet de réaliser leurs projets à grande échelle.Elles ont des qualités de gestionnaires et savent évaluer les différents sujets et les classer par catégories et ordres de priorité. Leur ouverture d'esprit et leur générosité leur permettent de s'attaquer à des projets de grande envergure, ou à long terme, de même qu'à des entreprises considérables ou à des études scientifiques qui exigent un travail d'équipe.

Elles possèdent le talent de convaincre les autres de s'associer à leurs projets. Leurs intérêts se ramifient rapidement et se diversifient dans tous les domaines possibles car elles sont partisanes d'une croissance et d'un renouvellement constants. Elles savent partager les résultats qu'elles obtiennent grâce à un effort collectif avec tous ceux qui y ont apporté une contribution. Leur bonne volonté innée et leur compréhension de la pensée et des agissements des autres vont les placer dans des positions très avantageuses. En temps utile, elles obtiendront tout le soutien et le financement dont elles auront besoin, car les gens feront confiance à leur habileté à tirer profit de l'information et à leurs idées.

Leur principale faiblesse est qu'elles ne réussissent pas toujours à contrôler leur ambition ce qui les mène parfois à l'échec. Elles sont quelquefois très dispersées ce qui fait qu'elles n'arrivent pas à terminer ce qu'elles ont entrepris. Dans ces cas-là, leurs plans changent de façon imprévue et elles se voient ballottées d'un projet à un autre sans résultats satisfaisants.

L'élément Feu

Les personnes nées au cours d'une année gouvernée par l'élément Feu possèdent des qualités de meneurs supérieures à la moyenne; elles sont décidées et sûres d'elles-mêmes. Elles ont toutes la capacité que leur permet leur signe particulier lorsqu'il s'agit de motiver les gens et d'amener des idées à maturité car elles savent être plus dynamiques et positives que les autres personnes nées sous le même signe. Portées vers l'aventure et l'innovation, elles ont tendance à accepter d'emblée les bonnes idées nouvelles et à essayer de dominer les autres par leur créativité et leur originalité. Elles ne craignent pas les risques et aiment à bouger et à explorer de nouveaux horizons.

Ce sont avant tout des personnes d'action au verbe dynamique. Cependant, elles doivent veiller attentivement à tempérer leurs émotions car leur ambition et leur énergie peuvent amplifier leur égoïsme et les rendre irréfléchies et impatientes si leurs désirs ne sont pas comblés. Plus les personnes influencées par le Feu essaieront de parvenir à leurs fins par la force ou la violence, plus elles se frapperont à de l'opposition ou à du danger.

Elles possèdent toutes les qualités nécessaires pour atteindre les plus hauts sommets à condition qu'elles prêtent l'oreille à l'opinion des autres et prennent conseil avant de passer à l'action. Il serait préférable qu'elles cultivent des qualités d'équipe et modèrent leurs tendances impulsives. Plusieurs de ces personnes ont également tendance à être beaucoup trop franches.

Comme leur élément, le Feu, elles attirent constamment les autres par leur chaleur et leur éclat, leur compagnie peut être très bénéfique pour ceux qui la recherchent. Cependant, les personnes influencées par le Feu peuvent également devenir destructrices et dangereuses si elles ne réussissent pas à bien contrôler et diriger leur énergie.

L'élément Terre

Les personnes nées sous les signes influencés par l'élément Terre sont davantage préoccupées par les aspects fonctionnels et pratiques. Elles possèdent d'excellentes capacités de déduction et aiment orienter leur énergie vers des objectifs solides et fiables. Très prévoyantes et douées pour l'organisation, elles sont des planificateurs et des administrateurs efficaces. Elles mettent à contribution la totalité des ressources dont elles disposent et se montrent sages et prudentes en affaires et même un tant soit peu attachées à l'argent. Elles sont intelligentes et très objectives lorsqu'il s'agit de diriger les autres dans la réalisation de projets bien planifiés.

Ces personnes sont généralement entreprenantes et procèdent d'une manière sérieuse et méthodique qui leur permet d'organiser et de faire marcher des entreprises qui demandent beaucoup de contrôle. Elles font de bons gérants et excellent lorsqu'il s'agit de solidifier une industrie, un commerce, ou un gouvernement. Ce sont des personnes qui aiment à se documenter et qui ont des motifs sérieux pour tout ce qu'elles entreprennent. Bien qu'elles agissent lentement, elles s'orientent vers des résultats valables et permanents.

Les personnes influencées par cet élément particulier aiment prendre du recul par rapport à leurs actions et sont conservatrices de nature. Elles exagèrent rarement leurs découvertes, leurs calculs ou leurs aspirations. Elles vont vous laisser savoir ce qu'elles pensent et vous présenter une image réaliste d'une situation, sans retouches ni modifications. Leurs plus grands défauts proviennent d'un manque d'imagination, d'un trop grand attachement à leurs intérêts personnels et d'une attitude conservatrice face à la vie.

Cependant, on peut se fier à elles car elles assument admirablement leurs responsabilités et savent s'autodiscipliner.

Les éléments et vous

L'élément de votre signe lunaire, l'année, de même que l'heure, le mois et le lieu de votre naissance, vont influencer votre vie.

En nous basant sur ces éléments, il est possible d'établir à quel point telle ou telle année vous sera favorable. Prenons par exemple l'année 1980 (Singe de Métal) et essayons de voir comment l'élément de cette année se comporte avec celui de votre année de naissance. Disons que vous êtes un Coq de Feu (1957). Vous pouvez noter qu'à la rubrique "Comment le Coq traverse les différentes années" page 215, on prédit que vous aurez des difficultés au cours des années du Singe. Cependant, comme l'élément de cette année particulière est le Métal, il s'avère que vous serez en mesure de contrôler ou de dominer vos problèmes et que vous vous en tirerez beaucoup mieux que ne l'annoncent les prédictions. Ce revirement est dû à l'élément Feu qui préside à votre année de naissance et qui vous permet de dominer l'élément de 1980. Cependant, s'il arrive que cette année en soit une du Singe d'Eau, alors il faudra vous attendre à ce que les choses aillent plus mal que prévu, car ni le signe Singe ni l'élément Eau ne favorisent le Coq de Feu.

Votre charte de naissance ou, comme je l'appelle, votre diagramme de vie comporte une série de cinq éléments qui, par ordre décroissant d'importance, influencent votre vie:

1 — Élément de votre année de naissance

2 — Élément de votre signe animal

3 — Élément de votre heure de naissance

4 — Élément de votre mois de naissance

5 — Élément de votre lieu de naissance

Pour donner un exemple concret, choisissons une personne née aux États-Unis le 30 mars 1949, entre 9h et 11h.

Élément de l'année de naissance de cette personne (1949):   Terre
Élément stable de son signe animal (Boeuf):   Eau
Élément stable de son heure de naissance (Serpent):   Feu
Élément stable de son mois de naissance (Bélier correspondant au Dragon):   Bois
Élément stable de son lieu de naissance (Singe):   Métal

Si nous considérons le diagramme de vie de cette personne, nous nous rendons compte que celui-ci contient tous les cinq éléments. Cependant, la plupart d'entre nous se retrouvent avec un diagramme dans lequel il manque un ou plusieurs éléments, tandis que d'autres se répètent. Évidemment, plus une personne possède d'éléments différents dans son diagramme de vie, moins elle est exposée aux dangers ou aux mauvaises influences des éléments absents. Comme nous l'avons vu dans l'explication de la page 25, chacun des cinq éléments exerce un pouvoir sur un des autres éléments, tandis que son influence peut être annulée par l'élément qu'il ne peut pas contrôler.

Les éléments en présence peuvent vous aider à déterminer vos secteurs d'activité, à choisir la carrière qui vous convient le mieux ou le genre de commerce qu'il vous faut mettre sur pied.

Si les éléments qui influencent votre vie se retrouvent principalement dans la catégorie du Métal, vous devriez très bien réussir dans le commerce du bois et de ses sous-produits, car le Métal contrôle le Bois. Le commerce du bois de construction, les produits du papier, le meuble, l'architecture, etc., voilà autant de domaines où vous devriez exceller. L'Eau et les industries qui y sont reliées devraient également vous réussir puisque le Métal est favorable à l'Eau. Pour leur part, les industries du métal telles que les secteurs miniers, celui de l'acier, de la construction automobile et de l'avionnerie, de la joaillerie, et des conserveries, etc., devraient entraîner de légers conflits. Travailler dans un de ces secteurs ne vous entraînerait pas nécessairement au désastre, mais si vous persistiez à travailler avec le Feu alors que vos éléments sont principalement de Métal, vous pourriez éprouver de la difficulté à réussir. Les champs d'activité reliés à la Terre vous causeront également ment des problèmes.

Maintenant, dans le cas d'une personne dont le diagramme de vie contient une majorité d'éléments Feu, on peut prédire du succès dans les domaines reliés au Bois et dans les industries du Métal. Les industries reliées au Feu ne devraient pas non plus impliquer d'obstacles, mais un individu ayant plusieurs fois l'élément Feu dans son diagramme ne devrait blâmer personne s'il insiste pour choisir une profession reliée à l'élément Eau et s'il échoue. L'élément Terre lui imposera également certaines limites et il se pourrait qu'il découvre qu'il ne peut progresser que lentement et difficilement dans les secteurs qui y sont reliés.

Si l'Eau occupe une place importante dans votre diagramme de vie, vous excellerez dans le commerce des marchandises reliées au Feu et au Bois, car l'eau peut contrôler le feu et produit le bois. Vous vous sentirez également à l'aise dans les professions reliées à votre élément, l'Eau, mais non dans les domaines reliés à la Terre car la Terre contrôle l'Eau. Jusqu'à un certain point, le Métal présentera également des difficultés. Les professions qui impliquent des contacts individuels, des relations publiques, de la psychologie, des apparitions en public et d'autres activités du genre, devraient être associées à l'Eau, car le corps humain est principalement composé d'eau.

Si la Terre représente l'élément le plus important de votre diagramme de vie, les professions reliées à l'Eau et au Métal seront alors celles qui devraient vous procurer le plus de succès financiers, de satisfactions personnelles et de réussite. Le Feu pourrait être un bon deuxième choix, mais vous devriez éviter d'oeuvrer dans le secteur du Bois car la Terre est contrôlée par le Bois.

Finalement, si le Bois constitue la majorité de vos éléments, vous êtes alors désigné pour les industries reliées à la Terre et à l'Eau dans lesquelles on retrouve l'agriculture, l'alimentation (à l'exception des produits secs), les produits laitiers et le marché immobilier. Je connais un Boeuf de Bois qui a essayé tous les métiers et qui a finalement fait fortune dans l'immeuble. Si votre élément dominant est le Bois, il va de soi que tous les secteurs reliés au Bois vous conviennent, tandis que le Feu pourrait présenter des difficultés et que le Métal nuirait considérablement à votre élément.

Le tableau suivant fournit des indications générales sur les secteurs qui conviennent le mieux à chacun des éléments.

Élément	Difficultés majeures	Difficultés mineures	Aucune difficulté	Réussite
Métal	Feu	Terre	Métal	Eau, Bois
Feu	Eau	Terre	Feu	Bois, Métal
Eau	Terre	Métal	Eau	Feu, Bois
Terre	Bois	Feu	Terre	Eau, Métal
Bois	Métal	Feu	Bois	Terre, Eau

L'étude de ce tableau permet d'évaluer l'influence des cinq éléments vitaux sur le déroulement de votre vie et de comprendre le système qui, développé par les Chinois pour le choix des noms, est censé aider l'individu à établir sa destinée.

Le remède que les Chinois apportent à l'absence d'un élément est tout simplement l'ajout des éléments manquants ou trop faibles dans l'idéogramme symbolisant le nom donné à l'enfant. Ils croient ainsi pouvoir modifier la destinée d'une personne ou neutraliser sa malchance en mettant en évidence certains caractères contenus dans l'écriture de son nom.

Même de nos jours, les aînés de toute bonne famille chinoise se doivent de consacrer un nombre d'heures impressionnant en délibérations sur le choix du nom à donner à tout nouveau membre de leur famille. Ils visitent de nombreux devins et experts en numérologie, consultent des tableaux et des livres et prennent en considération un nombre considérable de faits avant d'arrêter leur choix non seulement sur le meilleur nom possible mais aussi sur la meilleure façon de l'écrire. Si, par exemple, l'élément Feu manque dans le diagramme de vie d'un enfant, alors on se doit d'intégrer soigneusement le caractère chinois de Feu dans son nom. Ceci en tenant compte de l'équilibre, du rythme, des sons, du nombre de coups de pinceau qu'il faudra pour l'écrire ainsi que de leurs significations. L'ensemble de ces efforts vise à amener le nouveau-né un peu plus près de la perfection, ou tout au moins d'un équilibre. Pour ceux qui ne connaîtraient pas déjà la façon dont on écrit les caractères chinois, il pourrait être utile d'expliquer que les mots et les noms sont des caractères uniques composés d'autres caractères ou de radicaux (des symboles qui sont en quelque sorte des abréviations de caractère). Ainsi un caractère chinois ou idéogramme, représentant le nom d'une personne ou d'un endroit, va comprendre plusieurs autres caractères mais tout en possédant ses propres signification et identité.

Naturellement, il ne serait pas du tout pratique pour un Occidental de changer son nom et encore moins d'y incorporer des mots tels que Feu ou Métal. Il lui faut donc découvrir d'autres façons de corriger les lacunes de son diagramme de vie.

Pour compenser l'absence du Métal, il pourra simplement porter des bijoux d'or ou d'argent. Le Bois peut être remplacé par le port de fétiches ou de colliers faits de bois ou encore par la culture de plantes d'intérieur. Par analogie, l'élément Terre peut être fourni ou renforcé par le port de pierres provenant de terres fossilisées ou de minéraux. Si une personne a besoin de l'élément Eau afin d'équilibrer les autres, elle peut choisir de résider près d'un lac ou au bord de la mer. À défaut de cela, elle pourrait aussi posséder un aquarium ou d'autres contenants d'eau à son domicile ou au travail. L'absence du Feu peut être palliée par l'utilisation de lumières, de chandelles ou d'autres formes d'électricité, ou par la possession d'un petit miroir car celui-ci peut réfléchir la lumière du soleil et produire le Feu. On croit également que des pierres précieuses contenant des couleurs rouges ou oranges peuvent communiquer la chaleur ou le feu.

Finalement le moyen le plus sûr pour une personne de pallier le manque d'un certain élément, reste encore de choisir des associés ou des partenaires chez qui cet élément est très fort. Ces associations possèdent en effet le potentiel de réussite le plus élevé.

La compatibilité entre les signes

Chacun des douze signes lunaires du cycle chinois a été rattaché à un point de la rose des vents. Les signes qui forment un triangle, tel qu'on peut le voir dans l'illustration ci-après sont ceux qui possèdent le plus d'affinités entre eux et forment les associations les plus durables.

Le premier triangle réunit les signes d'action positifs: Rat, Dragon et Singe. Ces signes sont orientés vers l'exécution et le progrès, ce sont des adeptes de l'initiative et de l'innovation. Enthousiastes, on les retrouvera souvent à l'origine des actions et leur vie sera vide de toute incertitude ou hésitation. Impatients et vifs de caractère devant les obstacles, ils sont toujours en mouvement et débordent d'énergie et d'ambition. Ce sont de véritables creusets d'idées. Ils coopèrent mer-

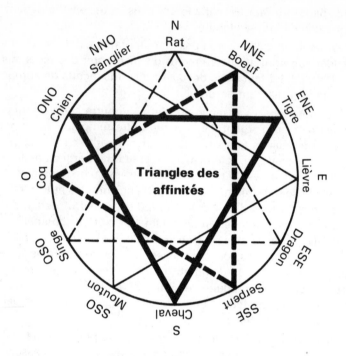

Triangles des affinités

veilleusement entre eux, peu importe qui dirige, car ils possèdent la même façon de procéder et sont capables d'apprécier mutuellement leurs différences de pensée.

Le second triangle est composé des signes les plus pondérés et les plus tenaces. Le Boeuf, le Serpent et le Coq sont des travailleurs fidèles et dévoués qui poursuivent sans cesse de grands objectifs qu'ils conquièrent avec une détermination constante et obstinée. Tous les trois ont des objectifs stables, et sont portés à la réflexion et à la planification systématique. Ce sont les signes les plus intellectuels de tout le cycle. Ils se fient à leur propre évaluation des faits et des chiffres et accordent peu d'importance aux opinions extérieures. Les personnes nées sous ces signes sont susceptibles de suivre davantage leur tête que leur coeur. Lents et assurés dans leurs démarches, ils aiment à poser des gestes indépendants. Ils recherchent invariablement la compagnie les uns des autres et les mariages et les associations qu'ils contractent entre eux sont des mieux réussis.

Le troisième triangle est formé par le Tigre, le Cheval et le Chien. Ces signes cherchent à promouvoir l'humanisme, la com-

36

préhension universelle et à améliorer les communications. Ils sont faits pour les contacts personnels et développeront des liens très forts avec leurs semblables. Ils sont généralement en bons termes avec la société et sont foncièrement ouverts et honnêtes ainsi que motivés par l'idéalisme. Parfois peu orthodoxe, mais possédant toujours des intentions honorables, ce trio agit davantage par impulsion tout en étant fidèle à une morale personnelle. Ils ont des opinions qui leur sont propres et ils entraînent les autres à l'action par leur personnalité intrépide. Extravertis, énergiques et rebelles à l'égard de l'adversité et de l'injustice, tous les trois s'entendent à merveille.

Le quatrième et dernier triangle est composé du Lièvre, du Mouton et du Sanglier, trois signes guidés par l'émotion. Ces trois signes sont principalement préoccupés par leurs sens et s'en servent dans leur évaluation de la vie. Ils sont expressifs, intuitifs et éloquents d'une manière esthétique ou artistique. Ils excellent dans les beaux-arts, sont surtout diplomates et compatissants et possèdent une nature plus calme que les autres signes lunaires. Dépendant des autres pour la stimulation et l'initiative, ils se montrent flexibles du fait de leur grande réceptivité à l'égard des vibrations de leur environnement. Ces trois signes sont attirés par la beauté et les formes les plus élevées de l'amour. Ce sont eux qui feront l'apologie des vertus de la coexistence pacifique entre les peuples. Ces trois animaux possèdent un très haut niveau d'affinités et partagent la même philosophie de base.

L'incompatibilité entre les signes

Tel qu'illustré dans le tableau qui suit, les signes qui s'opposent directement sont en conflit profond et constitueront les associations les plus incompatibles.

Ainsi, nous pouvons voir que le Rat vivra ses plus grands conflits avec les personnes nées au cours de l'année du Cheval, tandis que la relation inverse sera tout aussi conflictuelle. Le principal rival du Boeuf s'avérera être le Mouton et vice-versa. Le principal adversaire du Tigre, juste en face de lui, sera le Singe; tandis que le Lièvre ne devrait jamais s'approcher du Coq qui de son côté se montrera tout aussi réfractaire à la timidité du Lièvre. Le Dragon et le Chien auront d'énormes difficultés à s'entendre tandis que le Serpent et le Sanglier ne réussiront pas à se tolérer mutuellement et choisiront des chemins séparés.

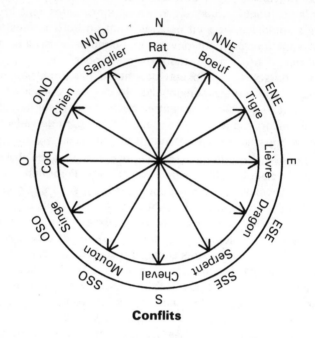

Conflits

Les signes qui ne sont pas directement opposés mais qui ne sont pas réunis dans un triangle d'affinités seront compatibles à des degrés divers.

Conclusion

La lune étant le corps céleste le plus rapproché de la terre, elle a souvent démontré les pouvoirs tangibles qu'elle exerçait sur l'humanité et cela depuis les débuts de la civilisation. Son attraction magnétique gouverne les marées de même que le flux et le reflux. La culture chinoise complètement bâtie autour de l'influence lunaire se base sur la croyance que la lune affecte immensément nos corps, ceux-ci étant composés aux trois quarts de liquide. Pour les mêmes raisons, les plantes et les animaux sont également sensibles à sa force toute puissante. Serait-ce alors aller trop loin que d'émettre l'hypothèse que même les nations peuvent être affectées par elle, en bien ou en mal, selon qu'elles sont nées sous une bonne ou une mauvaise lune? L'année de la naissance d'un pays peut-elle avoir une grande influence sur la place qu'il occupera dans l'histoire?

Malgré son côté sournois, le Serpent de Feu qu'est l'Union Soviétique (née de la Révolution de 1917) réussira-t-il à apprivoiser la méfiance du Singe de Feu américain? Et inversement? Quant à leurs chefs, Brejnev qui est un Cheval de Feu et Carter qui est Rat de Bois, réussiront-ils à s'entendre ou éprouveront-ils des difficultés de communication? Est-ce une coïncidence que le pacifique et fortuné Canada (né sous le signe du Lièvre) soit dirigé par Pierre Elliott Trudeau, né sous le signe du Mouton? Quand à Israël, né en 1948 sous le signe du Rat de Terre, pourra-t-il toujours compter sur le soutien de son ami le Singe de Feu américain? Israël a eu jusqu'à maintenant deux chefs nés sous le signe du Chien pour préserver ses fragiles frontières: Golda Meir et Itzhak Rabin.

Est-ce un hasard si la Cinquième République française de 1958 (Chien) a choisi Charles de Gaulle, un Tigre charismatique, comme chef de son gouvernement? Son actuel président Giscard D'Estaing est également un Tigre. Le Japon doit-il son orientation progressiste, son ardeur au travail et son chauvinisme au fait de sa nouvelle naissance en 1945, année placée sous les auspices du Coq? Quel est le sort de la Grande-Bretagne sous le règne d'une reine qui a accédé au trône en 1952, année du Dragon d'Eau? Là-dessus, les devins chinois nous laissent tirer nos propres conclusions après nous avoir cependant fourni les outils nécessaires. On dit de l'astrologie qu'elle est une science exacte basée sur des formules précises et des calculs mathématiques. De la même façon, les horoscopes lunaires recherchent l'exactitude et intègrent des préoccupations scientifiques.

Cependant, je m'empresse d'ajouter qu'en Orient on considère également l'horoscope comme une forme d'art: l'art de reconnaître des facteurs significatifs au-delà des apparences sous lesquelles ils se présentent ou sont exprimés. Les Sages chinois des temps anciens et les diseurs de bonne aventure contemporains ont toujours aimé assimiler leurs rôles à ceux de médecins dont les fonctions consistent à diagnostiquer le présent, à enquêter, à scruter et à interpréter les signes qui pourraient contenir des indices sur ce que le futur nous réserve.

Avez-vous de la difficulté à traiter avec un Dragon? Alors demandez à un Singe ou à un Rat de vous servir d'interprète. Vous sentez-vous incapable de comprendre le côté mystique du Serpent et son comportement mystérieux? Dans ce cas, le Coq peut vous fournir une traduction appropriée. Les agissements timides du Lièvre vous rendent-ils impatient? La générosité du Mouton le désigne comme

votre ambassadeur. Vous sentez-vous agressé par la vigueur de tempérament du Tigre? Associez-vous à un Cheval ou à un Chien pour
rétablir l'équilibre.

C'est ainsi qu'au lieu de nous restreindre, les horoscopes chinois
nous offrent certaines solutions à des relations difficiles. En même
temps, ils peuvent nous permettre de nous soustraire aux fatalités
reliées au contexte de notre naissance et à d'autres obstacles par le
choix de voies nouvelles nous permettant d'atteindre nos objectifs. En
nous amenant à nous connaître et à déduire ce que nous réservent
les diverses situations, l'horoscope chinois nous aide, sinon à résoudre
du moins à faire face aux problèmes auxquels nous sommes con-
frontés.

Chapitre 1

Le Rat

Par moi-même proclamé accumulateur
Je sers de lien, mais mon fonctionnement
Est celui d'une entité.
Sans relâche ni faiblesse
Je poursuis un à un mes objectifs.
La vie m'apparaît comme une joyeuse aventure
Dont chaque poursuite comble une aspiration.
Je suis le progrès, l'exploration, la perspicacité.
De l'activité, je suis la source.

JE SUIS LE RAT.

Le Rat

Nom chinois du Rat: SHOU
Rang hiérarchique: Premier
Heures gouvernées par le Rat: 23h à 1h
Orientation de ce signe: plein Nord
Saison et mois principal: Hiver — décembre
Correspondance avec les signes solaires: Sagittaire
Élément stable: Eau
Souche: Positive

Années lunaires du Rat dans le calendrier occidental

Début	Fin	Élément
31 janvier 1900	18 février 1901	Métal
18 février 1912	5 février 1913	Eau
5 février 1924	24 janvier 1925	Bois
24 janvier 1936	10 février 1937	Feu
10 février 1948	28 janvier 1949	Terre
28 janvier 1960	14 février 1961	Métal
15 février 1972	2 février 1973	Eau
2 février 1984	19 février 1985	Bois

Si vous êtes né la veille du début de l'année lunaire du Rat par exemple le 30 janvier 1900, vous appartenez au signe animal qui vient avant celui du Rat, c'est-à-dire au Sanglier. Si vous êtes né le jour qui suit la fin de cette année lunaire donc le 19 février 1901, vous appartenez alors au signe qui suit celui du Rat, soit au Boeuf.

L'année du Rat

L'année du Rat est une année d'abondance; elle apporte la chance. Elle sera marquée par la spéculation et des fluctuations dans le prix des biens de consommation et du marché boursier; de manière générale l'économie mondiale connaîtra une croissance importante. Le monde des affaires sera prospère, des fortunes pourront être créées et ce sera un temps propice à l'accumulation de richesses. Cependant, c'est le moment idéal pour faire des plans d'investissements à long terme car la grande abondance qui accompagne l'année du Rat pourrait servir à traverser les années de vaches maigres qui la suivront peut-être. Les entreprises qui débuteront durant cette période connaîtront la réussite si elles sont bien préparées. Mais ne prenez pas de chances ou de risques inutiles: l'année du Rat est toujours gouvernée par le froid de l'hiver et l'obscurité de la nuit. Ceux qui spéculent sans discernement et qui prennent de trop grands risques se préparent une surprise désagréable.

Dans l'ensemble, il s'agit d'une année plus heureuse que la moyenne et comptant beaucoup moins d'événements explosifs, de guerres et de catastrophes que, disons, l'année du Tigre ou du Dragon.

Néanmoins cette année ne manquera pas de piquant. Elle nous promet de nombreuses prises de bec, des marchandages et de petites querelles sans conséquences. Une époque agréable que la plupart d'entre nous passeront à s'amuser en joyeuse compagnie.

La personnalité du Rat

Le charme et la personnalité du Rat sont aussi universellement reconnus et appréciés que l'est Mickey Mouse, le personnage de Walt Disney. Il peut être direct et honnête mais d'une façon tellement désarmante que vous vous trouvez en position désavantageuse en face de lui.

Il est remarquablement facile de s'accorder avec lui et il est travailleur et économe. Il ne se montrera généreux qu'envers ceux qu'il affectionne particulièrement, si bien que, s'il vous offre un présent dispendieux, vous avez là une preuve qu'il vous tient en haute estime. Cependant, malgré son penchant pour l'économie, il ne manquera jamais d'admirateurs car il possède un charisme extrêmement fort.

En apparence, le Rat peut paraître réservé, mais il n'en est rien. Il n'est jamais aussi tranquille qu'il ne le semble. En réalité, il s'agite faci-

43

lement mais il réussit à se contrôler, ce qui explique qu'il soit aussi populaire auprès d'une multitude d'amis.

Le Rat possède habituellement une personnalité brillante, joyeuse et affable. À l'occasion, vous pourrez en rencontrer un qui soit hyper-exigeant, critique ou maussade. Mais règle générale, il apprécie les rencontres et les occasions de festoyer.

Le Rat affectionne énormément ses amis, ses associés et les membres de sa famille; à certains moments, il se mêle de la vie et des affaires des autres, car il ne peut pas se défaire facilement de liens émotifs très forts lorsqu'il les a créés. Cependant, on ne peut jamais être tout à fait certain de son humeur ni de son opinion. Sa capacité d'aimer ne peut être dépassée que par sa sagacité et son amour de l'argent.

Un employeur né sous le signe du Rat peut très bien s'inquiéter de la forme physique ou des habitudes alimentaires de ses employés. Il a en lui une préoccupation sincère concernant leur bien-être; il va leur rendre visite lorsqu'ils sont malades et considère leurs problèmes comme s'il s'agissait des siens. Cependant, lorsque vient le temps de leur accorder une augmentation bien méritée, il va résister et se montrer dur à la détente. Il faut beaucoup d'insistance et de négociations collectives pour convaincre un Rat de se départir de son argent.

La femme née sous le signe du Rat n'a de cesse de vous étonner en se montrant un modèle de frugalité. Elle passe son temps à distribuer du vieux linge, à recycler des jouets, à acheter et à revendre des articles usagés; elle étire les repas, les restes et le budget familial de façon presque miraculeuse! Néanmoins, elle n'applique pas les mêmes normes sévères lorsqu'il s'agit de sa précieuse progéniture. Si ses enfants savent comment l'amadouer, elle aura de la difficulté à leur refuser quoi que ce soit. En effet, les personnes nées sous le signe du Rat se montrent rarement grippe-sous lorsqu'il s'agit de leur famille immédiate.

Le Rat peut parfois manifester un esprit de clan exagéré. Peut-être y a-t-il du vrai dans le dicton qui dit que le nombre confère la sécurité. Avoir des bouches de plus à nourrir ne le préoccupe aucunement et il peut permettre à des parents ou à des amis de séjourner chez lui et même de partager carrément sa résidence. Pour quelle raison? Peut-être parce que l'ingénieux Rat réussira toujours à leur trouver quelque chose à faire qui compensera pour les dépenses encourues. Chez lui les traînards, les mendiants professionnels et les parasites seront vite mis au travail. La charité a ses limites et pour cela on peut faire confiance au Rat.

Les personnes nées sous le signe du Rat gardent bien leurs secrets personnels mais elles peuvent se montrer expertes lorsqu'il s'agit de s'attirer des confidences. Elles ont peu de scrupules à utiliser l'information accumulée ou à tirer profit des erreurs des autres. Comme elles sont toujours à l'affût, on peut difficilement s'attendre à ce qu'elles laissent passer les bonnes occasions.

Bien que le Rat aime garder ses sentiments pour lui-même, on peut sentir qu'il est bouleversé lorsqu'il devient rigide, brusque et insolent. Certains sont même des querelleurs consommés car, étant actifs et surtout besogneux, l'idée même de l'oisiveté et du gaspillage les irrite au plus haut point.

Pour ce qui est de l'aspect négatif, la personne née durant l'année du Rat aime à commérer, à critiquer, à comparer et à gloser, généralement sur des sujets sans importance. Elle achète des choses dont elle n'a pas vraiment besoin et se laisse toujours prendre par les aubaines. Ceci est peut-être dû à son besoin d'accumuler. Sa chambre et son coeur, se trouvent vite encombrés de souvenirs et de petits objets n'ayant qu'une valeur sentimentale. Elle a aussi tendance à être la commère de son voisinage mais plus souvent qu'autrement c'est avec de bonnes intentions.

Le Rat a la réputation d'être un excellent écrivain et ceci n'est pas du tout surprenant. Il se fait un point d'honneur de connaître pratiquement tout sur les habitants de sa ville. Il ne perd rien de vue, observe le moindre détail et la puissance de sa mémoire n'est surpassée que par l'ampleur de sa curiosité.

La personne née sous ce signe réussira quoi qu'elle entreprenne car, comme son animal symbolique le Rat, elle s'adaptera très bien à toutes les situations. Elle a la faculté de surmonter les difficultés et se trouve au sommet de sa forme au moment d'une crise. Équilibrée et alerte, elle possède une intuition vive, de la prévoyance et un sens inné des affaires. La difficulté ne fait qu'aiguiser son esprit et elle est toujours à préparer de nouveaux plans.

On n'a pas à se préoccuper pour la sécurité du Rat car il vérifie toujours toutes les issues avant de se lancer dans une transaction. Ceci en prévision du cas où il aurait à faire une sortie rapide et imprévue. La survie personnelle occupe une place de choix dans la liste de ses priorités et il utilise généralement la voie qui entraîne le moins de répercussions possibles. Si vous voulez vous tirer d'un pétrin rapidement, suivez le Rat à la trace. Il est doté de mécanismes internes d'alerte et de défense qui lui font rarement défaut.

Sa pierre d'achoppement demeure sa trop grande ambition. Il essaie de réaliser trop de choses trop rapidement, ce qui résulte en un dispersement de ses énergies. Si elle réussit à éviter ces comportements et a la persévérance de terminer ce qu'elle a commencé, la personne née sous ce signe deviendra riche, à sa grande satisfaction car le Rat adore l'argent!

Même si le Rat est doté d'une faculté innée pour sentir le danger, ce qui devrait lui permettre de s'arrêter au bon moment, il a souvent de la difficulté à suivre son intuition première car il ne peut tout simplement pas laisser passer une aubaine qu'il qualifie toujours d'inespérée. Malheureusement pour lui, il retombe toujours dans le même piège. Il n'aura aucun problème dans la vie s'il parvient à contrôler son avidité et à se retirer lorsqu'il a l'avantage. Au cours de sa vie, la cupidité du Rat l'obligera à subir au moins un important échec financier avant d'apprendre que l'avarice ne paie pas. Cependant, il est très improbable de trouver des pauvres parmi les personnes nées sous le signe du Rat et si vous réussissez à en découvrir, vous pouvez vous attendre à ce que cette pauvreté ne soit que temporaire. Il serait en effet bien surprenant que, connaissant leur caractère, elles n'aient pas enfoui un petit pécule quelque part.

Étant le vrai sentimental du cycle chinois, le Rat n'est pas seulement attaché à ses enfants mais également à ses aînés. Les parents dont les enfants sont nés au cours de cette année peuvent être assurés de leur respect et de leurs bons soins. Contrairement aux enfants du Dragon qui exigent parfois la perfection de leurs parents, les enfants du Rat auront une confiance infinie en leurs parents, se souciant de leurs besoins et fermant les yeux sur leurs manquements.

En plus de se consacrer sans répit à ses enfants et à son conjoint, la mère Rat se révèle être une ménagère hors pair. Elle va suivre la carrière de son mari à la façon d'un organisateur de campagne électorale, conduire les enfants à leurs leçons de piano, de ballet ou de violon et s'impliquer dans un nombre incroyable d'activités sociales. Un homme né sous ce signe va, quant à lui, être porté à participer aux tâches domestiques et appréciera de consacrer ses congés et ses fins de semaine à sa famille.

L'heure de la naissance joue un rôle important dans le mode de vie du Rat. Il va sans dire que celui qui est né le soir aura une vie beaucoup plus agitée et tendue (le rat nocturne doit se promener sans cesse à la recherche de nourriture) que son frère né pendant les heures calmes du jour.

La personne née sous le signe du Rat sera attirée par le signe du Boeuf dont elle apprécie la force et la fidélité; celui-ci, de son côté, sait valoriser la dévotion qu'elle a à offrir. La forte personnalité des individus nés sous le signe du Dragon est également compatible avec celle des personnes nées sous le signe du Rat. Ces derniers vont également trouver attirantes et intelligentes les personnes nées sous le Serpent et pourraient faire une alliance convenable avec elles. Le pouvoir et l'intelligence le captivant, le Rat sera toujours attiré par le Singe qui lui paraît irrésistible. Le côté astucieux du Singe lui convient parfaitement et ce dernier se montrera plus que satisfait de trouver chez le Rat quelqu'un qui soit sur la même longueur d'ondes. Le Tigre, le Chien, le Sanglier ou un autre Rat n'auront aucune difficulté à faire équipe avec lui.

Le Rat connaîtra cependant de nombreux conflits avec les personnes nées sous le signe du Cheval. Celui-ci est beaucoup trop indépendant et changeant pour cadrer avec les goûts plus stables du Rat. Un mariage avec un partenaire né sous le Coq est également à déconseiller, car ce rêveur intrépide qu'est le Coq ne peut qu'exaspérer le Rat à l'esprit si pratique. Un mariage avec un Mouton présente également des risques; la prodigalité de ce dernier l'amènera probablement à dilapider les économies péniblement accumulées par le Rat.

Le Rat enfant

Un enfant né au cours de l'année du Rat est charmant et affectueux. Il peut paraître timide mais, intérieurement, il possède un fort esprit de compétition. Souvent, il se sert des larmes pour attirer l'attention et habituellement il s'accroche à une ou deux personnes auxquelles il s'identifie. Mais s'il a tendance à être charmant, il se montre possessif à l'égard de ses parents et de ses amis et il jalouse l'attention donnée aux autres. Il parlera tôt. Il aime manger (l'évocation de ses aliments favoris le réjouit toujours) et il s'intéressera très tôt à la cuisine et aux tâches domestiques. Affectueux et démonstratif, il n'aime pas se trouver seul. Il apprécie les jeux de groupe, peut se concentrer sur des travaux minutieux et se fait des amis facilement. On peut compter sur lui pour maintenir un endroit propre ou du moins en ordre.

Le Rat enfant laissera voir très tôt sa nature calculatrice. Il va insister pour obtenir la plus grosse moitié d'une pomme, exactement le même nombre de biscuits que son frère aîné (de préférence davantage, mais il n'en acceptera jamais moins). Il sera difficile de réussir à le tromper sur quoi que ce soit. Il apprend vite et découvre toutes les supercheries. Il fait régulièrement l'inventaire de ses possessions, et ses parents ne réussiront jamais à donner ses vieux jouets sans qu'il s'en aperçoive. Ils peuvent toujours le consulter, mais s'ils le font, ils se buteront immanquablement à l'égoïsme du petit Rat qui ne se départit de rien facilement.

Avec des enfants plus jeunes, le Rat enfant prendra une attitude maternelle; au pire, il les régentera sans merci. S'il obtient l'encouragement nécessaire, il se montrera ambitieux à l'école. Il s'intéressera par-dessus tout aux activités qui peuvent stimuler sa grande capacité intellectuelle.

La vivacité du Rat en fera un lecteur passionné. Il apprendra très tôt l'importance de l'écriture et s'exprimera avec facilité. Parmi les plus grands écrivains et historiens du monde entier, on retrouve plusieurs Rats.

Les cinq types de Rat

Le Rat de Métal — 1840, 1900, 1960

Selon toutes probabilités, le Rat de ce type sera idéaliste en pensée, vif en paroles et en actions et intensément émotif. Il saura dissimuler ses sentiments en présentant un dehors joyeux et charmant. En réalité, il cédera facilement à la jalousie, à la colère, à l'égoïsme et à son esprit possessif. Sa vision de la vie repose sur ce que ses sens peuvent apprécier. Il aime l'argent mais il ne l'entasse pas et il ne regarde pas à la dépense lorsqu'il est assuré de la qualité de ce qu'il convoite. Il sait investir judicieusement. Il n'est pas aussi romantique que les Rats des autres éléments mais il peut se montrer en même temps sensuel et moralisateur.

Il aime à impressionner et sa maison sera aussi bien décorée que sa fortune le lui permet. Il aime les drames, les grands spectacles et a des goûts classiques. Il sera probablement porté vers l'athlétisme. S'il réussit à contrôler ses tendances dominantes, il réussira à se faire connaître et apprécier des bonnes personnes. Fondamentalement, c'est un Rat qui va lui-même assurer sa réussite en s'introduisant dans les cercles influents.

Le Rat d'Eau — 1852, 1912, 1972

Ce type de Rat est davantage préoccupé par l'exercice mental et les subtilités du processus de pensée. Sa perception est juste et il entretient de bonnes relations avec les gens de tous les milieux. Il est respecté et parvient à faire valoir ses talents du fait de sa nature conciliante et compréhensive. D'un comportement traditionnel et conservateur, il préfère nager avec le courant plutôt que le combattre. Il est cependant calculateur et rusé. Une personne née sous ce double signe manifestera toutes les qualités nécessaires pour exercer une influence dans les domaines qu'elle considère importants. Elle est consciente des préférences et des aversions des autres et elle sait plaire à ceux qui sont susceptibles de pouvoir l'aider. Néanmoins, il peut lui arriver de manquer de jugement et d'avoir tendance à parler sans discernement à tous ceux qui veulent bien l'écouter, s'attirant ainsi des problèmes.

Attiré par l'acquisition des connaissances, par l'écriture et porté à consigner ses pensées sur papier, ce Rat se consacrera à parfaire sa propre éducation et ne voudra jamais cesser d'apprendre.

Le Rat de Bois — 1864, 1924, 1984

Progressiste, orienté vers la réussite et très amical, ce type de Rat tente d'explorer tous les secteurs possibles et trouve la façon de tirer profit de presque tout ce qu'il rencontre. Il a une très bonne compréhension du fonctionnement du système et peut mettre celui-ci à son service. Il est clairvoyant et toujours préoccupé de découvrir le pourquoi et le comment de tout. Même s'il est égoïste, il sait se rendre agréable et se préoccuper des autres car il a besoin de leur admiration et de leur approbation.

Il a des principes et sait ce qu'il veut. Il s'en tient aux priorités établies, mais peut se montrer flexible lorsqu'il s'agit d'atteindre son but. Il aime la sécurité et se préoccupe sans cesse de son avenir, ce qui explique en partie qu'il soit un "bourreau de travail".

Extérieurement, il respire la confiance en lui-même et le savoir-faire et il agit de façon très correcte en affaires. Très articulé, il réussit dans la promotion des idées et des projets et connaît peu de difficultés lorsqu'il s'agit de trouver du soutien pour ses entreprises.

Le Rat de Feu — 1876, 1936, 1996

Ce Rat est valeureux et dynamique, il aime s'impliquer dans toutes sortes d'activités et ne se lasse jamais de lancer de nouvelles campagnes pour la justice ou de générer de nouvelles entreprises. Il aime les voyages et les vêtements de qualité. Il est de nature ouverte et dynamique. Il est peut-être également le plus généreux de tous les types de Rats.

Bien qu'il soit énergique et idéaliste, il manque de diplomatie et il lui arrive de commettre des impairs qui l'empêchent d'obtenir le soutien dont il a besoin. Personnage indiscipliné, il suivra plus souvent son coeur que sa tête. Même s'il est très dévoué à son foyer et à sa famille, il peut lui arriver de tout laisser tomber lorsqu'il se sent coincé et de se retirer à la campagne.

Il est indépendant et doué d'un esprit extrêmement compétitif. Cependant, comme il ne peut pas se contenter d'une existence moyenne, son impatience peut parfois changer du tout au tout sa situation.

Le Rat de Terre — 1888, 1948, 2008

Ce type de Rat devient vite adulte; pour lui, le bonheur et la plénitude résident dans l'ordre, la discipline et la sécurité. Il consacrera beaucoup d'énergie à développer ses traits positifs et à faire reconnaître ses talents. Il est très réaliste et pas du tout porté vers les rêves et les aspirations fulgurantes.

Il aime à maintenir de bonnes relations avec tout le monde et préfère travailler longtemps dans un endroit où il s'est fait de bons et fidèles amis. Il peut se consacrer à un seul sujet à la fois et persévérer dans un travail. Son point faible: il est trop préoccupé par la réussite, et peut se montrer excessivement conscient de ses droits et intolérant avec les autres spécialement si des contraintes de temps empêchent que tout soit fait selon ses spécifications.

Il a un grand souci de son image publique et de sa réputation, mais en privé, il est chaleureux et tend à protéger ceux qu'il aime. Il a de grandes ambitions matérielles et compare sans cesse son degré de réussite avec celui de ses pairs. Le Rat de ce type peut devenir pratique à l'extrême et se montrer avaricieux.

Il ne parie jamais et prend rarement des risques. Il en résulte que la fortune de ce type de Rat s'accroît lentement mais sûrement. Il s'en tient à des recettes et à des modes d'opération éprouvés et s'attend à ce que ses employés fassent de même.

Le Rat et ses ascendants

Naissance au cours des heures du Rat — 23h à 1h

Extrêmement charmant et un peu vaniteux. Légèrement casanier et doué pour l'écriture.

Naissance au cours des heures du Boeuf — 1h à 3h

Rat à la démarche lente et à l'aspect sérieux. Toujours dominé par le côté séduisant du Rat, mais son instinct de joueur est atténué par la prudence du Boeuf.

Naissance au cours des heures du Tigre — 3h à 5h

Agressif et directif, une ambition démesurée. Tout lui réussit s'il parvient à conserver son argent ce qui va à l'encontre de son côté Tigre.

Naissance au cours des heures du Lièvre — 5h à 7h

Peut se montrer docile et discret mais sa manie du calcul n'en sera qu'augmentée. Le charme du Rat doublé de l'astuce du Lièvre s'avèrent difficiles à battre.

Naissance au cours des heures du Dragon — 7h à 9h

Démonstratif, grand coeur, parfois trop grand pour ses moyens. Il va vous consentir un prêt et le regretter ensuite. La volonté du Dragon et le talent pour les affaires du Rat lui assurent le succès financier.

Naissance au cours des heures du Serpent — 9h à 11h

Il ne comptera plus ses admirateurs. Il trouvera le chemin de votre bourse aussi bien que celui de votre coeur. Le Serpent qui l'habite lui fera découvrir les dangers cachés. Il a un petit côté sournois.

Naissance au cours des heures du Cheval — 11h à 13h

Fonceur mais imprudent, ce Rat prendra beaucoup de risques. L'humeur volage du Cheval peut aussi rendre turbulente sa vie amoureuse. Il connaîtra un énorme succès financier ou il stagnera, au bord de la faillite.

Naissance au cours des heures du Mouton — 13h à 15h

Trop sentimental. Cependant, son attrait pour l'argent sera tempéré par son bon goût et son raffinement. Comme les deux signes sont opportunistes, il sera porté à rechercher les faveurs des puissants.

Naissance au cours des heures du Singe — 15h à 17h

Combinaison particulièrement énergique. Il connaît tous les trucs du métier et n'hésite pas à s'en servir. Grâce à l'influence du

Singe, il est moins sentimental et possède un sens de l'humour extraordinaire.

Naissance au cours des heures du Coq — 17h à 19h

Extrêmement intelligent et capable, mais quelle suffisance! Son côté Rat est occupé à amasser de l'argent tandis que son côté Coq cherche des façons de le dépenser. Il peut se soustraire à son sort en mettant ses talents administratifs au service de quelqu'un d'autre.

Naissance au cours des heures du Chien — 19h à 21h

Son côté Chien le porte vers la justice et la tolérance, tandis que l'appétit du Rat pour la richesse lui fait ronger la bonne conscience du Chien. Néanmoins cette combinaison peut produire un écrivain d'une grande autorité ou un journaliste-philosophe à la plume acérée.

Naissance au cours des heures du Sanglier — 21h à 23h

Ce Rat tolère mal les scrupules du Sanglier. Ceux-ci le rendent hésitant lorsqu'il s'agit de tirer avantage d'une situation favorable. À moins qu'il n'en prenne conscience, il peut facilement devenir un bienfaiteur dont on abusera facilement.

Comment le Rat traverse les différentes années

Année du Rat

Une année prospère pour la personne née sous le signe du Rat. Elle peut s'attendre à une promotion ou à une relance de sa carrière. Elle n'aura que peu d'ennuis de santé au cours de cette année, et pourrait obtenir des succès inespérés de même que des gains financiers.

Année du Boeuf

Une année passablement bonne. Le Rat n'y fera pas de gains substantiels, mais ce moment sera heureux pour sa famille et il tirera indirectement profit de la bonne fortune des autres. Il pourrait avoir des difficultés au travail et endosser davantage de responsabilités qu'à l'accoutumée.

Année du Tigre

Une année modérément bonne. Cette année ne prête pas à la spéculation, le Rat se trouvera impliqué dans certaines mésententes et se verra forcé de prendre des mesures contraires à son bon jugement. Il pourra ressentir de la solitude ou de la tristesse à cause de la mort d'un membre de sa famille ou d'un de ses associés. Le Rat pourrait aussi devoir voyager plus que d'habitude.

Année du Lièvre

Une année calme et paisible bien que le Rat doive être prudent côté argent. Peut y avoir des mésententes avec sa famille ainsi qu'au travail. Il fera de nouvelles connaissances en affaires. De nouveaux membres s'ajouteront à sa famille.

Année du Dragon

Une très bonne année. Excellente pour les affaires et la vie sentimentale. Le Rat connaîtra une réussite financière ou une promotion. Cependant, bien que le Rat puisse se faire connaître par ses réalisations au cours de cette année, il doit aussi se méfier de nouveaux amis qui pourraient tenter de l'utiliser.

Année du Serpent

Une année mitigée. Le Rat doit se montrer très prudent dans ses investissements et ne prendre de décisions importantes qu'après mûre réflexion. Une maladie grave ou une perte d'argent assombrira sa vie. Sa chance reprendra à la fin de l'année et il pourra peut-être compenser pour certaines pertes.

Année du Cheval

Cette année réserve des difficultés. Il devra se montrer très conservateur dans ses placements ou ses engagements commerciaux, car l'année du Cheval va le forcer à des célébrations, lui causer des pertes d'argent ou l'obliger à s'engager dans des poursuites légales. Il pourrait s'endetter ou ne pas réussir à récupérer l'argent qui lui est dû. Il ne sera pas plus heureux en amour au cours de cette année.

Année du Mouton

Cette année permettra au Rat de se rétablir financièrement et il fera des progrès sur le plan professionnel. Cependant, il ne pourra pas réaliser l'ensemble de ses projets sans entreprendre des changements ou même subir quelques petits bouleversements. Il sera cependant en mesure de découvrir et de tirer profit de possibilités jusque-là passées inaperçues.

Année du Singe

Une année profitable pour le Rat car aucun problème sérieux ne surviendra au travail ou au foyer. Il recevra davantage de bonnes nouvelles que de mauvaises. Toutefois, s'il veut éviter des répercussions pour l'avenir, il devra s'abstenir de rompre des amitiés ou des associations d'affaires.

Année du Coq

Une année faste pour le Rat. De nouvelles associations et un mariage surviendront dans la famille. Ce sera une période fiévreuse car des événements heureux pourront survenir d'un jour à l'autre. À cause d'un horaire chargé et de ses nombreux engagements, le Rat devra faire attention aux infections, aux blessures, aux contusions et au surmenage.

Année du Chien

Une année moins agréable pour le Rat. Les malchances se produisent trois par trois. Il peut recevoir une mauvaise nouvelle au cours d'un voyage et se trouver empêché d'influencer ou de changer le cours d'une situation qu'il n'aime pas. Il a beaucoup de préoccupations au cours de cette année car de nombreux problèmes en litige occupent ses pensées. Une période qui exige de la patience et de la prudence.

Année du Sanglier

Peu propice à la réussite dans le domaine des affaires ou des investissements. Une période de consolidation pour le Rat. Ses amis et les membres de sa famille exigent trop de son temps et de son argent. S'il manque de prudence, ses maladies pourraient s'aggraver. Au lieu d'une maladie, il pourrait perdre de l'argent ou des biens personnels.

Tableau de compatibilité du Rat

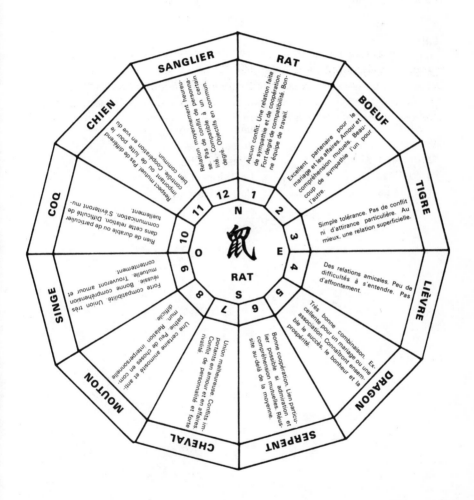

SANGLIER — Relation moyennement heureuse. Pas de conflit de personnalité. Compatible en commun. degré. Objectifs en commun.

RAT — Aucun conflit. Une relation faite de sympathie et de coopération. Fort degré de compatibilité. Bonne équipe de travail.

CHIEN — Respect mutuel. Pas de différend important ou de lutte pour le contrôle. Coopération en vue du bien commun.

BOEUF — Excellent partenaire pour le mariage et les affaires. Amour et compréhension mutuels. Beaucoup de sympathie l'un pour l'autre.

COQ — Rien de durable ou de particulier dans cette relation. Difficulté de communication. S'éviteront mutuellement.

TIGRE — Simple tolérance. Pas de conflit ni d'attirance particulière. Au mieux, une relation superficielle.

SINGE — Forte compatibilité. Union très réussie. Bonne compréhension mutuelle. Trouveront amour et contentement.

LIÈVRE — Des relations amicales. Peu de difficultés à s'entendre. Pas d'affrontement.

MOUTON — Une certaine animosité et antipathie. Relation interpersonnelle difficile.

DRAGON — Très bonne combinaison. Excellente pour un mariage ou une association. Combattront ensemble le succès, le bonheur et la prospérité.

CHEVAL — Union malheureuse. Conflits importants en amour et en affaires. Conflit de personnalité et forte rivalité.

SERPENT — Bonne coopération. Lien particulier possible si admiration et compréhension mutuelles. Réussite au-delà de la moyenne.

N — 12 — 11 — 10 — 9 — S — 8 — 7 — 6 — 5 — E — 4 — 3 — 2 — 1

鼠 RAT — O

Personnalités célèbres nées au cours de l'année du Rat

Métal
Adlai Stevenson
Lucrèce Borgia

Eau
James Callaghan
Le Pape Jean Paul

Feu
Charlotte Brontë
Mozart
Karim Aga Khan
Pablo Casals
Yves St-Laurent

Bois
W. Shakespeare
James Baldwin
George Sand
Jimmy Carter
Sidney Poitier
Doris Day
Marlon Brando

Terre
Léon Tolstoï
Jules Verne
Maurice Chevalier
Le Prince Charles
Peggy Fleming

Chapitre 2

Le Boeuf

Ma force crée la stabilité
Qui perpétue le cycle vital.
Résolu et inattaquable
Je fais face, immobile, au
Défi de l'adversité.
Cherchant à servir l'intégrité,
À porter le poids de la droiture,
J'observe les lois naturelles
Et je pousse patiemment
La roue de la fortune.
Ainsi je vais, tissant ma destinée.

JE SUIS LE BOEUF

Le Boeuf

Nom chinois du Boeuf: NIOU
Rang hiérarchique: Deuxième
Heures gouvernées par le Boeuf: 1h à 3h
Orientation de ce signe: Nord-Est
Saison et mois principal: Hiver — janvier
Correspondance avec les signes solaires: Capricorne
Élément stable: Eau
Souche: Négative

Années lunaires du Boeuf dans le calendrier occidental

Début	Fin	Élément
19 février 1901	7 février 1902	Métal
6 février 1913	25 janvier 1914	Eau
25 janvier 1925	12 février 1926	Bois
11 février 1937	30 janvier 1938	Feu
29 janvier 1949	16 février 1950	Terre
15 février 1961	4 février 1962	Métal
3 février 1973	22 janvier 1974	Eau
20 février 1985	8 février 1986	Bois

Si vous êtes né la veille du début de l'année lunaire du Boeuf, exemple le 18 février 1901, vous appartenez au signe animal qui vient avant celui du Boeuf, c'est-à-dire au Rat. Si vous êtes né le jour qui suit la fin de cette année lunaire, donc le 8 février 1902, vous appartenez alors au signe qui suit celui du Boeuf, soit au Tigre.

L'année du Boeuf

C'est une année qui voit le joug des responsabilités s'appesantir et durant laquelle aucune réussite n'est atteinte sans un effort conscient. Les épreuves et les péripéties de l'année du Boeuf concernent principalement la vie au foyer. C'est une période idéale pour régler ses affaires personnelles et mettre de l'ordre dans sa maison.

Les nouveaux courants de la mode, l'art abstrait et les idées nouvelles ne reçoivent qu'un regard dédaigneux du flegmatique Boeuf, tandis qu'il n'a que de l'indifférence pour la politique et la diplomatie. Pour lui mieux vaut s'en tenir à la routine et endurer des politiques conservatrices. Pas l'ombre d'une frivolité!

Cette année portera sûrement des fruits, mais le mot d'ordre en est "pas de travail, pas de résultat!". Le temps n'attend personne, si vous êtes trop paresseux pour semer, ne blâmez que vous-même si vous n'obtenez pas de récolte. Une infinité de tâches exigeront votre attention et la liste des choses à faire semblera sans limite. L'influence spartiate du Boeuf agira comme une menace constante au-dessus de nos têtes. Il vaut mieux travailler avec diligence que de perdre son temps à discuter avec les autorités. Ces dernières auront toujours raison, car l'année du Boeuf favorise la discipline.

La plupart des conflits de cette année viendront surtout d'un manque de communication et du refus de céder sur des petits détails. Mais persistez et montrez-vous patient. Tout s'arrangera et vous serez récompensé pour vos efforts à condition de vous en tenir à des façons de faire conventionnelles. Ce n'est pas le moment des ingénieux raccourcis.

Pour les esprits rebelles, il peut être bon de souligner que, même si le Boeuf semble impassible et doux, il n'en a pas moins la main ferme en cette année qui est la sienne.

La personnalité du Boeuf

Le signe du Boeuf, ou Buffle, symbolise la prospérité par la force de caractère et le travail. Une personne née au cours de cette année sera fiable, calme et méthodique. Travailleuse, patiente et infatigable, elle s'en tient à la routine et aux conventions. Même si elle est généralement impartiale et sait écouter, il sera difficile de lui faire changer sa perception des choses car elle est obstinée et entretient souvent de forts préjugés.

Néanmoins, à cause de son caractère stable et digne de confiance, la personne née sous le Boeuf se verra confier des postes d'autorité et de responsabilités. Elle sera toujours disponible pour répondre à l'appel du devoir. En réalité, elle devra faire attention à ne pas se laisser gruger par son travail.

Sous ses dehors relativement modestes et rangés, le Boeuf dissimule un esprit ferme et logique. Son intelligence et sa dextérité sont cachées sous une façade faite de réserve et de réticences. Malgré qu'il soit fondamentalement introverti, sa puissante nature peut le transformer en un orateur convaincant lorsque l'occasion se produit. Dans les moments de tumulte, sa présence d'esprit, son refus de se laisser intimider et sa confiance en soi restaureront l'ordre. Il marche la tête haute.

Une personne née sous ce signe particulier est systématique. Elle adopte des habitudes régulières et manifeste un grand respect pour la tradition. En fait, elle a tendance à faire exactement ce qu'on attend d'elle et elle est tellement prévisible qu'on pourrait injustement la critiquer pour son manque d'imagination. Cependant, le Boeuf porte en lui la conviction innée que ce n'est qu'en procédant selon les règles prescrites qu'il peut espérer obtenir une réussite permanente. Il possède la clarté d'esprit par excellence. Vous ne le verrez pas déambulant dans la vie, à la remorque de sa bonne fortune. Ce que des personnes nées sous d'autres signes peuvent accomplir par la ruse et l'artifice, le Boeuf l'obtiendra par sa ténacité et son ardeur au travail. Vous pouvez vous fier à ses promesses; une fois sa parole donnée, il ne se dérobera pas. L'opinion publique a peu d'influence sur lui. Une fois une tâche entreprise, il va s'y consacrer entièrement et terminer son travail. Il a horreur de tout ce qui traîne en longueur.

Le Boeuf peut se montrer complètement naïf sur le plan sentimental. Il ne réussit pas à comprendre complètement les embûches de l'amour et encore moins à utiliser des stratégies alléchantes ou d'autres subtilités pour faire avancer sa cause. Il n'a rien d'un poète lyrique et il ne faut pas compter sur lui pour les sérénades au clair de lune. Il n'est tout simplement pas sensible à ce genre de choses. Même ses cadeaux sont la plupart du temps des objets robustes et durables, sans prétention.

Parce qu'ils sont traditionnalistes, l'homme et la femme du signe Boeuf seront aussi portés vers de longues fréquentations. Il leur faut beaucoup de temps pour développer une relation intime. Ils sont lents à se réchauffer et à montrer leurs sentiments véritables. L'homme du signe Boeuf peut s'avérer un chevalier très distingué, un gentilhomme de grande classe, mais il peut se transformer en un timide d'une grande maladresse lorsqu'il s'agit de déclarer son amour à sa Dame.

Cependant, si vous l'épousez et que vous lui accordez votre confiance, vous ne serez jamais déçue, sa fidélité durera toute la vie. Vous n'aurez jamais à vous préoccuper du paiement du loyer et des factures. Il ne vous couvrira pas de bijoux et de fourrures, mais il vous rendra la vie aussi confortable qu'il le pourra et vous ne serez jamais dans le besoin.

Si vous avez la chance de vous marier avec une femme née sous le signe du Boeuf, vous pouvez compter sur son côté pratique. Elle empèsera votre col comme votre mère le faisait, placera chaque matin votre journal sur la table du déjeuner et fera cuire vos oeufs à la perfection. À tel point que sa bise du matin peut sembler n'être qu'une habitude routinière. Mais si vous la trouvez un peu ennuyeuse ou trop figée dans ses habitudes, prenez ceci en considération: elle est propre et ponctuelle. Vous êtes assuré que pour la durée de votre mariage, vous ne manquerez jamais de chemises propres, vos bas n'auront jamais de trous et elle ne vous servira jamais de repas mal préparés. Honnête, travailleuse, et sans reproche, elle fera une épouse idéale. Vous aurez toujours des surplus dans votre compte en banque et votre compte conjoint ne sera jamais à découvert. Il vous reviendra d'animer sa vie et de prendre les initiatives. Après tout, le Boeuf accomplit généralement davantage que sa part. Des objets merveilleux peuvent être emballés dans du papier commun, et cela est vrai aussi pour le Boeuf. Ne dépréciez pas l'emballage car son contenu vaut son pesant d'or.

En plus de ses nombreuses qualités, le Boeuf est aussi connu pour nourrir ses rancunes durant des périodes exagérées. Il a la mémoire longue et peut se souvenir des offenses qu'il croit avoir reçues, dans les moindres détails.

Alors que d'autres signes tels que le Tigre, le Coq ou le Rat, sont portés à se plaindre avec véhémence lorsqu'ils sont bouleversés et que le Mouton et le Lièvre vont se replier sur eux-mêmes, le Boeuf va réagir en se plongeant dans le travail pour soulager sa peine ou sa frustration. S'il connaît une grave déception amoureuse, il pourra littéralement se submerger de travail et mener une existence solitaire plutôt que de courir le risque d'être humilié ou rejeté à nouveau.

Le Boeuf insiste pour payer ses comptes. Ses dettes seront remboursées jusqu'au dernier sou. S'il vous doit quelque chose, il ne se sentira à l'aise que lorsqu'il vous aura manifesté sa gratitude d'une façon tangible. Il n'apprécie guère les belles phrases vides de sens. Il considère les figures de style et la flatterie évidente comme étant grossières et portant atteinte à sa dignité. Cependant, ce personnage bourru qui a peine à dire "merci", est du genre à vous faire la surprise de vous inscrire sur son testament. Il s'agirait là d'un geste typique du Boeuf, car c'est quelqu'un dont les gestes comptent plus que les paroles.

Méfiez-vous de la légendaire patience du Boeuf. Lorsqu'une personne née sous le signe du Boeuf se met en colère, cela peut devenir une expérience terrible. On ne pourra pas la raisonner et elle va agir comme un boeuf et attaquer tout ce qui se trouvera sur son passage. Dans ces cas-là, il n'y a qu'une solution: s'éloigner d'elle et lui laisser le temps de se calmer. Toutefois, il est très rare qu'elle en arrive à de tels extrêmes qui demandent qu'elle ait nettement dépassé son seuil de tolérance.

Au foyer, sa parole fait la loi. Autant il peut suivre les ordres, autant il sait en donner. Il s'attend à ce que ses directives soient suivies à la lettre. Il a une vision matérialiste de la vie et même s'il est extrêmement attaché à sa famille et en tire une grande fierté, il peut se montrer également très exigeant envers ses membres. Il mesurera son amour pour eux à leurs succès et à leurs réalisations personnelles. Même s'il n'est pas très sensible aux émotions, il est bon pourvoyeur et capable de grands sacrifices pour le bien-être de sa famille. Il ne la laissera jamais tomber et on peut toujours compter sur lui en cas de besoin sérieux.

Une personne du signe Boeuf sera toujours un atout précieux pour une entreprise ou une famille. Elle n'a aucune raison de ressentir de l'insécurité, car on s'occupera bien d'elle toute sa vie durant. En effet il va de soi qu'une personne d'une telle valeur mérite des soins attentifs.

Le Boeuf né durant la journée sera plus dynamique et actif que celui né la nuit. De même, le Boeuf né en hiver connaîtra une vie plus difficile et moins prospère que celui qui est né en été.

La personne née sous ce signe lunaire, sera du type prosaïque et suivra sa tête plutôt que son coeur. Si vous cherchez à la convaincre, faites appel à son raisonnement et à son intelligence. Faites une liste des avantages et des inconvénients et étoffez chaque demande à l'aide d'informations pertinentes. Ce n'est que rarement qu'elle changera d'avis par émotivité. Elle a également une santé remarquable et n'est pas malade souvent. Fière et directe, elle a dédain de la faiblesse des autres. Mais si elle réussit à cultiver son sens de l'humour et de la compassion elle aura une vie beaucoup plus heureuse.

Le Boeuf est un meneur naturel qui a le sens de la discipline, mais qui tend à être un peu rigide. Souvent autodidacte, il a la ferme conviction que chacun doit faire sa part et ne doit pas compter sur les autres. Dans les cas extrêmes, il est inapprochable, inflexible et d'esprit étroit. Son manque de tact et de souci des autres, alliés à une attitude militante face à la vie, le rendent inapte à occuper des postes impliquant des rapports avec le public, ainsi que de la diplomatie et du raffinement. Néanmoins, il est respecté et apprécié pour son honnêteté fondamentale, son absence de prétention et ses principes indéfectibles. Il inspire la loyauté à ses subordonnés car aucune tâche ne lui répugne.

Comme nous l'avons déjà mentionné, le Boeuf n'est pas la personne qui va prendre des raccourcis. La dignité de son attitude et sa force morale l'empêchent de recourir à des moyens injustes afin d'en arriver à ses buts. Il n'est pas porté à demander l'aide des autres. En fait, il est tellement autonome qu'il faut parfois le prier pour qu'il accepte qu'on lui rende service. La personne née sous le signe du Boeuf possède une aspiration innée pour la permanence. Prudente et consciencieuse, elle construit des choses solides. Elle transmettra cette robustesse congénitale à ses descendants et aux générations à venir, même s'ils ne naissent pas sous le même signe. Son excellent caractère en fait un bâtisseur d'empire. Elle prend toutes les précautions voulues pour assurer la prospérité et la survie de sa lignée.

Comme chef de famille, elle établit les règles de manière autoritaire et ne tolère aucune rebellion de la part des jeunes. Elle construit sa vie autour de son foyer, de son travail et de son pays et préfère toujours les investissements stables et à long terme. Étant une personne aux habitudes régulières, elle n'a aucun goût pour le jeu, car les risques et les situations précaires conviennent fort mal à son besoin profond de sécurité.

Parmi les douze signes, c'est le Coq et son style coloré qui peut le mieux ensoleiller la vie ordonnée du Boeuf et qui sera son meilleur partenaire. Tous les deux ont un grand respect de l'autorité, admirent l'efficacité et possèdent un solide sens du devoir. Ces qualités communes assureront leur unité. Lui conviendront également très bien le Rat affectueux et le prudent Serpent qui prendront bien soin de l'estimable Boeuf. Le Dragon, le Lièvre, le Boeuf, le Cheval, le Sanglier et le Singe seront également compatibles avec lui mais à un degré moindre.

Cependant, le Chien pourra le trouver trop terne et crispé et critiquer sa rigidité; de son côté le Boeuf n'appréciera guère la compagnie du capricieux Mouton ou le caractère rebelle du Tigre qui, pour sa part, refusera sa façon d'enrégimenter tout le monde.

Quoi qu'il arrive, on peut être certain que la réussite à laquelle parvient un Boeuf sera fondée sur ses mérites personnels. En bref, fort et discipliné, le Boeuf ne compte pas obtenir quoi que ce soit gratuitement et il besognera toute sa vie. Ce robuste individu réussira par ses efforts personnels et il méritera son succès mieux que quiconque.

Le Boeuf enfant

Cet enfant ne pleure pas souvent. Il est habituellement tenace et résistant, individualiste et un peu rude; il commence généralement à parler un peu tard. Il est porté à régler ses problèmes avec ses poings. Têtu et obstiné, il peut tout bouleverser dans la maison lorsqu'il s'y met. Il n'est pas du type capricieux mais se montre inflexible quant aux quelques concessions qu'il demande. Une de ces exigences portera sur son intimité.

Il ne refuse pas la discipline et accueille de façon positive un horaire strict. Il peut insister pour que ses repas soient servis chaque jour à la même heure, mais ne se montre pas exigeant pour la nourriture elle-même. La régularité est très importante pour lui et le fait de savoir où trouver les affaires et d'être sûr de ce que l'on attend de lui, lui donne un sens de sécurité. Une fille née sous ce signe, aimera l'ordre et la propreté à la maison.

L'enfant du signe Boeuf aime remplacer sa mère ou son professeur lorsqu'ils s'absentent et se montre rigide et sévère pour ceux qui désobéissent. Il peut vous donner une opinion impartiale, ce à quoi il consent habituellement, car il n'est pas facilement influençable, ni sensible à la flatterie. Plutôt que de tenter de le soudoyer ou de le supplier d'accomplir une tâche désagréable, il sera beaucoup plus efficace de lui dire simplement: "C'est un ordre!" Il n'est pas querelleur de nature, mais vous devez obtenir son respect avant qu'il ne vous obéisse. Il aime beaucoup en montrer aux enfants plus jeunes et manifeste une patience et une persévérance remarquables pour obtenir ce qu'il veut. Étant une personnalité forte et silencieuse, il ne révèle pas facilement ses sentiments. Il pourrait être profondément blessé sans que personne ne s'en doute, car le Boeuf enfant est très secret. Même s'il présente une façade faite de calme, de loyauté et de volonté, le Boeuf est extrêmement naïf au sujet des réalités de la vie. À cause de cela, il demande à être protégé et il aura un grand besoin du soutien moral de ses parents, de ses professeurs et de sa famille.

À l'école, il est un élève exemplaire car il n'est pas du genre à se confronter à l'autorité. Son sérieux et sa vision pratique de la vie l'empêchent de s'amuser et de faire le pitre. Il y aurait lieu de l'encourager à exprimer ses émotions et à développer son sens de l'humour.

Ses principales qualités sont la fiabilité et le sens des responsabilités; il se mérite aussi bien le respect de ses aînés que de ses pairs. Bien qu'il sache obéir et accomplir les tâches que l'on attend de lui, le Boeuf enfant est un excellent meneur.

Les cinq types de Boeuf

Le Boeuf de Métal — 1901, 1961, 2021

Ce type de Boeuf a de nombreux conflits avec les gens, y compris ses supérieurs, quand ils ne partagent pas ses vues. Il s'exprime clairement et avec intensité, on ne peut donc pas l'accuser de rester vague au sujet de ses désirs. Il ne se départit jamais de ses armes et, si c'est nécessaire, il peut se montrer éloquent. Il utilise tout son savoir-faire lorsqu'il s'agit d'assurer sa promotion.

Il n'est pas très affectueux de nature. Il pourrait avoir le goût des études et être amateur d'art et de musique classique. Il a un sens prononcé des responsabilités et on peut se fier à sa parole, ce qui ne comporte pas trop de risques puisqu'il n'est pas très loquace.

Il a parfois tendance à forcer une situation; il peut avoir la ferveur d'une armée lorsqu'il s'agit d'atteindre ses objectifs. Il peut même sur ce point devenir fanatique, dur et arrogant car il ne connaît pas le mot ''échec''. Remarquablement énergique, il a besoin de peu de repos et de distractions. Il ne craint pas de travailler toute la nuit lorsque c'est nécessaire pour terminer une tâche. Il peut se montrer étroit d'esprit et vengeur lorsqu'il n'obtient pas ce qu'il veut.

Le Boeuf d'Eau — 1853, 1913, 1973

Ce type de Boeuf est plus réaliste. Patient, pratique et d'une ambition sans bornes, il est doté d'un esprit calculateur et d'un sens aigu des valeurs. Il tire un bon parti de toutes les situations et peut offrir aux autres des contributions remarquables, car il sait comment employer son temps et organiser ses activités.

Ce Boeuf se montrera plus raisonnable et flexible et même ouvert aux suggestions, même s'il peut refuser des changements ou l'introduction de méthodes non conventionnelles dans son existence. Mais il n'est pas aussi entêté que les autres Boeufs et pourra accepter de se plier, à l'occasion. Il est avant tout concerné par l'amélioration de son statut et de sa sécurité; il s'en tient au respect de la loi et de l'ordre dans tout ce qu'il entreprend. Il fera sa marque par l'excellence de son travail et peut mener sa barque sans difficulté, à condition qu'il ne soit pas trop rigide et n'attende pas trop des autres. Il peut poursuivre plus d'un but à la fois et peut user la résistance de ses opposants du fait de son calme méthodique, de sa patience et de sa détermination.

Le Boeuf de Bois — 1865, 1925, 1985

Ce type de Boeuf est moins rigide et moins sensible aux émotions d'autrui. Ses réactions sont plus vives que celles des autres personnes de son signe et il devrait avoir du succès en société. On l'admirera pour son intégrité et son sens éthique. Il est juste et impartial, bien que son signe animal lunaire lui confère une tendance au conservatisme. Il a une bonne compréhension d'un système social déterminé et sait comment s'y conduire. Il se montrera un bien meilleur comédien que le Boeuf des autres éléments. S'il en a l'occasion et la motivation, il pourra adopter des idées nouvelles et progressistes; il est moins têtu et plus capable de s'incliner devant les décisions de la majorité.

Il peut atteindre des sommets, ramasser une fortune et parvenir à la notoriété en réussissant à établir et à développer une entreprise industrielle importante. Il a énormément de volonté et il exploite ses divers potentiels au maximum. Il comprend l'importance de l'interdépendance et il greffe ses ambitions à des valeurs élevées. Il a l'esprit d'équipe et peut manifester un esprit corporatif.

Le Boeuf de Feu — 1877, 1937, 1997

Ce Boeuf est un exécutant d'un dynamisme hors pair et il accorde une extrême importance au pouvoir et à la notoriété. La force de son sens inné du contrôle n'a d'égale que celle de son tempérament. Il est donc plus énergique et orgueilleux que les autres Boeufs, à l'exception du tranquille Boeuf de Métal. Il est matérialiste et a un complexe de supériorité. En conséquence, il a tendance à éliminer les personnes ou les choses qu'il considère inutiles ou inadéquates, sans tenter de les évaluer réellement. Il est objectif et franc et peut se montrer un peu brutal avec ceux qui osent s'opposer à lui. L'élément Feu peut orienter son ardeur vers la vie militaire ou encore le porter vers des luttes sans merci envers ses opposants. Il a tendance à se surestimer et peut manifester peu de patience ou de considération pour les sentiments des autres. D'autre part, c'est une personne foncièrement honnête qui n'aime pas profiter des autres si elle peut l'éviter. Sa famille tirera profit de son travail car le Boeuf a tendance à se montrer protecteur envers ceux qu'il aime et il voit à ce qu'ils ne manquent jamais de rien.

Le Boeuf de Terre — 1889, 1949, 2009

Ce type de Boeuf est stable et moins créateur, mais il est toujours fidèle à ses devoirs. Il connaît ses limites et prend rapidement conscience de ses défauts. Il réussit dans n'importe quelle carrière car il est pratique, travailleur et prêt à payer le prix qu'il faut pour réussir. Il fait volontiers sa part et favorise des engagements pratiques et valables. Il recherche la sécurité et la stabilité et il agit efficacement avec ces deux objectifs en tête.

Même s'il n'est pas très sensible ni émotif de nature, il est capable d'affection sincère et prolongée et il sait se montrer loyal et fidèle envers ceux qu'il aime et envers ses principes.

Il cultive une préoccupation constante pour l'amélioration de ses conditions de vie et il sait endurer les difficultés et les souffrances sans se plaindre. Réfléchi et déterminé, ce Boeuf ira loin; il est difficile de lui faire perdre du terrain car il ne cède jamais ce qu'il a gagné. Il est peut-être le plus lent, mais aussi le plus sûr de tous les Boeufs.

Le Boeuf et ses ascendants

Naissance au cours des heures du Rat — 23h à 1h

Ce Boeuf possède peu de sentiments véritables. Pourtant le charme du Rat l'assouplit et il est plus flexible et communicatif. Cependant, il n'oublie jamais une injure et reste très près de ses sous.

Naissance au cours des heures du Boeuf — 1h à 3h

Type du maître de discipline. Faites un faux pas et il vous punira aussitôt. Il est doté d'une maîtrise de soi et d'un dévouement extraordinaires, il n'y a pas grand-chose à dire sur son humour et son imagination.

Naissance au cours des heures du Tigre — 3h à 5h

Boeuf captivant, à la personnalité attrayante. Celui-ci est loin d'être doux ou timide. À vrai dire, mieux vaut se méfier de son tempérament bouillant.

Naissance au cours des heures du Lièvre — 5h à 7h

Vous ne réussirez pas à le faire changer d'opinion à votre sujet, mais au moins, il sera diplomate et discret. Un Boeuf "comme il faut", qui collectionne les oeuvres d'art et les antiquités et qui n'aime pas beaucoup le travail ardu.

Naissance au cours des heures du Dragon — 7h à 9h

Ce Boeuf a une grande force et la capacité de réaliser ses ambitions. Il est vraiment dommage qu'il soit aussi inflexible et opiniâtre. Autrement, il réussirait beaucoup mieux.

Naissance au cours des heures du Serpent — 9 h à 11h

Cette combinaison réunit deux signes secrets qui n'aiment pas prendre conseil. Cela pourrait donner un solitaire de nature un peu sournoise.

Naissance au cours des heures du Cheval — 11h à 13h

Un Boeuf un peu plus heureux et présentant certains des côtés fantaisistes du Cheval. Qui sait, il aimera peut-être même à danser. Cependant, le côté vif qu'il tient du Cheval pourrait l'éloigner de ses buts à long terme.

Naissance au cours des heures du Mouton — 13h à 15h

Un Boeuf artiste, à la personnalité tendre. Il se montrera plus souple ou réceptif. Il a le sens des affaires et réussira à monnayer ses talents.

Naissance au cours des heures du Singe — 15h à 17h

Un Boeuf rusé mais jovial qui ne prend pas trop ses problèmes au sérieux. Grâce à l'influence du Singe, il n'a pas à le faire. Il a toujours un atout caché quelque part.

Naissance au cours des heures du Coq — 17h à 19h

Dynamique et obéissant. Il discute longtemps avant de passer à l'action et il utilise un langage coloré plutôt que ses poings. Il est à situer quelque part entre le soldat et le prédicateur.

Naissance au cours des heures du Chien — 19h à 21h

Un moraliste sévère qui pourrait être d'une extrême platitude s'il n'était racheté par le tempérament calme du Chien. Au moins, il n'aura pas trop de préjugés et vous écoutera avant de vous condamner. Bonne chance!

Naissance au cours des heures du Sanglier — 21h à 23h

Un Boeuf affectueux même s'il est toujours exigeant et conservateur. Il lui manque la conviction nécessaire pour faire valoir ses opinions au bon moment. À ses qualités, pour le travail, son côté Sanglier ajoute un intérêt particulier pour la bonne nourriture.

Comment le Boeuf traverse les différentes années

Année du Rat

Une période facile et prospère pour le Boeuf. La chance favorise ses entreprises et tous ses problèmes antérieurs ont tendance à s'effacer. Il est reconnu pour son travail et pourrait obtenir de nouveaux postes importants. Cette année sera propice aux fêtes familiales.

Année du Boeuf

Une bonne année même si les plans du Boeuf peuvent subir des délais et que de petites difficultés peuvent se présenter de manière inattendue. Cependant cette année est favorable au mariage ou à une nouvelle association avec un partenaire. Des enfants naissent dans sa famille ou bien il consacre davantage de temps à ses enfants. Pas de gros problèmes cette année, mais il peut s'attendre à des voyages ou à des divertissements qu'il n'avait pas souhaités.

Année du Tigre

Une période difficile pour le Boeuf qui rencontre une opposition venant de plusieurs sources mais réussit à la vaincre ou à persévérer malgré les difficultés. Il doit se montrer patient et ne pas se décourager si les résultats ne sont pas visibles immédiatement. Pour une personne née sous le Boeuf, c'est un temps propice pour réévaluer sa position. Mais elle ne doit pas prendre de risques inutiles ou de mesures draconiennes durant le règne du Tigre.

Année du Lièvre

Une année convenable pour le Boeuf même s'il a beaucoup de choses à régler. Il risque de perdre certains investissements ou de ne pas réussir à récupérer des sommes qu'on lui doit. Sa santé est protégée même s'il peut avoir le chagrin de perdre quelqu'un qui lui est cher. Il fait des progrès constants.

Année du Dragon

Une année moyenne même si beaucoup de changements et de problèmes inattendus occasionnent des difficultés au Boeuf. Ses plans se réaliseront mais pas aussi rapidement qu'il le désire. Il doit travailler fort même s'il entre en contact avec des personnes serviables et influentes.

Année du Serpent

Une année faste s'annonce pour la personne née sous le Boeuf. Elle a de la facilité à gagner de l'argent. Tout est à sa portée au cours de cette année. Cependant, elle pourrait avoir à souffrir d'une mésentente avec un associé ou s'apercevoir qu'un ami a trahi sa confiance. Mais tous ses problèmes peuvent se régler si elle est ouverte à la discussion.

Année du Cheval

Une année troublée pour le Boeuf. Il est assailli par un différend amoureux ou des problèmes financiers et il pourrait supporter des pertes ou encore être impliqué dans un accident. La maladie pourrait également lui causer des ennuis et l'empêcher de respecter des engagements. Les moments les plus difficiles se présentent au cours de l'automne. Une période qu'il devrait employer à consolider ses affaires et qui exige, à tout le moins, des évaluations conservatrices.

Année du Mouton

Il ne faut pas s'attendre à beaucoup de progrès au cours de cette année même si le Boeuf reçoit de bonnes nouvelles qui peuvent augmenter sa confiance. Pas de maladie ou de querelle sérieuse et sa vie familiale est relativement paisible. Cependant, il ne doit pas pécher par optimisme car il pourrait perdre l'argent qu'il croit avoir gagné.

Année du Singe

Une année de chance et de prospérité pour le Boeuf. Il sera reconnu et des personnes importantes rechercheront sa compagnie. Il peut espérer de bonnes nouvelles dans le milieu familial, un nouvel emploi ou une promotion. L'année du Singe pourrait être favorable à de nouvelles entreprises ou à de nouvelles associations.

Tableau de compatibilité du Boeuf

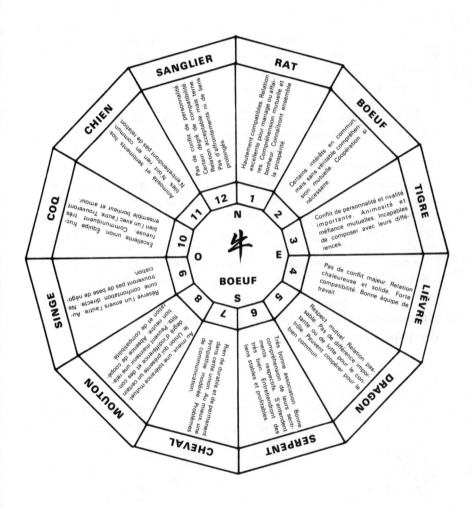

SANGLIER — Pas de conflit de personnalité. Certain degré de compatibilité. Relation acceptable mais terne. Pas d'affrontements ni de liens prolongés.

RAT — Hautement compatibles. Relation excellente pour mariage ou affaires. Compréhension mutuelle et bonheur. Compatiront ensemble la prospérité.

CHIEN — Animosité et sentiments hostiles. N'ont rien en commun. N'entretiendront pas sed relation.

BOEUF — Certains intérêts en commun, mais sans véritable compréhension mutuelle. Coopération si nécessaire.

COQ — Excellente union. Équipe fructueuse. Communiquent très bien l'un avec l'autre. Trouveront ensemble bonheur et amour.

TIGRE — Conflit de personnalité et rivalité importante. Animosité et méfiance mutuelles. Incapables de composer avec leurs différences.

SINGE — Réserve l'un envers l'autre. Aucune confrontation directe. Ne trouveront pas de base de négociation.

LIÈVRE — Pas de conflit majeur. Relation chaleureuse et solide. Forte compatibilité. Bonne équipe de travail.

MOUTON — Au mieux, une tolérance mutuelle. Union qui présente un certain degré d'indifférence et des conflits. Peuvent maintenir une relation et de compatibilité.

DRAGON — Respect mutuel. Relation passable. Pas de lutte pour le contrôle ou de différence importante. Peuvent coopérer pour le bien commun.

CHEVAL — Rien de durable et de permanent dans cette union. Au mieux, une sympathie modérée. Problèmes de communication.

SERPENT — Très bonne association. Bonne compréhension de leurs sentiments respectifs. S'entendent très bien. Entretiendront des liens stables et profitables.

BOEUF (centre) — 牛 — N O E S — 1 2 3 4 5 6 7 8 9 10 11 12

71

Année du Coq

Le Boeuf connaîtra une année relativement heureuse et ne perdra rien de sa réussite, bien qu'il puisse lui arriver un incident étrange au cours de cette période. Il aura à prendre garde à une saisie ou une escroquerie de la part d'un ami.

Année du Chien

Bien que cette année semble comporter des problèmes importants, ceux-ci s'avéreront moins sérieux qu'ils ne paraissent. Ce sera une période raisonnablement favorable au Boeuf, car les complications que l'on pourrait craindre ne se présentent pas et son chemin ne rencontre ni obstacle ni opposition. Il pourrait devoir supporter une séparation temporaire d'avec un être cher ou un membre de sa famille. Il pourrait aussi être forcé de se déplacer ou d'héberger quelqu'un.

Année du Sanglier

Cette année réserve beaucoup d'activités au Boeuf. Il ne doit pas cependant s'attendre à ce que ses efforts lui rapportent beaucoup de résultats tangibles. Mais il ne doit pas s'en formaliser car il établira des contacts qui lui profiteront dans l'avenir. Une année mitigée pour le Boeuf, car des problèmes familiaux et des conflits au travail pourraient le perturber. Dans l'ensemble, cependant il s'en tire bien car les nombreux problèmes qui l'assaillent sont sans grande importance.

Personnalités célèbres nées au cours de l'année du Boeuf

Métal
Walt Disney
L'Empereur Hirohito
Eisaku Sato

Eau
Richard Nixon
Gerald Ford
L'Archevêque Makarios
Willy Brandt
Vincent van Gogh
Carlo Ponti

Bois
Gore Vidal
Sammy Davis Jr.
Peter Sellers
Richard Burton
Margaret Thatcher
Melina Mercouri

Feu
Robert Redford
Vanessa Redgrave
Dustin Hoffman
Boris Spassky

Terre
Adolf Hitler
Nehru
Charlie Chaplin

Chapitre 3

Le Tigre

Je suis un vivant paradoxe.
Le monde entier me sert de scène.
Je trace de nouveaux sentiers.
Et cherche à repousser les frontières du connu
En m'attaquant à l'inédit.
La vie est une musique qui me fait danser
Et je m'abandonne à son rythme.
Viens avec moi sur le grand caroussel
Admirer les couleurs innombrables
Et les feux qui scintillent.
Vois comme on me salue, moi, l'acteur sans pareil.

JE SUIS LE TIGRE.

Le Tigre

Nom chinois du Tigre: HOU
Rang hiérarchique: Troisième
Heures gouvernées par le Tigre: 3h à 5h
Orientation de ce signe: Est-Nord-Est
Saison et mois principal: Hiver — février
Correspondance avec les signes solaires: Verseau
Élément stable: Bois
Souche: Positive

Années lunaires du Tigre dans le calendrier occidental

Début	Fin	Élément
8 février 1902	28 janvier 1903	Eau
26 janvier 1914	13 février 1915	Bois
13 février 1926	1er février 1927	Feu
31 janvier 1938	18 février 1939	Terre
17 février 1950	5 février 1951	Métal
5 février 1962	24 janvier 1963	Eau
23 janvier 1974	10 février 1975	Bois
9 février 1986	28 janvier 1987	Feu

Si vous êtes né la veille du début de l'année lunaire du Tigre, par exemple le 7 février 1902, vous appartenez au signe animal qui vient avant celui du Tigre, c'est-à-dire au Boeuf. Si vous êtes né le jour qui suit la fin de cette année lunaire donc le 29 janvier 1903, vous appartenez alors au signe qui suit celui du Tigre, soit au Lièvre.

L'année du Tigre

C'est indéniablement une année explosive. Elle commence habituellement par un coup d'éclat et se termine par un grincement. C'est une année tout indiquée pour la guerre, les mésententes et les désastres de toutes sortes. Mais c'est aussi une grande, une flamboyante année. On n'y fonctionnera pas à petite échelle. Tout, le bien comme le mal, sera extrême. Des fortunes seront acquises et perdues. Si vous faites un pari, jouez gros jeu, mais comprenez bien que les chances sont contre vous.

Sur l'impulsion du moment, les gens poseront des gestes draconiens et même dramatiques. Il n'est pas surprenant que le scandale du Watergate et le drame entourant la démission du président Nixon se soient produits au cours de l'impétueuse année du Tigre. On verra partout des sautes d'humeur et ce sera un bien mauvais moment pour la diplomatie. Comme le Tigre, nous aurons tendance à foncer avant de réfléchir pour ensuite regretter notre empressement.

Les amitiés, les associations et les ententes nées au cours de cette période et requérant une confiance mutuelle et de la coopération seront fragiles et pourraient se briser facilement. Toutefois, la puissance et la vigueur de l'année du Tigre peuvent aussi servir à insuffler une vivacité nouvelle à des causes perdues, à des associations vacillantes ou à des industries en déclin. Ce sera un temps favorable à des changements importants ou à la lancée d'idées novatrices, audacieuses ou particulièrement controversées. La chaleur ardente de l'année du Tigre ne laisse personne indifférent. En dépit de ses aspects négatifs, elle a aussi des effets purificateurs. Tout comme une chaleur intense est nécessaire à l'extraction des métaux précieux de leur minerai, une année du Tigre peut nous permettre de donner le meilleur de nous-mêmes.

Un bref conseil pour vous aider à traverser cette année pleine d'imprévus: "Cultivez votre sens de l'humour et laissez passer l'orage!"

La personnalité du Tigre

En Orient, le Tigre symbolise le pouvoir, la passion et l'audace. D'un caractère rebelle, coloré et imprévisible, il commande la crainte et le respect de tous. Ce combattant sans peur et sans reproche est vénéré à titre de protecteur contre les trois principaux désastres qui menacent une famille: le feu, les voleurs et les fantômes.

Il est bon d'avoir une personne née sous le Tigre dans son entourage, à condition de pouvoir supporter toute l'activité qui accompagne cette personnalité dynamique. L'impulsivité et la vivacité d'une personne née sous le Tigre sont contagieuses. Son énergie et son amour de la vie sont grandement stimulants. Elle pourra susciter toutes sortes d'émotions chez les gens, mais jamais de l'indifférence. En résumé, l'attachant Tigre aime bien être le centre d'attraction.

Impatient et impulsif de nature, le Tigre est habituellement porté à l'action. Cependant, du fait de sa nature méfiante, il a tendance à hésiter ou à prendre des décisions hâtives. Il a de la difficulté à faire confiance aux autres ou à calmer ses émotions. Lorsqu'il a quelque chose sur le coeur, il ne le garde pas pour lui. Mais en dépit de son tempérament vif, il est également sincère, affectueux et généreux. De plus, il a un merveilleux sens de l'humour.

Chaque Tigre possède un côté humanitaire. Il aime les enfants, les animaux, la musique ou tout ce qui peut capter momentanément son imagination ou son attention. Lorsqu'il s'implique, son engagement est total. Devant l'objet de son adoration, il oubliera tout, presque même de respirer. Pour le Tigre, il n'y a jamais de demi-mesures et il se donnera corps et âme pour respecter sa parole. Les Tigres les plus sensuels se laissent généralement tenter par la vie de bohème au cours de leur jeunesse. Certains n'en sortent jamais. Mannequins cherchant le grand amour à Paris, peintres débutants offrant leurs premières oeuvres sur un trottoir, troupe ambulante de musiciens amateurs, chanteurs populaires itinérants, ou acteurs ambitieux travaillant avec des budgets de famine, voilà probablement plus des enfants du Tigre que des enfants-fleurs. La raison en est qu'en plus d'être optimiste, le Tigre ne recherche ni les biens matériels ni la sécurité. Il a besoin, à certains moments de sa vie, de suivre ses impulsions et de jouer les rôles mirobolants qu'il s'est créés pour lui-même. Il lui faut une occasion de tourner le dos à ce qu'il désapprouve, de renier la société et de bafouer les traditions trop contraignantes. Le Tigre a besoin de s'exprimer, de trouver son identité et de former sa personnalité; si la rébellion ou un défi ouvert aux comportements établis lui en offrent la possibilité, il n'hésitera pas à prendre ce moyen. Mais l'aimera-t-on moins pour autant? Non, car neuf fois sur dix nous nous surprendrons à lui donner raison. Son audace et la témérité de ses actes pourront nous laisser pantois, mais nos voeux l'accompagneront toujours et nous ressentirons personnellement une bouffée d'orgueil en le voyant réussir.

Lorsque le Tigre est rejeté, il a besoin de tonnes de sympathie sincère et sans mélange. N'essayez pas de raisonner pour établir qui a tort et qui a raison. La logique ne lui dit pas grand-chose. Elle ne l'atteint pas. Mais ne soyez pas avare dans vos efforts pour le réconforter. Il en ferait le double si vous étiez dans la situation inverse. Il appréciera vos sages conseils et les prendra tous en considération, ce qui ne veut pas dire qu'il les mettra en pratique. Car il y a une différence entre écouter et accepter. Il ne faut jamais agir arbitrairement avec lui.

Mieux vaut lui tenir la main, le laisser se vider le cœur, déballer ses sentiments et remettre en place les pièces de son ego blessé. Ensuite il vous embrassera, vous prendra dans ses bras et vous quittera en vous faisant sentir que vous lui avez redonné le goût de vivre.

Une fois seul, il est cependant probable qu'il ira de son côté et fera exactement ce qu'il avait toujours eu l'idée de faire.

Quel que soit le degré de découragement d'un Tigre, quelle que soit la profondeur de son désespoir, ne croyez pas un seul instant qu'il acceptera de renoncer! Il restera toujours en lui une étincelle cachée dans quelque recoin de son esprit insatiable qui lui permettra de redémarrer à sa manière entreprenante et passionnée.

Un peu trop intense pour se montrer fiable dans les moments difficiles, le Tigre est également renommé pour son habileté à influencer les foules. Si tout va bien, il est chaleureux, sensible et sympathique. Dans les mauvais moments, il est obstiné, déraisonnable et égoïste.

La femme née sous le signe du Tigre, s'avère une hôtesse absolument charmante. Elle allie facilement vie familiale et vie sociale. Soucieuse de plaire, intense et franche, elle sait faire la chatte lorsqu'elle veut donner une bonne impression. Mais ne la brusquez pas, car elle garde ses griffes bien aiguisées, au cas où elle en aurait besoin.

Sensible à la mode, rationnelle et libérée, la Tigresse aime se dorloter et peut passer des heures à expérimenter de nouvelles coiffures, de nouveaux maquillages ou de nouveaux vêtements. Elle se plaint toujours de n'avoir rien à se mettre sur le dos. En réalité, elle est tout aussi à l'aise dans un pantalon délavé que dans un tailleur haute couture. Offrez des réceptions et à coup sûr, elle surprendra tout le monde. Elle est également très populaire auprès des enfants. Elle raconte de belles histoires, fait des imitations et se moque d'elle-même, garde le sourire et, par-dessus tout, elle sait se faire aimer en interprétant toutes les règles en leur faveur. Avec elle les enfants peuvent manger des bonbons avant le repas, demander deux fois de la crème glacée, et rester debout assez tard pour regarder leur émission de télévision favorite. Étrangement, ses enfants ne sont pas plus gâtés que les autres et ils apprennent bien leurs leçons. Ceci est peut-être dû au fait qu'après leur avoir démontré son affection, elle sait se faire obéir. Elle leur apprend les bonnes manières et, s'ils se montrent bons élèves, elle est extrêmement généreuse. Elle les amène faire des pique-niques, des visites au jardin zoologique et dans les parcs nationaux, et organise des expéditions de pêche. Comment voulez-vous résister?

À l'instar du Dragon et du Coq, le Tigre possède un super ego. L'argent, le pouvoir et la renommée ne lui diront rien si son ego est blessé. Contrarié, le Tigre peut s'avérer la pire brute que l'on puisse rencontrer. Dans le but de se venger, il ira jusqu'aux extrêmes, même si la maison doit s'écrouler avec lui. Des affronts légers le mettront en colère, mais il laissera passer des problèmes importants sans se formaliser. Il faut se souvenir qu'il déteste être ignoré! Paradoxalement, ses deux points faibles sont d'une part son impétuosité et de l'autre, son indécision. S'il parvient à établir un équilibre, le Tigre peut connaître un succès foudroyant.

Côté affectif, le Tigre est un romantique, il est enjoué tout en étant à la fois passionné et sentimental. Être amoureux d'un Tigre ou se marier avec l'un d'eux peut représenter une expérience intéressante. Mais une personne née sous ce signe est également portée à se montrer très possessive et querelleuse lorsqu'elle est jalouse.

La première phase de la vie du Tigre sera probablement la plus heureuse. Au cours de ses années de formation, il lui sera possible d'apprendre à restreindre son émotivité explosive et destructrice. Dans sa jeunesse et son âge mûr, le Tigre sera absorbé par la poursuite de la réussite et l'accomplissement de ses rêves. La vieillesse pourra lui apporter le calme s'il apprend à céder la place et à se reposer. Cependant, cela ne sera pas facile car alors il regrettera le temps passé et tout ce qu'il n'aura pas eu le temps de faire.

Dans l'ensemble, la vie du Tigre sera mouvementée. Elle sera remplie de rires, de larmes, de joies, de souffrances et de désespoirs. Néanmoins, il ne faut pas s'apitoyer sur son sort car, par tempérament, le Tigre ne peut apprécier la vie que s'il mène à terme ses projets quels qu'ils soient. C'est un optimiste incurable qui trouve toujours la motivation nécessaire pour affronter de nouveaux défis.

Le Tigre peut faire bonne équipe avec le Sanglier. L'honnêteté et la bonhommie de ce dernier, que l'on appelle également Cochon, fournit un bon complément à l'humeur impétueuse du Tigre et lui apporte la stabilité et la sécurité. Le Tigre s'entendra également à merveille avec le Chien à cause de son réalisme et de son côté pratique. Loyal, le Chien va s'attacher au Tigre et il sera non seulement capable de contenir ses élans, mais aussi de lui faire entendre raison.

Coloré mais néanmoins pratique, le Cheval fournira également un très bon partenaire pour le Tigre. Tous les deux partagent le même appétit de vivre et une attirance commune pour l'action. Cependant, l'agilité et la rapidité du Cheval lui permettront de sentir le danger avant le Tigre, car l'obstination de ce dernier l'en empêche; le Tigre bénéficiera grandement de la finesse des réflexes du Cheval et de son bon sens. Les personnes nées au cours des années du Rat, du Mouton, du Coq ou d'un autre Tigre, n'auront pas de difficulté à s'entendre avec lui. D'autre part, le Tigre ne défiera jamais l'autorité d'une personne née au cours de l'année du Buffle, car voilà un personnage sérieux et intègre qui ne se laissera pas influencer par les fantaisies du Tigre. S'il était forcé d'affronter le Buffle, le Tigre pourrait recevoir des blessures dont il aurait de la difficulté à se remettre.

De la même manière, une union entre un Serpent et un Tigre est à déconseiller. La seule chose qu'ils aient en commun reste leur nature soupçonneuse. Mais le Serpent est calme, tranquille et mortel avec ses hésitations, tandis que le Tigre est bruyant et accusateur. Ils ne peuvent pas trouver d'harmonie.

Finalement, le Singe demeure l'ennemi le plus insaisissable du Tigre. Cet espiègle ingénieux ne se lasse jamais de taquiner le Tigre qui finit toujours par perdre patience en se rendant ridicule. L'astuce inégalée du Singe s'avérera insupportable pour le Tigre et ce n'est pas sans souffrance qu'il réussira à traiter avec lui.

Le Tigre enfant

Un enfant Tigre peut être à la fois une source de joie et une calamité. Véritable feu d'artifice, il déborde d'activités. Même s'il est de caractère paisible, il est toujours à l'affût de l'action et ne laisse passer aucune occasion.

Cet enfant charmant, intelligent et sûr de lui, est un véritable moulin à paroles et rien ne l'arrête. Son insatiable curiosité le porte à essayer de toucher tout ce qui bouge et le place dans toutes sortes de pétrins. Hyperactif et de tempérament nerveux, il aime s'ébattre, crier, et jouer rudement.

Comme le Dragon, il lui arrive également de dominer ceux qui sont moins agressifs. Cependant, on est naturellement attiré vers lui à cause de son caractère chaleureux, affectueux et grégaire. L'enfant

Tigre exprime ses sentiments sans détour. Vous serez confronté à ses opinions bien précises sur la façon de faire les choses et il exprimera ses idées sans hésitation. Il n'aime guère qu'on lui cache un secret et il a lui-même beaucoup de difficultés à en garder.

Comme il ne réprime pas ses émotions, vous saurez immédiatement si quelque chose le trouble. Assurez-vous seulement qu'il a suffisamment de latitude pour déverser son trop plein d'énergie.

Si l'on ne se méfie pas assez de l'assurance de l'enfant Tigre, il peut en arriver à dominer complètement ses parents et à devenir insupportable. Il faut lui apprendre très tôt à contrôler l'impétuosité de son caractère, à se montrer raisonnable et à apprécier la valeur des compromis. Cependant, ce petit rebelle n'acceptera rien spontanément. Il ne serait pas lui-même s'il ne passait son temps à remettre en question les limites qu'on lui impose et ce ne sera pas une mince tâche de l'amener à obéir. Cependant, plus tôt il apprendra où réside l'autorité, mieux ce sera pour lui-même et pour ceux qui l'entourent.

Malgré tout cela, s'il est convenablement encadré et qu'on le traite avec amour, chaleur et beaucoup de compréhension, aucun autre enfant ne réagira avec autant de spontanéité que l'adorable petit Tigre. Sa présence compliquera légèrement les choses, mais sans lui tout serait beaucoup trop calme. Avoir un enfant Tigre est en soi une récompense.

Les cinq types de Tigre

Le Tigre de Métal — 1890, 1950, 2010

Ce type de Tigre n'est vraiment pas réticent. Le Tigre de Métal est toujours actif, dynamique et passionné. Il peut avoir des tendances artistiques ou non, mais il se préoccupera certainement de projeter une image attrayante et de pas passer inaperçu. Égocentrique et plein d'ostentation, il a l'esprit de compétition et sait se montrer un travailleur infatigable lorsqu'il est motivé.

Il traite ses problèmes d'une façon directe et même radicale et n'entretient jamais de doutes au sujet de ses objectifs. Ses seuls problèmes sont sa trop grande ambition et son manque de patience. Il a de plus tendance à se montrer trop optimiste quant aux résultats de ses entreprises.

Le Métal combiné avec ce signe lunaire peut produire un Tigre emporté, peu orthodoxe et extrémiste dans ses actions. Cette personne ne sera fidèle qu'à elle-même et à ses désirs, peu importe si pour les réaliser elle doit écraser ses concurrents. Ce type particulier de Tigre réagit facilement aux bonnes et mauvaises influences mais il a tendance à agir de façon indépendante car il déteste toute atteinte à sa liberté.

Le Tigre d'Eau — 1902, 1962, 2022

L'ouverture d'esprit caractérise ce Tigre, toujours réceptif aux idées et aux expériences nouvelles. Il possède un don d'objectivité car l'élément Eau combiné à son signe lunaire lui confère une allure calme. Il sait se montrer humain et reconnaît toujours la vérité car il peut capter les sentiments des autres. Il est intuitif et possède à un haut degré la faculté de communiquer avec les gens. Il excelle dans les relations publiques. Plus réaliste, ce type de Tigre connaît bien les gens et les choses avec lesquels il est impliqué. Il ne fait que rarement des erreurs d'appréciation. Ses capacités mentales sont au-dessus de la moyenne et comme tous les Tigres il lui arrive de perdre un temps précieux à temporiser. Il n'en demeure pas moins qu'il n'est pas aussi impétueux que les autres Tigres car il peut contrôler ses impulsions émotives et se concentrer à ses tâches.

Le Tigre de Bois — 1914, 1974, 2034

La tolérance de ce type de Tigre lui permet d'évaluer les situations avec un esprit pratique et impartial. Il a l'esprit démocratique et comprend l'importance de s'assurer la coopération des autres pour avancer plus rapidement. Il sait s'attirer un grand nombre d'amis et de supporters car il a la faculté de se lier avec des gens provenant de tous les milieux. L'élément Bois lui communique un tempérament plus stable et plus agréable et sa personnalité charmante et innovatrice facilite grandement le travail de groupe. On recherche sa compagnie dans la bonne société et il a le talent de faire s'accorder les gens les plus disparates. Cependant, il n'a généralement de loyauté que pour lui-même, personne ne lui étant indispensable. Si vous quittez son groupe, il vous souhaitera bonne chance mais ne perdra pas de temps à vous remplacer.

Le Tigre de Bois est aussi enclin à être plus superficiel que les autres Tigres. Il lui arrive de préférer ne scruter que la surface des choses et ne maintenir qu'une apparence d'ordre. En réalité, il manque de profondeur et de contrôle permanent. Il délègue généralement les tâches et se montre très habile à commander et à manipuler ceux qui l'entourent n'assumant lui-même qu'un minimum de responsabilités. Comme ce signe lunaire n'est pas doué pour l'autodiscipline, il devrait éviter d'entreprendre trop de choses à la fois. Mais il lui sera difficile de reconnaître ses limites et comme les Tigres de toutes couleurs, il n'acceptera pas facilement la critique même constructive ou amicale.

Le Tigre de Feu — 1866, 1926, 1986

Ce Tigre a de la difficulté à contenir son enthousiasme et déborde d'énergie. Il est toujours disposé à l'action et a de la difficulté à rester en place. Nomade de nature, il est avant tout préoccupé par le présent. Indépendant et peu conventionnel, ses mouvements sont difficiles à prévoir. La seule chose dont on peut être certain reste que lorsqu'il pose un geste il le fait d'une façon magistrale, ce qui lui donne de l'autorité. Le Feu le rend encore plus expressif que les autres personnes de son signe. Le Tigre réussit toujours à impressionner les gens dont il désire attirer l'attention et communique sa vitalité électrifiante à tout projet qu'il décide d'entreprendre.

Il cherche continuellement à transformer son énergie nerveuse et ses inspirations en de vastes projets d'action. Il lui arrive parfois d'être tout simplement théâtral. Généreux à l'extrême, il possède plus de qualités de leadership que les autres Tigres. À son point de vue, tout ce qu'il fait est utile et doit être accompli; n'essayez donc pas de le convaincre du contraire. Ce Tigre est un parfait optimiste et l'opinion des prophètes de malheur n'a aucune prise sur lui. Brillamment dominateur, imposant et ouvert, le Tigre de Feu est sensuel et il a de la difficulté à faire abstraction de sa personne dans tout événement survenant dans sa vie.

Le Tigre de Terre — 1878, 1938, 1998

Ce Tigre possède une personnalité plus calme et digne de confiance. Il cherche à s'assurer du réalisme de ce qu'il entreprend; il évite les conclusions hâtives et demeure partisan de l'égalité et de la justice. De nature altruiste et cherchant à découvrir lui-même la vérité, sa personne dégage à la fois maturité et sensibilité.

Ce Tigre démontre davantage de stabilité que ses semblables car l'élément Terre lui permet d'avoir des préoccupations à plus long terme. Il peut donc se consacrer avec ardeur et objectivité à des causes importantes et cela sans trop s'impatienter. Bien qu'il ne soit pas aussi flamboyant et tranché que les autres Tigres, il est généralement lucide et raisonnable. Il voit les problèmes sous leur vrai jour et laisse rarement ses émotions brouiller ses perceptions.

Ce Tigre est aussi celui qui s'avère le plus apte à établir des relations sur une base fonctionnelle plutôt que sur l'attraction personnelle ou sexuelle. C'est un intellectuel et il est plutôt prudent que téméraire. Il applique ses connaissances et ses talents aux secteurs qui lui sont les plus familiers et où il est susceptible de remporter les plus grands succès.

Il lui arrive parfois de devenir trop orgueilleux, insensible et indifférent, particulièrement lorsqu'il est obnubilé par ses propres préoccupations qu'il ne réussit pas à identifier avec quoi que ce soit en dehors de ses objectifs. Le Tigre de Terre est le moins susceptible d'être attiré par la vie de bohème, peu importe l'impression qu'il cherche à communiquer. Il commence par se rendre au sommet et, ensuite, lorsqu'il a prouvé à la société et au monde qu'il possède des capacités et du génie, il peut adopter un comportement radical, non conventionnel ou même scandaleux dans le seul but de se montrer différent ou de se faire remarquer, tendance qu'il partage avec tous les Tigres. Néanmoins, il prendra toujours son travail au sérieux car l'élément qui a présidé à sa naissance le rend désireux de réussir et de conquérir la notoriété par la stabilité et le travail.

Le Tigre et ses ascendants

Naissance au cours des heures du Rat — 23h à 1h

Emporté et de nature affectueuse. Capable de se quereller pour le simple plaisir de la réconciliation. Il a des chances de réussite si le Rat en lui contrôle les cordons de la bourse.

Naissance au cours des heures du Buffle — 1h à 3h

Combinaison qui donne de la volonté et du tempérament et qui permet d'espérer que le Buffle lui communiquera son autodiscipline, ce qui pourrait le temporiser. Il peut en résulter une personnalité plus calme.

Naissance au cours des heures du Tigre — 3h à 5h

Des griffes et des dents. Une impétuosité qui donne lieu aux humeurs les plus contrastées. Si vous recherchez une vie palpitante, en voilà l'occasion.

Naissance au cours des heures du Lièvre — 5h à 7h

Serein, mais quand même de tempérament fiévreux. Le Lièvre peut réussir à contrôler son impétuosité et son impatience. Il en résulte de meilleures décisions qui pourraient lui éviter bien des problèmes.

Naissance au cours des heures du Dragon — 7h à 9h

Plus entreprenant et plus ambitieux car le Dragon renforce son ego. Peut être un excellent chef s'il réussit à calmer son esprit soupçonneux.

Naissance au cours des heures du Serpent — 9h à 11h

Le Serpent réussira peut-être à apprendre à ce Tigre comment se taire. Le Tigre a tout à gagner en suivant l'exemple du Serpent et en ne perdant pas patience.

Naissance au cours des heures du Cheval — 11h à 13h

Le Cheval pourrait transmettre un peu de sens pratique au Tigre et l'encourager à ne prendre que des risques calculés. Cependant, cette combinaison se compose de deux signes fantaisistes qui manquent complètement du sens des responsabilités.

Naissance au cours des heures du Mouton — 13h à 15h

Tranquille et observateur mais cependant extrêmement jaloux et possessif. Peut s'avérer charmant si le Mouton réussit à apaiser l'agressivité du Tigre et à développer son côté artistique.

Naissance au cours des heures du Singe — 15h à 17h

Rencontre de la force et de l'astuce. Il est à espérer que le mélange se fera dans les bonnes proportions. Si cela se produit, ce Tigre peut espérer tout réussir.

Naissance au cours des heures du Coq — 17h à 19h

Une personnalité fascinante faite d'une alliance entre un trouble-fête et un organisateur. Il ne laissera rien passer et insistera pour se faire entendre sans vous en donner le choix.

Naissance au cours des heures du Chien — 19h à 21h

Du fait du bon sens inné du Chien, ce Tigre sait se montrer davantage raisonnable et coopératif. La rudesse de ses tactiques sera contrecarrée par la stricte droiture du Chien. Cependant sa langue sera plus acérée qu'un rasoir.

Naissance au cours des heures du Sanglier — 21h à 23h

Impulsif et naïf. Heureux et content, tant et aussi longtemps qu'il obtient ce qu'il veut. Peut devenir vindicatif lorsqu'il est bousculé. Cependant, il peut modifier ses projets pour faire plaisir à sa famille et à ses amis.

Comment le Tigre traverse les différentes années

Année du Rat

Année pas très chanceuse pour le Tigre. Les affaires fonctionnent mal et il pourrait trouver l'argent rare, plus difficile à gagner. Il ne réussira qu'en usant de prudence et de patience. Il doit éviter les gestes impulsifs et maintenir une apparence conservatrice.

Année du Boeuf

Une année mitigée. Des querelles et des mésententes sont le résultat d'entêtements. Le Tigre pourrait se sentir frustré car une personne influente l'empêche d'agir à sa guise. Il serait à conseiller que le Tigre apaise son esprit rebelle. Ses problèmes se résoudront d'eux-mêmes avant la fin de l'année à condition qu'il se montre patient assez longtemps.

Année du Tigre

Une année modérément bonne. Le Tigre est chanceux car il obtiendra de l'aide au moment où il en aura besoin. Cependant, il ne devrait pas prendre de risques car sa chance est fragile. Il ne souffrira d'aucune maladie grave, ni de grandes perturbations mais il pourrait être forcé de dépenser de l'argent ou échouer dans ses efforts pour faire des économies.

Année du Lièvre

Une année plus heureuse pour le Tigre. De bonnes nouvelles devraient lui parvenir et il connaîtra à nouveau le bonheur à la fois en amour et en affaires. Il existe encore des obstacles mais il les surmontera sans grande difficulté. À tout prendre, il sera très content de ses réalisations.

Année du Dragon

Cette année ne réserve pas grand-chose au Tigre. Il pourrait éprouver de la difficulté à gagner de l'argent ou encore faire de mauvais investissements à la suite de mauvais conseils. Des chagrins sont à prévoir, tels que la séparation d'avec un être aimé ou la rupture d'une association. Il s'ajustera difficilement aux changements même si ceux-ci lui sont favorables.

Année du Serpent

Une année passable pour le Tigre. Aucune perte ou gain important n'est à prévoir et sa vie pourrait être tranquille s'il a suffisamment de prudence pour ne pas se mêler des affaires des autres. Il progresse avec régularité et n'aura que de légers malaises côté santé. La plupart de ses déceptions lui viendront de personnes du sexe opposé.

Année du Cheval

Une année très fructueuse et remplie de bonheur. Tout ira bien pour le Tigre. Il jouira de promotions et sera hautement estimé. Ce sera une période propice aux gains et le Tigre réussira à économiser de l'argent ou encore à s'assurer des revenus additionnels. Il aura des raisons de se réjouir car des bonnes nouvelles lui parviendront dans sa famille.

Année du Mouton

Une bonne année même si les problèmes rencontrés par le Tigre prennent une bonne partie de son temps. Des négociations, des querelles domestiques et des tensions au travail entraîneront chez lui une grande fatigue et il devrait prendre des vacances même s'il n'en a pas les moyens. Il pourrait également perdre quelques biens personnels mais devrait quand même apprécier sa chance car ce ne sera rien de désastreux.

Année du Singe

Une année éprouvante pour le Tigre. Des contrariétés et des reculs mettront sa patience et son endurance à rude épreuve. Il devrait prendre garde de ne pas exprimer trop vigoureusement ses objections

Tableau de compatibilité du Tigre

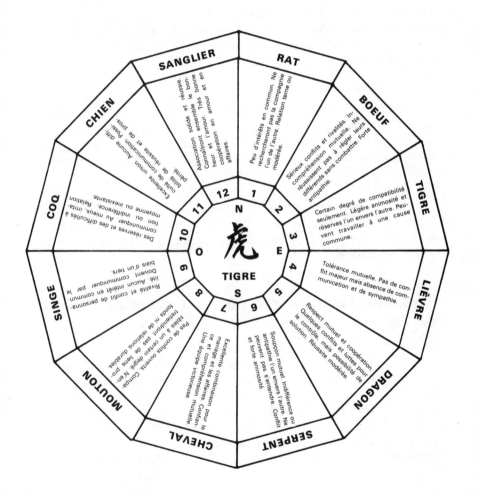

SANGLIER — Association solide et réussie. Connaîtront ensemble le bonheur et l'amour. Très bonne coopération en amour et en affaires.

RAT — Peu d'intérêts en commun. Ne rechercheront pas la compagnie l'un de l'autre. Relation terne ou modérée.

BOEUF — Sérieux conflits et rivalités. Incompréhension mutuelle. Ne réussissent pas à régler leurs différends sans combattre. Forte antipathie.

TIGRE — Certain degré de compatibilité seulement. Légère animosité et réserves l'un envers l'autre. Peuvent travailler à une cause commune.

LIÈVRE — Tolérance mutuelle. Pas de conflit majeur mais absence de communication et de sympathie.

DRAGON — Respect mutuel et coopération. Quelques conflits et luttes pour le contrôle, mais possibilité de solution. Réussite modérée.

SERPENT — Soupçon mutuel. Indifférence ou antipathie l'un envers l'autre. Ne peuvent pas s'entendre. Conflit et forte animosité.

CHEVAL — Excellente combinaison pour le mariage et les affaires. Confiance et compréhension mutuelle. Une équipe victorieuse.

MOUTON — Pas de conflits ouverts. Compatibles à un certain degré. N'entretiendront pas de liens profonds ni de relations durables.

SINGE — Rivalité et conflit de personnalité. Aucun intérêt en commun. Doivent communiquer par le biais d'un tiers.

COQ — Des réserves et des difficultés à communiquer. Au mieux, irritation ou indifférence. Relation moyenne ou inexistante.

CHIEN — Excellente union. Aucune difficulté de communication. Possibilité de réussite et de profit.

12 1 2 3 4 5 6 7 8 9 10 11

N
虎
TIGRE
O
E
S

et éviter les confrontations qui pourraient mener à des poursuites judiciaires. Sa vie sociale prendra de l'importance ou bien il voyagera plus qu'à l'accoutumée et sera forcé de faire des compromis.

Année du Coq

Une année moyenne. Le Tigre ne doit pas trop s'inquiéter. Malgré l'importance apparente des problèmes qu'il aura à rencontrer au cours de cette année, il réussira à les résoudre car de l'aide de nouveaux amis ou d'une source inattendue lui parviendra au dernier moment.

Année du Chien

Une année au cours de laquelle le Tigre est protégé contre de sérieux dangers. Cependant, il aura à travailler fort pour réussir et souffrira de fatigue et de solitude. Malgré tout, la chance le favorise et il réussira à exécuter ses plans grâce à l'appui de personnes influentes.

Année du Sanglier

Au cours de cette année, le Tigre devra contrôler sa propension à la dépense car la prospérité des premiers mois ne durera pas longtemps. Il devra se méfier des investissements à risques élevés et de nouveaux associés.

Personnalités célèbres nées au cours de l'année du Tigre

Métal
Charles de Gaulle
Ho Chi Minh
Beethoven
Dwight D. Eisenhower
Groucho Marx
La Princesse Anne
Stevie Wonder

Eau
Simon Bolivar
Will Geer

Bois
Alec Guinness
Pierre Balmain

Feu
La Reine Elizabeth II
Giscard D'Estaing
Hugh Hefner
St-François Xavier
Marilyn Monroe

Terre
Emily Brontë
Isadora Duncan
Diana Rigg
Rudolf Nureyev

Chapitre 4

Le Lièvre

Mon coeur bat en harmonie
Avec celui de l'univers.
Dans le calme de ma solitude
J'entends les mélodies de l'âme
Et flotte au-dessus
De la cohue et des vicissitudes.
Je séduis par ma souplesse
Et habille mes mots
De délicates couleurs pastel.
J'incarne la plénitude et la paix intérieure.

JE SUIS LE LIÈVRE.

Le Lièvre

Nom chinois du Lièvre: TOU
Rang hiérarchique: Quatrième
Heures gouvernées par le Lièvre: 5h à 7h
Orientation de ce signe: plein Est
Saison et mois principal: Printemps — mars
Correspondance avec les signes solaires: Poisson
Élément stable: Bois
Souche: Négative

Années lunaires du Lièvre dans le calendrier occidental

Début	Fin	Élément
29 janvier 1903	15 février 1904	Eau
14 février 1915	2 février 1916	Bois
2 février 1927	22 janvier 1928	Feu
19 février 1939	7 février 1940	Terre
6 février 1951	26 janvier 1952	Métal
25 janvier 1963	12 février 1964	Eau
11 février 1975	30 janvier 1976	Bois
29 janvier 1987	16 février 1988	Feu

Si vous êtes né la veille du début de l'année lunaire du Lièvre, par exemple le 28 janvier 1903, vous appartenez au signe animal qui vient avant celui du Lièvre, c'est-à-dire au Tigre. Si vous êtes né le jour qui suit la fin de cette année lunaire donc le 16 février 1904, vous appartenez alors au signe qui suit celui du Lièvre, soit au Dragon.

L'année du Lièvre

Une année placide qui sera la bienvenue, car on en avait besoin après la féroce année du Tigre. Il sera bon de pouvoir se retrouver pour panser ses blessures et se reposer un peu après toutes les batailles de l'année précédente. Le bon goût et le raffinement se refléteront dans toute chose et l'on se rendra compte que l'on obtient davantage par la persuasion que par la force. Une période favorable au cours de laquelle la diplomatie, les relations internationales et la politique reviendront à l'avant-scène. Nous agirons avec discrétion et accepterons des concessions raisonnables sans trop de difficultés.

Au cours de cette année, il faut veiller à ne pas devenir trop indulgent. L'influence du Lièvre tend à communiquer un esprit débonnaire qui peut faire perdre l'efficacité et le sens du devoir.

On connaît une relâche de l'ordre social. Les lois et les règlements ne sont pas appliqués aussi sévèrement car personne n'est enclin à s'occuper de ces réalités désagréables. La joie de vivre accapare tout le monde et l'on est porté à s'amuser et à ne rien faire. La vie est calme et tranquille, atteignant presque un point de somnolence. Nous aurons tous tendance à reporter à plus tard les tâches désagréables.

On peut s'enrichir sans trop d'efforts. Nous adoptons un style de vie langoureux et oisif parce que nous pouvons nous permettre tout le luxe auquel nous aspirions depuis longtemps. Une année sobre au rythme indolent. Il semble pour une fois que nous puissions nous laisser aller à une vie heureuse et insouciante sans risquer trop d'ennuis.

La personnalité du Lièvre

Une personne née sous le signe du Lièvre bénéficie du plus chanceux des douze signes animaux. Lorsque l'on se réfère à la mythologie chinoise, le Lièvre ou Lapin est l'emblème de la longévité et l'on dit qu'il tient son essence de la lune.

Lorsqu'un Occidental contemple la lune, il peut s'amuser à parler d'une meule de fromage ou raconter à son enfant l'histoire de l'homme dans la lune. Lorsqu'un Chinois regarde la lune, il y voit le Lièvre lunaire assis sous un arbre près d'un rocher et tenant dans ses pattes l'élixir de l'immortalité. Au cours du festival que les Chinois tiennent à la mi-automne, au moment où, selon eux, la lune paraît à son meilleur, les enfants portent encore des lanternes de papier faites à l'effigie du lièvre et grimpent sur les collines pour observer la lune et admirer le Lièvre lunaire.

Le Lièvre symbolise la grâce, les bonnes manières, la sagesse, la gentillesse et l'amour de la beauté. La douceur de son verbe, la grâce et l'agilité de sa démarche lui confèrent toutes les qualités nécessaires pour réussir en diplomatie ou dans des hauts postes politiques.

Une personne née sous ce signe mènera également une vie tranquille, et recherchera un environnement paisible. Elle est réservée et possède un sens artistique ainsi qu'un bon jugement. Son besoin d'approfondir les choses en fait un universitaire doué. Elle fait sa marque dans les secteurs du droit, de la politique et du gouvernement.

Elle a également tendance à se montrer d'humeur changeante et paraît en certaines occasions, détachée de son environnement ou indifférente aux gens qui l'entourent.

Le Lièvre est extrêmement chanceux en affaires et pour les transactions financières. Astucieux lorsqu'il s'agit de découvrir les bonnes occasions, il trouve sans cesse des possibilités dont il peut tirer profit. Son sens aiguisé des affaires, jumelé à son talent de négociateur, lui permettent de réussir rapidement dans n'importe quelle carrière.

Bien que le Lièvre puisse sembler afficher de l'indifférence à l'égard de l'opinion des autres, il est extrêmement sensible à la critique. Sa technique qui consiste à céder pour éviter de se battre peut être trompeuse et il peut être diablement rusé lorsqu'il s'y met. Ainsi, bien que les personnes nées sous le Lièvre n'aient que tendresse et obligeance envers leurs proches, elles peuvent être superficielles et même sans pitié lorsqu'il s'agit des étrangers. Affables et indulgentes, elles cherchent à assurer le confort des leurs mais aiment à faire passer leurs aspirations en premier. Elles trouvent extrêmement pénible qu'on les incommode car, en personnes réservées, modestes et réfléchies, elles aimeraient que les autres leur ressemblent. Elles sont fermement convaincues que la gentillesse ne coûte rien à personne et s'efforce toujours d'être polies, même avec leur pire ennemi. Elles tiennent la bagarre en horreur de même que toute manifestation d'animosité.

En dépit de sa nature calme et apparemment docile, la personne née sous le Lièvre possède une grande volonté et une assurance quasi narcissique. Elle poursuit très méthodiquement ses objectifs mais évite de se faire trop remarquer. S'il est un reproche qu'on peut lui faire c'est son attitude apathique et son impassibilité. La qualité particulière du Lièvre, qui en fait un négociateur hors pair, c'est son air impénétrable. Le Lièvre a généralement des manières impeccables. Il utilise rarement de mots grossiers et ne se permettra jamais de vulgarités ou d'écarts de langage pour remporter une discussion. Il n'en a d'ailleurs pas besoin, car il possède ses propres techniques. Profitant d'une façade faite de convenance, il arrive parfois que le Lièvre s'attaque sournoisement à ses adversaires. Son dossier personnel est généralement sans faille ou tout au moins en bon ordre. Lorsqu'il désire obtenir quelque chose il n'épargne pas les invitations dans les meilleurs restaurants et pourvoit à vos moindres désirs. Ensuite, après un copieux repas quand vous en êtes à savourer un digestif, il place devant vous le contrat qu'il désire vous faire signer. Ainsi, sans le moindre avertissement, vous êtes privé de la moitié de vos moyens. Tout s'est fait avec tellement de doigté que vous n'avez ressenti aucun malaise. L'opération n'a duré que le temps d'une signature; mais vous méritez de la sympathie. Vous venez de grossir la liste des victimes de l'incomparable Lièvre. Comprenez-vous maintenant pourquoi Jeannot Lapin réussit toujours à obtenir des carottes dans les dessins animés?

Le Lièvre peut parfois paraître un peu lent et hésitant mais ceci est dû à son sens inné de la prudence et à sa discrétion. On peut être assuré qu'avant de signer un contrat il va prendre le temps de le lire en entier. Fort de son habileté à évaluer les personnes et les situations, le Lièvre peut se permettre d'être frondeur et, de fait, il est un peu suffisant.

Réservée, la femme née sous le Lièvre n'a qu'égard et considération pour ses amis. C'est une compagne très agréable pour faire des achats ou tout simplement pour bavarder. Elle est délicate, chaleureuse et vive d'esprit et sa compagnie est toujours reposante. Elle a beaucoup d'énergie pour ce qui l'intéresse et devient infatigable lorsqu'il s'agit de rechercher des antiquités ou de planifier le mariage d'une amie jusque dans les moindres détails. Cependant lorsqu'elle en a assez, on peut s'attendre à la voir tout laisser tomber pour prendre du recul, ce qui témoigne du côté philosophique du Lièvre. Là réside la réponse à vos questions sur le secret de sa sérénité même au sein de l'activité la plus intense. Il consiste à savoir écouter ses besoins et, sur ce point, personne n'a de connaissances plus précises que le Lièvre.

Pendant que tout le monde se morfond pour atteindre un but particulier, le Lièvre sait que la terre tournera encore demain. Alors pourquoi se hâter? Pourquoi ne pas vous asseoir, pendant qu'il vous sert une tasse de thé en vous invitant à oublier la course folle qui se déroule au dehors.

Quelle que soit la situation, vous pouvez compter sur la femme Lièvre pour garder son sang-froid. Elle se souviendra du numéro de plaque de l'auto qui s'éloigne après vous avoir causé un accident ou aura remarqué que le conducteur portait un veston beige et des lunettes. Au poste de police, au moment de remplir un rapport, elle se souviendra avec calme de tous les détails et aidera à répondre à toutes les questions irritantes.

Globalement, le Lièvre est quelqu'un qui sait vivre, ou mieux, c'est quelqu'un qui aime à laisser vivre. Il n'a rien d'un autoritaire, il sait quand retenir ses critiques et il n'aime pas embarrasser qui que ce soit en public. Il est préoccupé de sauver les apparences et n'aime pas perdre la face ni la faire perdre à ses opposants. S'il existe un moyen de ménager vos sentiments, il l'utilisera.

Ne vous faites cependant pas d'illusions car il prendra soigneusement note de vos erreurs autant que de vos progrès. S'il ne s'agit pas d'un sujet trop sérieux ou si le mal est réparable, il fermera volontiers les yeux, caractéristique qui le fait apprécier et contribue à sa popularité. Le principal avantage de cette philosophie est que le Lièvre a peu d'ennemis et se trouve rarement dans des situations embarrassantes. Les gens répondent à sa générosité et lui rendent la pareille.

À l'exception du Mouton, personne ne vous écoutera avec autant de sympathie que le Lièvre. Cependant, bien qu'il soit un excellent pacificateur et un auditeur attentif, il se contente toujours d'un rôle passif. Il est avant tout un intellectuel, un réaliste et un pacifiste. Ne vous attendez pas à ce que vos confidences l'enflamment et à ce qu'il mène le combat à votre place. Ce serait beaucoup trop lui demander et le Lièvre ne proposera jamais de partager vos épreuves difficiles quel que soit le degré d'amitié qui vous unit. Il vous prêtera de l'argent pour les services d'un avocat ou payera votre cautionnement s'il en a les moyens, mais c'est à peu près tout. Et si vous devenez véritablement un problème pour lui, vous pouvez vous attendre à ce que très rapidement, mais gracieusement, il disparaisse de votre vie.

Fraîche et raffinée, la jeune femme née sous le Lièvre n'aura aucune objection à épouser un millionnaire plus âgé qu'elle, plutôt qu'un jeune soupirant sans le sou puisque le premier peut lui fournir tous les avantages et le luxe qu'elle considère essentiels. Son homme doit être suffisamment puissant pour la protéger et l'entretenir avec style tout en ayant la délicatesse de se retirer poliment lorsqu'elle est d'humeur maussade et qu'elle désire être seule.

Lorsqu'il en a le choix, le Lièvre préfère toujours la vie facile et confortable. Homme et femme aimeront porter des vêtements amples et confortables, de confection soignée. Ils auront une prédilection pour les chandails de cachemire, des blouses de pure soie ainsi que pour les toiles de lin et les tweeds écossais. Un manteau de vison ou de chinchilla posé sur l'épaule avec une nonchalance calculée pourrait très bien identifier l'élégance naturelle des personnes nées sous le Lièvre. Des motifs voyants, géométriques et criards offenseraient leur sens de la conformité et de l'équilibre.

Bien que très aimable envers ses amis et ses compagnons et compagnes de travail, la personne Lièvre peut se montrer distante à l'égard de sa propre famille et la routine des tâches domestiques risque de l'ennuyer. Cette personne déteste les associations trop intenses. Elle réprimera toute atteinte à sa vie privée et se débarrassera sans regrets d'un ami qui développerait des habitudes parasitaires. Dans les situations difficiles, elle fait preuve d'un esprit bureaucratique et rigide. Comme elle a horreur de s'engager, elle excelle dans l'art de s'abstenir.

Le Lièvre est singulièrement débonnaire. Il évolue avec grâce, charme et gentillesse en dépit du fait que pendant qu'il vous complimente, il accapare les meilleurs morceaux de votre table. Le Lièvre gravite dans les milieux à la mode et fréquente l'élite de la société. À bien y penser, cette élite pourrait être composée de Lièvres évolués et géniaux.

Côté positif, le Lièvre est admiré pour son affabilité et son intelligence et l'on recherche ses conseils avisés. Côté négatif, il a trop d'imagination et de sensibilité lorsqu'il ne fait pas montre d'une indifférence un peu cynique. Il évite les contacts avec la souffrance humaine et la misère, un peu comme s'il s'agissait de maladies dangereusement contagieuses.

Le Lièvre n'est pas du tout facile à cerner. Il peut aussi devenir très répressif du fait de sa prédilection pour le secret et la dissimulation. Lorsque le Lièvre se sent personnellement menacé, il lui arrive d'exprimer un antagonisme caché au moyen de tactiques subversives. Joseph Staline, Fidel Castro et Johannes Vorster de l'Afrique du Sud sont des Lièvres. Il est aussi important de souligner que le roi Bhumibol de Thaïlande qui a été admiré et chéri de ses sujets pour sa vie exemplaire et sa dévotion à la musique, aux arts et à l'harmonie, était né au cours d'une année du Lièvre. C'est également le cas du roi

Olaf V de Norvège, de la Reine Victoria, d'Albert Einstein, de David Rockefeller et de David Frost.

À cause de toutes ses qualités positives, une personne de ce signe risque fort de devenir narcissique. Elle pourra même en venir à rejeter toute chose ou personne qui pourrait perturber le calme de son existence. La flexibilité de ses opinions et son besoin de sécurité l'amène à miser sur tous les partis. Cette recherche de la sécurité peut devenir une obsession chez ses spécimens les plus faibles, et l'on trouvera rarement un Lièvre dans un secteur qui comporte beaucoup de risques.

L'amour que le Lièvre éprouve pour le confort, de même que son dédain des conflits lui méritent une réputation de faiblesse, d'opportunisme et d'égoïsme. Contrairement au Dragon, au Chien, au Tigre ou au Coq qui tous apprécient une bonne bagarre de temps à autre (quitte parfois à les provoquer), le Lièvre n'a aucun goût pour le combat. Il n'est pas né pour être un guerrier et son travail le plus efficace se fait dans les coulisses. Personne n'a à se soucier de son bien-être. Le Lièvre est agile et astucieux et il a le don de toujours demeurer hors de la portée de ses adversaires. Contrairement aux autres signes qui poursuivent tous de grand idéaux, l'objectif principal dans la vie d'un Lièvre est tout simplement sa survivance.

On dit que l'année du Lièvre apporte la paix ou à tout le moins qu'elle provoque un répit dans les conflits ou les guerres. De la même façon, les personnes nées sous ce signe feront tout en leur pouvoir pour recréer l'harmonie sans quoi elles quitteront la scène. La personne née sous le Lièvre possède des dons de comédien et s'avère un hôte accompli. De compagnie charmante et agréable, elle dit du bien de tout le monde. Mais ne vous laissez pas prendre à son jeu. Elle en sait davantage qu'elle ne veut l'avouer et vous pourrez la reconnaître à sa finesse. Elle vous fera le meilleur des amis aussi longtemps que vous n'exigerez pas trop d'elle.

L'élégance du Lièvre le rend au plus haut point compatible avec les personnes nées au cours de l'année du Mouton. Elles ont en commun leur bon goût et leur amour du confort matériel. Le Lièvre s'entendra également très bien avec les personnes nées sous le Chien ou le Sanglier. À un degré moindre, le Rat, le Dragon, le Singe, le Boeuf, le Serpent et le Lièvre lui feront de bons partenaires. Cependant, il ne pourra pas supporter la vanité et la critique du Coq et ne se laisse pas impressionner par les gestes grandioses du Tigre, ni par le tempérament vif et changeant du Cheval. En résumé, le Lièvre saute simplement par-dessus les obstacles qu'il rencontre et se remet de ses épreuves avec une remarquable souplesse. Peu importe la direction dans laquelle il est projeté, il retombe toujours sur ses pieds. Il n'est peut-être pas assez près des siens mais il fera tout son possible pour leur procurer ce qu'il y a de mieux. La vulnérabilité de son apparence extérieure est compensée par tout un arsenal, fait de prudence et de perspicacité. Dans ses activités, le Lièvre évitera soigneusement d'être mêlé à des conflits à moins, bien sûr, qu'il ne soit touché directement; le cas échéant, il prendra les mesures appropriées pour protéger ses intérêts.

Il n'y a pas beaucoup de place dans le coeur du Lièvre pour le combat entre le bien et le mal. Il a confiance en ses capacités de survie, en son propre jugement et il est en paix avec lui-même. Ce signe est le plus apte au bonheur et à la satisfaction.

Le Lièvre enfant

Un enfant né au cours de l'année du Lièvre aura de bonnes dispositions. De tempérament égal et obéissant, il sera sensible à l'humeur de ses parents et agira en conséquence. Il peut ou non se montrer bavard mais il ne sera pas tapageur ou agressif. Il pourra s'asseoir tranquillement et se concentrer sur un jouet ou un jeu à la fois.

Il a généralement le sommeil léger et s'agite beaucoup lorsqu'il est malade. Il est facile de le faire obéir et il ne devrait pas avoir de difficultés d'adaptation à l'école. Il apprend bien ses leçons et le fait avec facilité. Cependant, bien que ses manières soient meilleures que la moyenne, cela ne l'empêche pas de se montrer raisonneur à sa façon mielleuse. Il peut saisir rapidement les aspects négatif et positif d'une question et soutenir son point de vue avec intelligence.

À l'occasion, il sera difficile de déchiffrer ses pensées ou ses agissements. Habile à dissimuler ses sentiments, le Lièvre ne vous dira que ce que vous désirez entendre, et il vous fera ainsi adopter son point de vue sans que vous vous en soyez aperçu.

Il est capable de se défendre et de protéger ce qui lui appartient. Remarquablement observateur, il est en mesure de calculer ses chances de réussir. Plutôt que de désobéir manifestement, le Lièvre va subtilement contourner les règles qu'on lui impose. Bref, ce petit ange de politesse va tenter de vous posséder chaque fois un peu plus.

Il va accepter les reproches avec une indifférence qui tiendra à la fois du défi et de la philosophie. Faisant table rase de ses échecs passés, le Lièvre va patiemment recommencer à zéro. Serviable à la maison, obéissant à l'école et bien adapté à son environnement, cet enfant saura comment se comporter avec les personnes et régler ses problèmes. Soyez cependant assuré qu'il sera bien accepté et qu'il se fera des amis dans tous les milieux.

Les cinq types de Lièvre

Le Lièvre de Métal — 1891, 1951, 2001

Ce type de Lièvre est physiquement et mentalement plus robuste que ceux appartenant aux autres éléments. Il ne consentira pas aussi facilement aux compromis. Il a une confiance indéfectible dans sa capacité d'observation et de déduction. Plus souvent qu'autrement il est convaincu de posséder les bonnes réponses et les solutions à ses problèmes. Il assume admirablement les responsabilités et manifeste beaucoup d'initiative au travail. L'association du Métal avec son signe animal le rend très préoccupé par ses désirs, ses objectifs et ses élans créateurs. Il sera très audacieux, mais son ambition sera soigneusement dissimulée par sa logique calme et son intelligence.

Fin connaisseur, il sait profiter de la vie et savourer les bonnes choses qu'elle a à offrir avec beaucoup de raffinement. Bien qu'il n'accorde pas beaucoup d'importance à l'opinion des autres, il est émotivement et physiquement impressionné par l'art, la musique et les autres formes de beauté. Foncièrement sûr de lui, et possédant un oeil discriminateur, il sera un excellent juge dans tous les domaines de la création artistique; si ses moyens le lui permettent, il pourra devenir un collectionneur de grande distinction à cause de son goût sûr. Quelle que soit la carrière qu'il choisira, il s'y fera remarquer très tôt car il est naturellement un travailleur acharné et dévoué.

Cependant, comme tous les vrais esprits romantiques, ce type de Lièvre connaîtra des jours sombres et ne travaillera bien que lorsque suffisamment inspiré. Passionné en amour, et possédant un haut degré d'intériorité et de prévoyance, il n'admet qu'un tout petit nombre de personnes dans son cercle intime du fait de ses nombreuses inhibitions.

Le Lièvre d'Eau — 1903, 1963, 2023

Ce lièvre est du type méditatif et possède une nature émotive et fragile. Il ne peut supporter le harcèlement ou des désagréments tels que les contrariétés et les querelles. Cette fragilité est peut-être due au fait qu'il est trop réceptif et qu'il peut reconnaître les pensées et les sentiments des autres avec une acuité surprenante.

Il dispose d'une excellente mémoire et il lui arrive de posséder le type de pouvoir mental qui lui permet, sans qu'il s'en rende compte, de transmettre ses idées aux autres. Il attire ainsi les gens qu'il désire et il peut être surpris du nombre de supporters qui prennent sa défense au moment où il s'y attend le moins.

Néanmoins, c'est une âme qui s'offense facilement et sa vision des choses peut être déformée par les obstacles émotifs qu'il dresse lui-même. Il est hésitant et peut facilement tomber sous le contrôle des autres.

Sa sensibilité délicate l'amène à vivre dans le passé, à remuer d'anciennes blessures et à s'apitoyer sur lui-même. Dans ses mauvais jours, il se montre soupçonneux à l'égard des motifs d'autrui, peu communicatif et s'imagine toutes sortes de malheurs. Dans ses beaux jours, il lui arrive d'implorer tous les pouvoirs cosmiques de venir à son aide. Il n'est jamais privé d'amis et a de l'influence s'il évite de pousser sa neutralité à l'extrême.

Le Lièvre de Bois — 1915, 1975, 2035

Lorsque l'élément Bois est renforcé dans ce signe lunaire déjà gouverné par le Bois, il peut en résulter un Lièvre particulièrement généreux et compréhensif à qui il arrivera d'être trop charitable. Il possède des ambitions bien réelles, mais il est souvent intimidé par l'autorité et il peut choisir d'ignorer les erreurs commises en sa présence dans le but de préserver le statu quo. Son attitude sympathique et permissive peut amener les gens à abuser de lui.

Néanmoins ce type de Lièvre réussit bien. Il oeuvre à l'intérieur de grandes corporations ou institutions où il lui est possible de gravir un à un et diplomatiquement les échelons de la réussite. Il est attiré par le travail d'équipe qui lui communique à la fois la sécurité et l'assurance dont il a besoin. Cependant son désir de se sentir accepté du groupe peut le rendre un peu trop bureaucratique et tranchant lorsqu'il doit prendre une décision qui pourrait offenser quelqu'un ou établir un précédent dans une situation controversée. Son hésitation ou son refus de prendre position peut faire qu'à la fin il blesse tout le monde y compris lui-même. Il a besoin de développer son jugement et son esprit de décision, ainsi que de prendre des mesures pour se protéger contre ceux qui abusent de sa nature généreuse. Comme il a le don de se soumettre avec grâce, ce Lièvre n'aura aucune difficulté à se faire accepter dans le milieu de son choix.

Le Lièvre de Feu — 1927, 1987, 2047

Ce Lièvre est démonstratif, joyeux et affectueux à l'extrême. Il a plus de force de caractère que les autres Lièvres. La présence du Feu qui lui donne plus de tempérament ne l'empêche pas de dissimuler ses émotions avec charme et diplomatie.

Sa personnalité comporte beaucoup d'aisance et de naturel. Les gens réagissent positivement à ses idées à cause de sa facilité à bien les exprimer.

Le Feu le rend enclin aux émotions et à exprimer ses besoins avec beaucoup de franchise. Il a davantage de "leadership" que les autres Lièvres et sa manière de diriger est empreinte de discrétion et de modération. Malgré sa personnalité progressiste et directe, il ne sera jamais favorable à une confrontation ouverte avec ses ennemis et préférera toujours utiliser de subtiles intrigues ou faire des ententes par le biais d'intermédiaires à l'instar de toutes les personnes de son signe.

Ce type de Lièvre possède une intuition très développée et même des pouvoirs psychiques. Il est extrêmement sensible aux changements dans son entourage et devient facilement la proie de la colère sous l'effet d'offenses et de désappointements. Il peut également devenir extrêmement névrosé lorsqu'il est négatif. Il a besoin d'être approuvé, soutenu sans réserve et d'être inspiré afin d'être capable d'agir.

Le Lièvre de Terre — 1879, 1939, 1999

Sérieux et stable, le Lièvre de ce type a des opinions bien arrêtées et est capable de manoeuvres calculées. Il réfléchit avant de céder à ses inclinations émotives. Sa personnalité équilibrée et rationnelle lui assure la faveur de ses supérieurs tout comme sa façon réaliste de poursuivre ses objectifs. L'élément Terre lui communique de la stabilité tout en réduisant son côté indulgent, cependant sa persévérance est plutôt passive. Sa nature introvertie le pousse à se replier sur lui-même lorsqu'il fait face à des problèmes et il doit avoir trouvé son calme intérieur avant d'agir. Il n'hésite jamais à tirer profit des ressources disponibles et sait les utiliser à bon escient.

C'est une personne matérialiste dont le bien-être reste la première préoccupation. Ceci le rend indifférent aux besoins des autres lorsqu'ils ne coïncident pas avec ses projets. Cependant, ce Lièvre possède l'humilité de reconnaître ses manquements et s'efforce de les réparer s'il en a la possibilité.

Le Lièvre et ses ascendants

Naissance au cours des heures du Rat — 23h à 1h

Astucieux, affectueux, et bien informé. Le Rat avive les manières discrètes du Lièvre et le rend moins indifférent.

Naissance au cours des heures du Boeuf — 1h à 3h

L'influence du Boeuf amène ce Lièvre à agir avec plus d'autorité qu'il n'en possède normalement. Pourrait très bien réussir grâce à la force du Boeuf et à sa maîtrise de soi.

Naissance au cours des heures du Tigre — 3h à 5h

Ce Lièvre parle vite et pense rapidement. Le Tigre lui communique un peu de son agressivité tandis que son caractère naturel maintient l'équilibre.

Naissance au cours des heures du Lièvre — 5 h à 7h

Un extraordinaire philosophe! Un merveilleux sage qui ne pose jamais de gestes car il ne prend jamais position. Une seule chose est certaine, il est capable de bien prendre soin de lui-même.

Naissance au cours des heures du Dragon — 7h à 9h

Un Lièvre dur et ambitieux. Il n'aimera pas lui non plus se salir les mains et il est probable qu'il n'aura pas à le faire. Il a le don d'amener les autres à réaliser ses plans soignés et fort louables.

Naissance au cours des heures du Serpent — 9h à 11h

Maussade et réfléchi, mais suffisamment autonome et peu porté à demander conseil. Extrêmement sensible à son environnement et se fiant entièrement à son intuition.

Naissance au cours des heures du Cheval — 11h à 13h

Un Lièvre rieur qui possède un peu de la confiance en soi du Cheval. Peut s'avérer une très bonne combinaison car ces deux signes ont l'instinct de gagner.

Naissance au cours des heures du Mouton — 13h à 15h

Ici le Mouton entraîne le Lièvre à montrer davantage de sympathie et de générosité. Il en résulte une personnalité plus tolérante et affectueuse, mais il sera tenté de dépenser au-delà de ses moyens.

Naissance au cours des heures du Singe — 15h à 17h

Un Lièvre ingénu et espiègle. La diplomatie intuitive chez le Lièvre et son calme apparent fourniront un écran parfait pour les pirouettes du Singe. Préparez-vous à vous faire rouler!

Naissance au cours des heures du Coq — 17h à 19h

Appuyé par le Coq, le Lièvre apprend à livrer le fond de sa pensée. Étant données sa sensibilité foncière et la qualité de son jugement, il pourrait être utile de l'écouter.

Naissance au cours des heures du Chien — 19h à 21h

Ce lièvre est rendu plus amical et franc par l'influence du Chien. Il pourrait même se montrer préoccupé du bien-être des autres et moins léthargique lorsque vient le temps de s'engager.

Naissance au cours des heures du Sanglier — 21h à 23h

Le Sanglier pourrait intensifier les goûts raffinés du Lièvre. Son influence pourrait également diminuer le légendaire égoïsme du Lièvre et peut-être l'amener à offrir son aide.

Comment le Lièvre traverse les différentes années

Année du Rat

Une année bonne et calme pour le Lièvre. Sans surprises ni problèmes importants, mais pas aussi fructueuse qu'il le désire cependant. Il fera des progrès réguliers car aucune opposition sérieuse n'est prévisible dans son travail ou à la maison. Une période propice pour faire des plans ou pour acheter des propriétés.

Année du Boeuf

Le Lièvre a à faire face à une année difficile et rigoureuse. Il connaît des déceptions et ses voyages ou son travail n'obtiennent pas les résultats escomptés. Il pourrait avoir des problèmes de santé principalement causés par trop d'inquiétudes. Départ d'une personne aimée ou rupture à prévoir. Période peu propice pour tenter des changements dans son environnement. Ses plans prennent plus de temps que prévu à se réaliser.

Année du Tigre

Au cours de cette année le Lièvre doit redoubler de prudence et de diplomatie, car il aura tendance à se laisser entraîner dans des conflits. L'année est marquée par des poursuites judiciaires ou des querelles résultant de demandes déraisonnables qui lui sont faites. Il ferait bien d'être prudent au sujet de son argent ou de la signature de documents importants. À part cela, il s'en tirera sans trop de difficultés et pourrait réaliser des gains vers la fin de l'année.

Année du Lièvre

Une année particulièrement favorable au Lièvre. Une promotion, un avancement ou une réussite financière sont à prévoir et il récolte des bénéfices imprévus ou encore est remboursé de montants qu'il croyait perdus. Ses projets se réalisent facilement et sa famille devient le lieu de célébrations occasionnées par l'arrivée ou le retour de nouveaux ou d'anciens membres.

Année du Dragon

Le Lièvre doit s'attendre à une année modérément heureuse mais très occupée tant au niveau personnel que professionnel. Pécuniairement, le résultat sera mitigé ou médiocre mais le Lièvre maintiendra quand même son attitude sympathique et joyeuse car, dans l'ensemble, ses gains excéderont ses pertes. Il se fera de nouveaux amis puissants qui s'avéreront utiles.

Année du Serpent

Pas de progrès tangibles à prévoir au cours de cette année. Le Lièvre peut avoir à voyager ou à faire face à des difficultés venant de plusieurs directions. Un changement de résidence ou de carrière est également indiqué car il essaie de consolider ou d'améliorer sa position actuelle. Il pourrait avoir moins de temps à consacrer à sa famille et avoir à affronter des dépenses imprévues.

Année du Cheval

Cette année réserve beaucoup de bonnes choses au Lièvre. Sa chance lui viendra de la rencontre de personnes serviables qui utiliseront volontiers leur influence à son profit. Le Lièvre n'éprouvera aucune grande difficulté ou maladie au cours de cette année et pourra ainsi compenser pour des pertes anciennes. Il pourrait avoir plusieurs voyages à faire ou réceptions à organiser.

Année du Mouton

Une excellente année pour le Lièvre. Plusieurs réalisations intéressantes peuvent être menées à terme et il progresse lentement vers ses objectifs. Année prospère, mais le Lièvre doit faire très attention aux détails s'il veut éviter des problèmes concernant une entente antérieure. Aucun problème important ni à la maison ni au travail.

Année du Singe

Une année convenable pour le Lièvre à condition qu'il ne soit pas trop optimiste. Des marchés ou des contrats pourraient rencontrer des obstacles insoupçonnés ou ne pas se réaliser à cause de la trahison d'un allié. Sa vie familiale demeure calme mais il pourrait souffrir de légers malaises qui retarderont ses progrès.

Année du Coq

Une année difficile pour le Lièvre, car celui-ci a de la difficulté à contrôler son argent et subit des reculs qui occasionnent des dépenses supplémentaires. Ce serait le moment de s'associer à d'autres personnes et de leur laisser la tâche d'affronter les difficultés. Il devrait se montrer conservateur tout au long de l'année et ne pas agir de manière indépendante. Les problèmes et les obstacles rencontrés à la maison et au travail seront finalement surmontés, mais ce ne sera pas avant d'en avoir ressenti beaucoup de frustrations.

Année du Chien

Une année qui passera en douceur pour le Lièvre. Il fera certains gains et mettra de l'ordre dans de vieux problèmes. Il aura du temps pour les loisirs et la famille ne lui causera aucun ennui. Côté travail, il sera peut être critiqué par ses supérieurs ou gêné de quelque manière par ses associés.

Année du Sanglier

Une période inégale pour le Lièvre. Sa situation paraît meilleure qu'elle ne l'est en réalité et il devra se montrer très réaliste et éviter de faire des promesses ou de donner des garanties. Toutes sortes de petites difficultés s'accumulent au cours de cette année. Il ne doit pas se montrer trop confiant et il doit prendre toutes les mesures possibles pour protéger ses intérêts.

Tableau de compatibilité du Lièvre

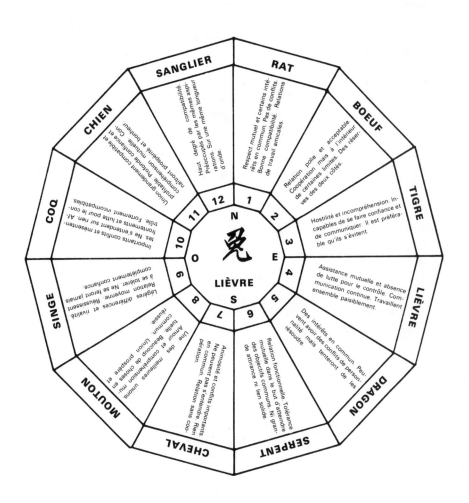

Personnalités célèbres nées au cours de l'année du Lièvre

Métal
Henry Miller
Jomo Kenyatta

Eau
Le Roi Olaf V
de Norvège
Benjamin Spock
Franz de Voghel

Bois
Orson Welles
David Rockefeller
Ingrid Bergman
Johannes Vorster

Feu
Fidel Castro
Harry Belafonte
George C. Scott
Le Roi Bhumibol
Peter Falk

Terre
Albert Einstein
Joseph Staline
La Reine Victoria
David Frost
Ali McGraw

Chapitre 5

Le Dragon

Je suis un feu inassouvi,
Le centre de toutes les forces,
Un héros au grand coeur.
À la fois vérité et lumière,
Mes mains détiennent pouvoir et gloire.
Ma seule présence
Éloigne les nuages les plus sombres.
On m'a choisi
Pour dompter le destin.

JE SUIS LE DRAGON.

Le Dragon

Nom chinois du Dragon: LONG
Rang hiérarchique: Cinquième
Heures gouvernées par le Dragon: 7h à 9h
Orientation de ce signe: Est-Sud-Est
Saison et mois principal: Printemps — avril
Correspondance avec les signes solaires: Bélier
Élément stable: Bois
Souche: Positive

Années lunaires du Dragon dans le calendrier occidental

Début	Fin	Élément
16 février 1904	3 février 1905	Bois
3 février 1916	22 janvier 1917	Feu
23 janvier 1928	9 février 1929	Terre
8 février 1940	16 janvier 1941	Métal
27 janvier 1952	13 février 1953	Eau
13 février 1964	1er février 1965	Bois
31 janvier 1976	17 février 1977	Feu
17 février 1988	5 février 1989	Terre

Si vous êtes né la veille du début de l'année lunaire du Dragon par exemple le 15 février 1904, vous appartenez au signe animal qui vient avant celui du Dragon, c'est-à-dire au Lièvre. Si vous êtes né le jour qui suit la fin de cette année lunaire donc le 4 février 1905, vous appartenez alors au signe qui suit celui du Dragon, soit au Serpent.

108

L'année du Dragon

Une magnifique reprise après l'année reposante qu'est celle du Lièvre. Nous allons jeter la prudence aux quatre vents et nous attaquer sans délai à des projets grandioses, excitants, colossaux et démesurés. L'esprit indomptable du Dragon va communiquer à toutes choses une envergure extraordinaire. Sans savoir pourquoi, nous allons nous trouver débordants d'énergie, mais il serait sage de ne surestimer ni soi-même ni son potentiel en cette année consumée par le feu. Toutes les situations nous apparaîtront meilleures qu'elles ne le sont en réalité. Du point de vue des avantages, les affaires seront excellentes et l'on pourra générer et obtenir de l'argent. C'est la période toute indiquée pour demander un prêt à votre gérant de banque. Les grandes dépenses et les projets ambitieux sont à l'ordre du jour. Le puissant Dragon n'a que des sarcasmes à l'égard des prudents et des grippe-sous. Il parie à propos de tout et de rien. Il provoquera chez nous le désir de penser et d'agir sur une grande échelle, bien au-delà des limites de la prudence.

Les Orientaux considèrent que cette année est propice au mariage, à la naissance des enfants ou à la mise sur pied de nouvelles entreprises, car ils croient que le généreux Dragon amène avec lui la chance et la félicité.

Néanmoins, cette période commande que nous calmions notre enthousiasme et que nous pensions deux fois avant d'agir. Car si le confiant Dragon prodigue ses bénédictions sans compter, il est absent lorsque vient le temps de payer pour nos erreurs. Le succès autant que l'échec seront donc amplifiés. On craint particulièrement le Dragon de Feu (31 janvier 1976, 17 février 1977), car il est plus perturbateur que le Dragon des autres éléments.

Au cours de l'année du Dragon, les chances et les malchances ne viennent jamais seules. C'est une année marquée par de nombreuses surprises et des gestes violents de la nature. Un peu partout on se montrera colérique et tout le monde manifestera une révolte réelle ou imaginaire contre ses contraintes. Il y aura de l'électricité dans l'air, ce qui nous affectera chacun notre tour.

La personnalité du Dragon

Le magnifique et puissant Dragon du folklore mythique n'a jamais cessé d'émouvoir notre imagination. Il faut dire que certaines de ses qualités magiques, illusoires ou non, se retrouvent chez les personnes nées sous ce signe.

Le Dragon est magnanime, rempli de force et de vitalité. La vie est pour lui un flamboiement de couleurs et il est constamment en action. Égoïste, excentrique, dogmatique, capricieux, extrêmement exigeant et déraisonnable, il n'en a pas moins de nombreux admirateurs. Orgueilleux, aristocratique et direct, l'individu né sous le Dragon décide très tôt de ses idéaux et applique aux autres les normes de qualité et de perfection qu'il établit pour lui-même.

En Chine, le Dragon symbolise l'Empereur ou le mâle et il représente le pouvoir. On dit que les personnes nées au cours de l'année du Dragon portent les cornes du destin. Un enfant Dragon sera porté à prendre des charges et des responsabilités importantes même s'il est le plus jeune de la famille. Il arrive souvent qu'un enfant Dragon plus vieux impose à ses cadets plus d'autorité que ses propres parents.

Le Dragon est une véritable mine d'énergie. Son impétuosité, son impatience et son zèle quasi religieux surgissent littéralement de lui un peu comme la flamme que crache le Dragon de la légende. Il a le potentiel d'accomplir de grandes choses, heureusement, car le Dragon aime l'action d'envergure. Cependant, à moins qu'il ne restreigne son enthousiasme hâtif, il pourrait se brûler lui-même et s'évaporer en fumée. Personne n'est plus susceptible de fanatisme que lui. Quoi que fasse le Dragon, il ne manque jamais de faire les manchettes. Les Chinois l'appellent le gardien de la richesse et du pouvoir. Il s'agit certainement d'un signe qui peut apporter la prospérité. Mais là encore, le Dragon est le signe qui porte le plus à la mégalomanie.

Le puissant Dragon est difficile, souvent même impossible à contester. Il a tendance à intimider ceux qui osent l'affronter. Une fois en colère, le Dragon peut se changer en grand méchant loup de la fable et se mettre à souffler si fort qu'il en détruise la maison.

Cependant, le Dragon manifeste un esprit filial en dépit de son fort tempérament et de son comportement dogmatique. Quels que soient les différends qu'il puisse avoir avec sa famille, il les oubliera ou n'en tiendra pas compte si elle a recours à son aide. Le Dragon peut mettre de côté ses rancunes familiales et offrir son aide rapidement et généreusement. Néanmoins, sa famille peut également compter sur une sévère remontrance une fois la crise passée. Le Dragon ménage rarement ses mots. Il présente ses opinions comme s'il s'agissait d'édits impériaux. Même s'il s'affirme en faveur de la liberté de parole et de la démocratie, n'en croyez rien. Il se sent au-dessus de la loi et ne met pas toujours en pratique ce qu'il prêche.

Quelquefois se montrer poli, affectueux et délicat peut présenter une épreuve considérable pour le Dragon. Il préfère se montrer rude, brutal et franchement violent lorsqu'on le provoque. N'essayez pas de lui rendre la monnaie de sa pièce. Cela ne donnera rien, à moins bien sûr que vous ne soyez un autre Dragon et que vous soyez décidé à vous battre. Alors, nous pourrons nous asseoir et apprécier le feu d'artifice.

Bien qu'il soit un volcan d'émotions, on ne peut pas dire que le Dragon soit sentimental, sensible, ou très romantique; il prend pour acquis l'admiration et l'amour comme s'ils lui étaient dus. Bien qu'il puisse se montrer entêté, irrationnel et arrogant sous l'effet de la colère, le Dragon pardonne dès qu'il s'est calmé. Et comme il croit en la réciproque, il s'attend à ce que vous lui pardonniez ses erreurs. Il lui arrive même d'oublier de s'excuser ce qui peut paraître de l'insensibilité de sa part. C'est tout simplement que le Dragon n'a pas le temps de s'expliquer ou de se préoccuper de détails; il veut retourner rapidement à son travail.

Bien que le Dragon soit fort et volontaire, il n'y a chez lui aucune tromperie ou fourberie. Il répugne à employer les solutions de facilité ou les négociations truquées. Si la victoire repose seulement sur la force, le Dragon peut l'emporter facilement; mais il est souvent trop confiant, mal préparé et induit en erreur par ses visions optimistes, ce qui l'empêche d'être suffisamment attentif aux divers complots ou manoeuvres qui pourraient le renverser. Plutôt que d'observer et de se faire un plan d'action, il préfère attaquer immédiatement, refusant souvent de reculer devant une défaite évidente. Trop orgueilleux, il néglige de demander de l'aide; trop sûr de lui, il garde rarement des atouts en réserve. Trop absorbé par sa poussée vers l'avant, il oublie de surveiller ses arrières. Trop direct, il refuse de mentir. Bien plus, il est incapable d'interpréter les insinuations astucieuses et en général il ne s'aperçoit pas des intentions malveillantes ou sournoises de ses ennemis.

Pour la personne née sous le signe du Dragon, il est essentiel que la vie ait un but ou un objectif spécial. Il serait très malsain pour lui de s'asseoir à ne rien faire. Il a toujours besoin d'une cause à défendre, d'un but à atteindre, d'une tâche à accomplir. Autrement, comment voulez-vous qu'il entretienne son feu intérieur? Sans ses projets, ses rencontres et ses rêves irréalisables, le Dragon devient comme une locomotive sans combustible. Il s'affadit et prend une allure morne et apathique.

Le Dragon recherche autant le succès que le Serpent, mais comme il exprime plus ouvertement ses idées et que ses échecs sont susceptibles d'impliquer des dommages physiques, il est généralement épargné par les problèmes psychologiques importants. Porté à l'action, il entreprendra des croisades, dirigera des manifestations, écrira des lettres aux journaux ou recueillera un million de signatures sur une pétition. Cette manière de cracher le feu lui permet effectivement de se débarrasser des troubles nerveux qu'il pourrait ressentir sans cela.

La femme Dragon est la Grande Dame du cycle lunaire. C'est une suffragette qui croit en l'égalité des droits de la femme. L'injustice et la discrimination suscitent chez elle les passions les plus violentes. Elle est convaincue que si un homme peut faire quelque chose, elle peut faire encore mieux. Il ne faut donc pas la sous-estimer! Elle vous battra sur votre propre terrain ou ira jusqu'au bout de ses forces dans le combat. Elle n'est pas femme à accepter son sort sans rien dire. Elle est du marbre dont on bâtit les empires, c'est une reine d'un matriarcat ancien. Trompez-la et vous aurez à affronter son courroux.

En vérité, la femme Dragon est une personne essentiellement pratique. On le voit à sa façon de se vêtir. Elle choisit toujours des vêtements utiles et fonctionnels. Pas de dentelle, de corsage lacé, de boutons ou de rubans, bref pas de complications. Sa préférence ira aux vêtements qu'elle peut enfiler ou enlever facilement et qui lui assurent une grande liberté de mouvements. Elle déteste les restrictions et les limites. En fait, elle pourrait en secret préférer un uniforme si elle a des affinités pour la vie militaire ou les institutions, ce qui lui permettrait d'être propre, empesée et superbe d'efficacité, et de se précipiter au travail sans même avoir à décider quoi porter.

La jeune fille Dragon fait rarement usage d'une abondance de maquillage. Son éclat réside dans son esprit et se manifeste sans artifices. Tous les Dragons possèdent une grande estime d'eux-mêmes et la femme Dragon n'échappe pas à la règle. Elle ne s'attend pas à ce qu'on la traite comme une divinité même si elle s'en donne l'apparence. Elle ne veut que votre respect et fera tout en son pouvoir pour l'obtenir.

La femme Dragon est totalement émancipée; il ne sert à rien d'insister avec elle. Autant vous résigner car elle aura le dernier mot.

En dépit du fait que les défauts du Dragon sont aussi nombreux que ses vertus, il brille d'un lustre communicatif. Il n'est pas mesquin et ne ménage pas ses faveurs. Il pourra rouspéter, mais il ne peut pas résister à l'impulsion de vous porter secours ou de vous aider lorsque vous avez des problèmes. Ceci ne signifie pas nécessairement qu'il compatit avec vous ou qu'il est véritablement touché; plus souvent qu'autrement, le Dragon offre son aide parce qu'il a un sens profond du devoir.

Le Dragon apportera toujours une contribution remarquable. Vous pouvez compter sur son soutien car s'il en a la possibilité il ne vous laissera pas dans le besoin. Avant d'admettre un échec, le Dragon épuisera l'ensemble de ses ressources. Extraverti et ami de la nature, il est sportif, voyageur et un fin causeur. Il a la trempe d'un champion de la vente et, accompagné de ses loyaux acolytes, on le verra toujours occupé à promouvoir quelque chose.

Les conditions de la température au moment de sa naissance affecteront considérablement la vie du Dragon. Un enfant né au cours d'une tempête mènera une vie intempestive et périlleuse remplie de dangers ou d'expériences spectaculaires. Celui qui naît un jour où la mer (sa demeure ancestrale) et le ciel sont calmes aura une existence protégée et une nature beaucoup plus aimable.

La personne née sous le Dragon se mariera jeune ou préférera demeurer célibataire. Elle pourrait trouver le bonheur dans une vie solitaire car son travail et sa carrière la garderont occupée. Elle ne manquera jamais d'amis ou d'admirateurs pour lui tenir compagnie.

Le Dragon n'est pas dépensier, mais ce n'est pas non plus un avare. Il est généreux et ne se préoccupe pas beaucoup de son solde bancaire, à moins que son signe ne soit combiné avec d'autres plus orientés vers l'argent.

Le Dragon est un individu extrêmement positif. Rien ne peut l'abattre et même s'il lui arrive d'être très déprimé, il s'en sort plus vite que n'importe qui. Sa stabilité lui permet d'affronter mer et monde.

Signe qui n'accepte jamais la défaite, le Dragon représente pour lui-même le pire des dangers. Il se lance tête première dans une situation désastreuse s'il est convaincu d'avoir raison. Mais il ne faut pas croire qu'il soit bouffi d'orgueil et autodestructeur. C'est tout simplement qu'il a besoin de mener ses projets à terme, quelles qu'en soient les conséquences. Après tout, il a été mis sur terre pour élever les normes vers de nouveaux sommets et plus vous essaierez de modifier ses actions ou de le soustraire au danger, plus il s'entêtera. Il est toujours à la hauteur de sa réputation de chef, même quand la situation devient ingrate.

En outre, le Dragon possède une personnalité très ouverte et l'on peut lire dans sa pensée comme dans un livre. Il lui est difficile de simuler des émotions et il essaie rarement de le faire. Il n'est pas non plus secret et ne peut pas garder une confidence bien longtemps. Même s'il jure de n'en pas dire un mot, vous pouvez vous attendre à ce qu'il laisse échapper un secret lorsqu'il est en colère ou qu'on le bouscule un peu. Vous pourrez lui reprocher de ne pas avoir tenu parole mais il vous répondra en haussant les épaules. En effet, il se demandera comment vous osez le déranger pour un détail dans un moment pareil?

Ses sentiments sont véritables et viennent toujours directement du coeur. Lorsqu'il vous avoue son amour, vous pouvez croire à son absolue sincérité.

Les personnes qui appartiennent aux types de Dragon les plus rudes peuvent se montrer irritantes. Leurs manières directes, brusques et insensibles peuvent leur mettre beaucoup de gens à dos. Cependant, dans l'ensemble, elles inspirent l'action. Elles devraient tenter de s'occuper personnellement des choses qu'elles veulent réaliser sans délai plutôt que de procéder par lettre ou par appel téléphonique. Leur présence et leur magnétisme vont leur permettre d'amener rapidement leurs interlocuteurs à accepter leur point de vue. Elles communiquent leur motivation à tous ceux à qui elles s'adressent et elles-mêmes n'ont pas besoin de motivation extérieure. Elles sont plus que capables de générer l'enthousiasme nécessaire à leur activité.

Il ne sera jamais difficile de faire confiance au fiable Dragon. Il ne lui arrive presque jamais de différer, d'éviter ou de négliger une responsabilité. Sa confiance en lui-même est sans faille. Il possède une âme de pionnier et ses entreprises deviennent des succès retentissants ou d'incroyables exercices gratuits. Il a besoin de s'approcher jusqu'au bord du précipice et de constater le danger par lui-même. Quant à ceux qui sont témoins de cette prouesse, ils n'ont qu'à retenir leur souffle et à espérer qu'il ne lui prendra pas l'idée d'y descendre. À mon avis, Frank Sinatra, qui est un Dragon, résume très bien le comportement de ce signe dans sa chanson *My Way*.

De tous les signes animaux, le Singe est celui qui attire le plus le Dragon. Réciproquement, le Singe est fasciné par la majesté du Dragon et tous les deux forment une équipe imbattable. Une association entre le Dragon et le Rat donne également de très bons résultats car le Rat est travailleur et le Dragon puissant. Ils peuvent ensemble faire de grandes choses. Le Dragon peut également trouver un bon partenaire chez le Serpent dont la sagesse peut atténuer ses excès.

Le Tigre, le Coq, le Cheval, le Mouton, le Lièvre et le Sanglier trouveront irrésistibles la beauté et la force du Dragon. Deux Dragons s'entendront également très bien, mais la relation d'un Dragon et d'un Boeuf comportera des tensions, car ce dernier est lui aussi autoritaire. De tous les signes animaux, le Chien est le plus mauvais partenaire du Dragon. Celui-ci fera l'objet d'un examen minutieux de la part du Chien qui se servira de son cynisme pour résister au charme du Dragon.

La chose la plus importante à retenir c'est que, même si le Dragon est éblouissant, il n'a pas de profondeur. Ce n'est que lorsqu'il réussit à dominer sa force légendaire qu'il peut accomplir des miracles. Il a besoin que l'on croie en lui!

Le Dragon enfant

Plein d'entrain, le Dragon enfant est un innovateur. Énergique et sensible, il n'a peur de rien et aucune expérience pénible ne peut modifier sa conception idéaliste de la vie. Il établit très jeune ses principes personnels et demande rarement qu'on l'aide. Il respecte ses aînés et accomplit soigneusement ce qu'on lui demande.

Cet enfant fébrile a besoin de vouer ses passions à quelque chose ou à quelqu'un qu'il considère digne d'admiration. Il aura d'innombrables idoles, que ce soient ses professeurs, ses parents ou toute autre personne qui puisse mériter sa considération. Il est intelligent, tenace et souple de caractère et il peut endurer des taquineries ou de légères sautes d'humeur car il est volontaire et capable de faire accepter ses droits. Franc et ambitieux, on doit lui donner des responsabilités; ainsi, il est occupé et il se sent utile. Cependant, on doit veiller à ce qu'il ne bouscule pas les enfants qui sont moins sûrs d'eux-mêmes. Son esprit dominateur devrait être surveillé dès les premières années.

L'enfant Dragon a besoin de prendre conscience de sa valeur. Il préfère sentir que l'on a besoin de lui plutôt que de se sentir simplement aimé. Ses efforts sont toujours sincères et devraient être appréciés, car il consacre énormément d'énergie à faire plaisir et à mériter le respect d'autrui. Il faut faire bien attention à ne pas le blesser en se moquant de sa façon rituelle d'accomplir la moindre tâche. L'amour-propre du Dragon est sans limite. Ses rêves de grandeur lui semblent réels et tangibles. Sa vie émotive fluctue des sommets aux abîmes. Au moindre échec, il a besoin qu'on le rassure. Il est un juge extrêmement sévère pour lui-même. Une fois qu'il est conscient d'une erreur, il n'est pas nécessaire de lui faire un reproche ou de le punir car il est le premier à se pénaliser et à faire amende honorable.

Si vous avez un enfant Dragon, il désirera ou même demandera que vous ayez confiance en lui et il fera tout son possible pour ne pas vous désappointer. Ce petit être fier et autonome restera toujours fidèle à ses idéaux. Il est né pour diriger et réaliser de grands projets.

Les cinq types de Dragon

Le Dragon de Métal — 1880, 1940, 2000

Ce type de Dragon pourrait bien être le plus volontaire de tous. Selon lui, l'honnêteté et l'intégrité sont des vertus cardinales et, bien qu'il puisse être intelligent, ouvert et expressif, il est également rigide et critique.

Orienté vers l'action et combatif, il est une source d'émulation et de motivation pour son milieu social. Il n'a pas beaucoup de patience avec les paresseux et les fantaisistes. La dureté de l'élément Métal, combinée avec les propriétés du Bois, son signe lunaire naturel, va lui permettre de soumettre les plus faibles à sa volonté. Par ailleurs, il personnifie le guerrier par excellence.

Il a une vivacité énorme et va risquer sa vie pour ses convictions. Il est inutile d'essayer de le convaincre que certaines choses sont impossibles à réaliser. Ce type de Dragon tente d'éliminer tout le mal qu'il rencontre dans sa vie et manifeste du fanatisme dans ses convictions morales.

Lorsqu'il est négatif, il développe une notion exagérée de sa propre importance. Il manque un peu de diplomatie et il a tendance à agir seul si on n'est pas d'accord avec lui ou qu'on refuse son leadership. Le puissant Dragon de Métal va se précipiter dans des endroits où la majorité des gens évitent d'aller. Il réussit car il ne se donne pas d'autres choix. Il brûle les ponts derrière lui de sorte qu'il ne peut plus reculer une fois l'action entreprise.

Le Dragon d'Eau — 1892, 1952, 2012

Type moins autoritaire de Dragon qui favorise la croissance optimale. Il peut, pour le bonheur de tous, mettre sa personne de côté, et être moins égoïste et entêté. Personnage sévère mais progressiste, il essaie moins de se mettre en évidence que les autres Dragons assoiffés de pouvoir. On ne peut pas non plus dire qu'il soit conciliant. Il peut prendre une attitude attentiste et sa perspicacité est aussi prodigieuse que sa force de caractère.

Le Dragon d'Eau croit en la fidélité à soi-même et ne cherche pas querelle à ceux qui choisissent une direction opposée à la sienne. D'esprit libéral et démocratique, il peut accepter sans amertume de perdre ou d'être écarté.

L'influence calme et bénéfique que l'Eau a sur ce signe lunaire lui permet de savoir comment agir sagement et de poser les actes qui sont essentiels à sa réussite. Il est vif, fiable et capable de présenter ses idées avec un zèle inlassable. Il a un talent de négociateur car il sait quand, où et comment appliquer la force.

Son principal handicap consiste à se montrer trop optimiste et parfois négligent sur des points essentiels. En essayant de trop entreprendre, il risque de tout perdre. Il doit apprendre à faire des choix difficiles et à laisser tomber ce qui est impossible ou inutile. Ce faisant, il pourra consacrer ses énergies à un nombre de projets plus restreint, mais de plus grande valeur.

Le Dragon de Bois — 1904, 1964, 2024

Créateur et magnanime, ce type de Dragon est capable de mettre au point des concepts astucieux et révolutionnaires. La combinaison du Bois et de son signe le prédispose à la formulation et à l'application de ses idées ainsi qu'au travail coopératif, bien qu'en certaines occasions il puisse se montrer un peu condescendant.

Doté d'une nature curieuse, le Dragon de Bois aime découvrir la cause et l'effet de toute chose; chacune de ses actions aura une base logique. Cependant, il a aussi tendance à pousser trop loin ses investigations et à entrer dans des débats interminables lorsqu'on lui fait opposition.

Ce n'en est pas moins un Dragon généreux que l'on peut amener à prendre des positions mitigées, et qui évite le plus possible de blesser et dissimule subtilement son caractère dominateur. L'élément Bois donne un type de Dragon moins impétueux et déraisonnable, capable de compromis lorsqu'il y voit son avantage. Il reste cependant que, comme Dragon, il finit toujours par servir son ego démesuré et qu'il ne condescend à changer que s'il a la conviction d'en tirer profit.

Moins vindicatif et égoïste que les Dragons des autres éléments, il sera quand même direct, fier et courageux devant un défi.

Le Dragon de Feu — 1916, 1976, 2036

De tous les Dragons, le plus intègre, le plus démonstratif et le plus emporté, le Dragon de Feu exigera beaucoup de tout le monde. Cependant, même s'il est exigeant et agressif, il est doté d'une très grande énergie et il a beaucoup à offrir. Le problème vient du fait qu'il lui arrive d'afficher un air de supériorité et d'autorité qui fige les gens ou les fait fuir. Ses qualités de leadership sont souvent contestées à cause de son désir d'être traité comme un dieu. L'association du Feu et de son puissant signe lunaire lui communique des tendances au zèle et à la dictature.

Il use exagérement de la force même lorsqu'il n'y a que peu de résistance.

En réalité, il s'agit d'une personne ouverte et humaine, soucieuse d'impartialité et ne ménageant aucun effort pour découvrir la vérité. Ses critiques sont objectives et sa forte personnalité exerce un ascendant marqué sur son entourage. Bâtisseur d'empires, par nature, il cherche à atteindre l'excellence en toutes choses, et il se réserve, comme il se doit, la première place.

Du fait qu'il est souvent consumé par l'ambition personnelle, le Dragon de Feu est colérique, impatient et incapable d'accepter autre chose que la perfection. Il généralise trop facilement, saute aux conclusions, et étiquette facilement les gens sans avoir tenu compte et sans même avoir perçu leurs différences individuelles.

Il s'agit néanmoins de quelqu'un qui peut donner un rendement exceptionnel, devenir facilement une source d'inspiration et dont la personnalité retient l'attention du public. Il lui faut cependant apprendre à maîtriser ses aspects négatifs et à se montrer plus modeste dans ses relations avec les autres.

Le Dragon de Terre — 1868, 1928, 1988

Ce Dragon sociable, du type administrateur, est animé du désir de contrôler son environnement et les personnes de son entourage. Comme il se doit, ce Dragon est de caractère autocratique. Cependant, il sait se montrer juste et réceptif à l'opinion des autres quel que soit son avis personnel. La Terre lui communique du réalisme, de la stabilité et le rend parfois un peu impersonnel.

Bien qu'il ne soit pas aussi sévère que les autres Dragons, il possède le besoin fondamental de subordonner les autres. Cependant, son approche des problèmes est basée sur la raison et son leadership est moins dictatorial. Il travaille sans relâche à développer ses talents et à exploiter ses ressources.

Le contrôle que le Dragon de Terre a sur lui-même ne signifie pas qu'il manque d'initiative. Au contraire l'influence de l'élément Terre le rend plus paisible et ses aspirations deviennent plus stables et plus réfléchies.

Droit comme un arbre, cet aristocratique Dragon est calme, fort et téméraire. Porté vers la réflexion et l'organisation, il a rarement de sautes d'humeur et, le cas échéant, il ne s'abaisse pas à invectiver ses subalternes. Toutefois, il ne tarde jamais à réagir lorsque sa dignité est offensée.

Le Dragon et ses ascendants

Naissance au cours des heures du Rat — 23h à 1h

La générosité typique de ce Dragon pourrait être associée à la frugalité du Rat. La nature affectueuse de ce dernier empêche le Dragon d'être totalement objectif et catégorique.

Naissance au cours des heures du Boeuf — 1h à 3h

Dragon à la démarche lente qui aime être certain de ce qu'il fait. Néanmoins, il crache encore le feu et serait capable d'employer la manière dévastatrice du Bison pour régler ses comptes avec ceux qui le trahissent.

Naissance au cours des heures du Tigre — 3h à 5h

Peut devenir hystérique si ses plans échouent. Il est animé par les impulsions violentes du Tigre et influencé par ses émotions. D'autre part, il est capable d'une ardeur incroyable au travail.

Naissance au cours des heures du Lièvre — 5h à 7h

Association de la force et de la diplomatie. Un Dragon paisible, porté à la réflexion. Beaucoup de force et de subtilité.

Naissance au cours des heures du Dragon — 7 h à 9h

Le type du grand-prêtre ou de la prêtresse. Exige une dévotion totale et de l'obéissance. Devra probablement fonder son propre culte s'il désire un grand nombre de fidèles.

Naissance au cours des heures du Serpent — 9h à 11h

Un Dragon dont tous les mouvements sont planifiés et exécutés avec précision. Un peu sinistre et dévoré par l'ambition, mais le charme du Serpent dissimule cette intensité.

Naissance au cours des heures du Cheval — 11h à 13h

Une intelligence grégaire qui aimera risquer gros jeu. Sa présence assure le succès d'une rencontre sociale. Cependant, les préoccupations égoïstes du Cheval pourraient atténuer le sens du devoir propre au Dragon.

Naissance au cours des heures du Mouton — 13h à 15h

Modeste et compréhensif, ce Dragon est quelqu'un qui peut parvenir à de belles réalisations sans avoir recours à la force.

Naissance au cours des heures du Singe — 15h à 17h

En soi, une vedette. Une bonne combinaison de force et de ruse. Il blague et fait le pitre, mais ne vous méprenez pas. Il est fait d'acier et ne cédera jamais.

Naissance au cours des heures du Coq — 17h à 19h

Un Dragon téméraire et imaginatif, doté d'un orgueil immense et d'une partie de la fantaisie du Coq. Toujours en mouvement!

Naissance au cours des heures du Chien — 19h à 21h

Un Dragon réaliste et aux idées pratiques. Le Chien lui permet d'évaluer les situations avec plus de détachement et lui communique bonne humeur et stabilité. Se méfier tout de même, car il peut mordre sous l'effet de la colère.

Naissance au cours des heures du Sanglier — 21h à 23h

Extrêmement dévoué et chaleureux. Merveilleux comme ami car il ne ménage jamais son aide. L'influence du Sanglier peut même communiquer à ce Dragon une certaine touche d'humilité.

Comment le Dragon traverse les différentes années

Année du Rat

Une année qui augure bien pour la vie sentimentale et la poursuite des entreprises. L'argent afflue, mais une mauvaise transaction pourrait miner considérablement les ressources du Dragon. Il a de la facilité à se reposer et, dans l'ensemble, un bon rendement. Aucun problème important ne se présente au travail ou à la maison.

Année du Boeuf

Une année de chance pour le Dragon. Bien que ses progrès ne soient que moyens, il peut se compter chanceux car les nombreuses querelles et les problèmes qui baignent son entourage ne l'affectent pas directement. Une période privilégiée au cours de laquelle il ne connaît pas de difficultés réelles ni au travail ni dans sa vie familiale.

Année du Tigre

Une période éprouvante et pleine d'ennuis. Les projets du Dragon sont ralentis par d'autres et il a de la difficulté à obtenir les résultats recherchés sans devoir se quereller. Il doit choisir entre deux groupes aux vues opposées et il n'arrive pas à plaire à ses associés. De mauvaises nouvelles l'attristent, à moins que cela ne soit le départ de quelqu'un.

Année du Lièvre

Cette année ramène le calme dans la vie du Dragon. Il peut s'attendre à des progrès appréciables car il a à nouveau le vent dans les voiles. Sa vie familiale se stabilise, malgré de légers problèmes de santé. Un moment de sérénité car il n'a à craindre ni les problèmes financiers ni les mauvaises nouvelles.

Année du Dragon

Une très bonne année pour la personne née sous le Dragon. Elle lui réserve plusieurs bonnes surprises notamment une promotion ou des progrès importants au travail. Toutes les entreprises du Dragon réussissent facilement et il connaît une année occupée et emballante.

Année du Serpent

Une année favorable aux relations d'affaires du Dragon. Ses plans se dérouleront tels que prévus, avec cependant une légère opposition. Il pourrait avoir des problèmes personnels ou des problèmes de coeur, car il néglige sa vie familiale ou sentimentale.

Année du Cheval

Une année médiocre qui apportera de l'incertitude et de mauvaises surprises au Dragon. Certaines nouvelles pourraient le bouleverser ou modifier temporairement sa vie, bien que, de façon générale, ses problèmes aient tendance à se régler d'eux-mêmes s'il n'est pas trop têtu ou agressif. Il percevra cette année comme une période difficile car des problèmes réels et imaginaires le préoccupent.

Année du Mouton

Sur le plan financier comme sur le plan carrière, le Dragon ne peut espérer que des résultats moyens au cours de l'année du Mouton. Il a quelques problèmes de santé mais sa vie familiale est paisible. Aucun bouleversement ou changement malvenu dans son environnement.

Année du Singe

Une année mitigée pour le Dragon. Des progrès sont à prévoir dans le domaine de la carrière et des projets financiers mais il ne doit pas se laisser tromper par les premiers résultats favorables, car cela pourrait l'entraîner dans des problèmes légaux. Le bris d'une amitié ou des querelles pourraient survenir s'il est inflexible dans sa façon de voir les choses. Un temps où il conviendrait d'accepter des compromis et de se montrer réceptif aux conseils des autres.

Année du Coq

Une année heureuse et remplie d'événements pour le Dragon. De bonnes nouvelles, une promotion et le remboursement d'un prêt qu'il considérait perdu. Sa vie familiale est sans histoire et il réussit à compenser des pertes ou à se faire de nouveaux amis influents.

Année du Chien

Une année difficile pour le Dragon car des problèmes inattendus surgissent et ses projets sont dérangés. Une période au cours de laquelle il devra éviter les confrontations avec ses ennemis ou ceux qui ne partagent pas ses idées. Il pourrait soulager les tensions en changeant de milieu ou en traitant indirectement par le biais de personnes de confiance.

Année du Sanglier

Une bonne année car tout redevient normal pour le Dragon, le soleil brillant à nouveau après les jours sombres de l'année du Chien. Il n'obtiendra peut-être pas de très bons résultats au travail ou financièrement, mais il ne connaîtra pas de difficultés majeures. Il devra voyager ou recevoir beaucoup de gens, mais il n'y aura pas de litiges dans sa vie familiale.

Tableau de compatibilité du Dragon

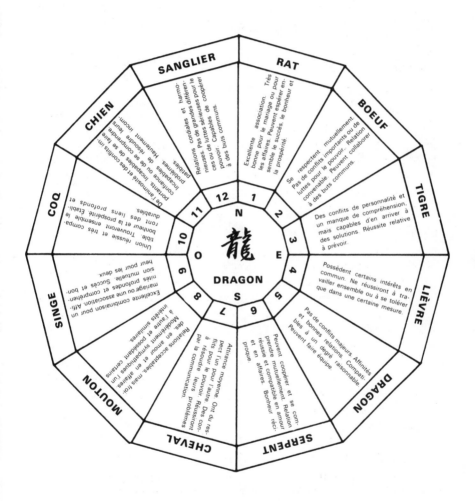

SANGLIER — Relations cordiales et harmonieuses. Pas de grandes différences de coopérer ces ou de luttes sérieuses pour le pouvoir. Capables de faire à des buts communs.

RAT — Excellente association. Très bonne pour le mariage ou pour les affaires. Peuvent espérer en semble le succès, le bonheur et la prospérité.

BOEUF — Se respectent mutuellement. Pas de conflits importants ou de luttes pour le pouvoir. Relation convenable. Peuvent collaborer à des buts communs.

TIGRE — Des conflits de personnalité et un manque de compréhension, mais capables d'en arriver à des solutions. Réussite relative à prévoir.

LIÈVRE — Possèdent certains intérêts en commun. Ne réussiront à travailler ensemble ou à se tolérer que dans une certaine mesure.

DRAGON — Pas de conflits majeurs. Affinités et bonnes relations. Compatibles à un degré raisonnable. Peuvent faire équipe.

SERPENT — Peuvent coopérer et se comprendre mutuellement. Relation réussie et compatible en amour et en affaires. Bonheur réciproque.

CHEVAL — Attirance moyenne. Ont du respect l'un pour l'autre. Des conflits pour le pouvoir à résoudre. Réussiront par la communication.

MOUTON — Relations acceptables mais froides. Modérément sympathiques l'un à l'autre en amour et en affaires. Possédant certains intérêts similaires.

SINGE — Excellente combinaison pour un mariage ou une association. Affinités profondes et compréhension mutuelle. Succès et bonheur pour les deux.

COQ — Union réussie et très compatible. Trouveront ensemble le bonheur et la prospérité. Établiront des liens profonds et durables.

CHIEN — De l'animosité et des conflits importants. Incapables de se comprendre ou de se tolérer. Hautement incompatibles.

12 1 2 3 4 5 6 7 8 9 10 11

N E S O

龍

DRAGON

Personnalités célèbres nées au cours de l'année du Dragon

Métal
Le Roi Constantin
La Reine Margaret II
John Lennon
Ringo Starr
Valerie Harper

Eau
Francisco Franco
Hailé Sélassié
Mae West
Jimmy Connors
Sainte Jeanne d'Arc

Bois
Salvador Dali

Feu
Frank Sinatra
Betty Grable
Edward Heath
Yehudi Menuhin
Harold Wilson
Anthony Quinn
Kirk Douglas

Terre
Che Guevara
Walter Mondale
Shirley Temple Black

Chapitre 6

Le Serpent

Je possède la sagesse des temps
Et détiens la clé des mystères de la vie.
Je sème en sol fertile
Et nourris ma semence de soins constants.
Mes objectifs sont clairs
Mon regard immuable
Opiniâtre, sérieux et inexorable
J'avance d'un mouvement régulier,
La solidité de la terre affermissant mon corps.

JE SUIS LE SERPENT.

Le Serpent

Nom chinois du Serpent: SHÉ
Ordre hiérarchique: Sixième
Heures gouvernées par le Serpent: 9h à 11h
Orientation de ce signe: Sud-Sud-Est
Saison et mois principal: Printemps — mai
Correspondance avec les signes solaires: Taureau
Élément stable: Feu
Souche: Négative

Années lunaires du Serpent dans le calendrier occidental

Début	Fin	Élément
4 février 1905	24 janvier 1906	Bois
23 janvier 1917	10 février 1918	Feu
10 février 1929	29 janvier 1930	Terre
27 janvier 1941	14 février 1942	Métal
14 février 1953	2 février 1954	Eau
2 février 1965	20 janvier 1966	Bois
18 février 1977	6 février 1978	Feu
6 février 1989	26 janvier 1990	Terre

Si vous êtes né la veille du début de l'année lunaire du Serpent, par exemple le 3 février 1905, vous appartenez au signe animal qui vient avant celui du Serpent, c'est-à-dire au Dragon. Si vous êtes né le jour qui suit la fin de cette année lunaire donc le 25 janvier 1906, vous appartenez alors au signe qui suit celui du Serpent, donc au Cheval.

L'année du Serpent

Une année à consacrer à la réflexion, à la planification et à la recherche de réponses. Une période favorable aux négociations astucieuses, aux intrigues politiques et aux coups d'état. Tout le monde sera porté à calculer davantage et à réfléchir avant de mettre ses plans à exécution. Une année favorable au commerce et à l'industrie. On réussit à s'entendre sur des solutions et des compromis, mais ce n'est pas sans une méfiance réciproque au départ. Le Serpent aime à régler ses conflits d'une façon ou d'une autre. S'il échoue et qu'il ne peut pas atteindre une solution pacifique, il déclare alors la guerre.

En reculant dans l'histoire, nous découvrons que l'année du Serpent n'a jamais été une année tranquille. La raison en est peut-être qu'il s'agit de la force négative la plus puissante du cycle lunaire et qu'elle suit l'année du Dragon qui est la force positive la plus puissante. Plusieurs désastres qui ont commencé au cours de l'année du Dragon ont tendance à s'accumuler durant l'année du Serpent. Ces deux signes sont très étroitement reliés et les calamités de l'année du Serpent résultent souvent d'abus commis sous le règne du Dragon.

Ce sera une période merveilleuse pour la vie sentimentale, les fréquentations amoureuses et les scandales de toutes sortes. Une excellente année dans le domaine artistique. La mode deviendra plus élégante et fluide. La musique et le théâtre fleuriront, et la population recherchera un style de vie plus sophistiqué. Des développements remarquables surviendront également dans la science et la technologie.

La sagesse vénérable du Serpent sera évidente à plusieurs moments particulièrement lorsque viendra le temps de prendre des décisions. Bien que superficiellement on ait l'impression d'une tranquillité apaisante, l'année du Serpent est toujours imprévisible. L'impression de calme et de sang-froid qui se dégage du Serpent cache des aspects profonds et mystérieux de sa nature. Il est bon de noter qu'une fois que le Serpent a pris son recul pour frapper, il se déplace avec la rapidité de l'éclair et rien ne peut l'arrêter. De la même manière, les changements qui se produisent durant l'année du Serpent peuvent avoir la même soudaineté et le même effet dévastateur.

Faites attention où vous posez les pieds et montrez-vous prudent au cours de cette année. Les paris et la spéculation sont complètement tabous. Les conséquences en seraient accablantes. Le Serpent ne pardonne pas.

Quoi qu'il arrive, le Serpent nous renforcera dans nos convictions et nous portera à agir avec force durant cette année qu'il gouverne. Ce n'est pas une année pour les spectateurs.

La personnalité du Serpent

Philosophe, théologien, grand politicien, financier astucieux, l'individu né sous le Serpent est le penseur le plus profond et le plus énigmatique du cycle chinois. Il est doté d'une sagesse innée bien particulière qui consiste en une conviction profonde que ses perceptions sont justes. Gracieux et sans agressivité, il aime les bons livres, la bonne cuisine, la musique et le théâtre. Il est attiré par tout ce que la vie a de meilleur à offrir. Parmi les personnes nées sous ce signe on retrouve certaines des plus jolies femmes et certains des hommes les plus puissants. Si vous vivez dans l'entourage d'un Serpent, vous êtes en bonne compagnie. Une personne de ce signe se fie généralement à son jugement personnel et ne communique pas facilement avec les autres. Elle peut être ou bien profondément religieuse, très attirée par la métaphysique ou au contraire totalement hédoniste. Quelle que soit son orientation, elle fait davantage confiance à ses propres perceptions qu'aux avis extérieurs. Et plus souvent qu'autrement elle a raison!

Comme le Dragon, le Serpent est un signe qui a son karma. Sa vie se termine par un triomphe ou une tragédie dépendant de ses actions passées. En dépit de son extérieur sophistiqué c'est une personne très superstitieuse mais qui ne l'admet pas. Les personnes nées sous les autres signes semblent pouvoir différer le paiement de leurs fautes jusque dans une autre vie (si on accepte l'idée de réincarnation), mais le Serpent semble destiné à payer ses dettes avant de quitter cette vie. Il se peut également que ce soit par un choix délibéré, car une personne née sous ce signe possède une intensité inhabituelle et cherche, consciemment ou inconsciemment, à établir des précédents.

Une personne née au cours de l'année du Serpent n'aura probablement pas de problèmes d'argent. Elle est assez fortunée pour jouir de ce dont elle a besoin. Les fonds viennent-ils à baisser, elle est extrêmement bien équipée pour corriger la situation. Néanmoins, une personne née sous ce signe ne devrait jamais parier, car elle ne pourrait que s'appauvrir.

S'il arrive que le Serpent subisse une perte importante, il n'y aura probablement pas de seconde fois, car il apprend très rapidement. Il peut se reprendre également avec une vitesse étonnante et il est généralement prudent et rusé en affaires.

Un Serpent ayant souffert de pauvreté ou de privation extrême durant sa jeunesse ne le surmonte jamais. Il peut alors devenir obsédé par l'accumulation de richesses jusqu'à devenir cupide et avare.

Le Serpent est une personne sceptique de nature, mais contrairement au Tigre, elle a tendance à garder son doute pour elle-même. Elle chérit son intimité et gardera pour elle de lourds secrets. La personne Serpent n'aime pas s'adonner au badinage ou aux frivolités; elle a cependant un langage raffiné et des manières et des vêtements élégants. Elle peut être d'une grande générosité, mais se montre intraitable lorsqu'elle a besoin de son argent pour atteindre un objectif important. Elle n'est pas non plus du type à reculer lorsqu'il faut éliminer quelqu'un qui lui fait obstacle.

Certains Serpents peuvent avoir une élocution lente ou paresseuse mais cela n'est aucunement lié à leur vitesse de déduction ou d'action. C'est simplement qu'ils aiment réfléchir, évaluer et formuler leur opinion correctement. De manière générale, les Serpents se montrent très prudents dans leurs paroles.

On ne peut jamais prédire avec certitude les limites du Serpent. Son cerveau calculateur trame toujours quelque chose et il peut se montrer implacable. N'oublions pas qu'il est un des signes les plus tenaces du zodiaque chinois.

Dans ses relations avec les autres, il est possessif et très exigeant. Cependant, il traite ses associés avec une certaine méfiance. Il ne pardonne jamais à quelqu'un qui n'a pas tenu parole. Il a aussi tendance à devenir névrosé, même paranoïaque, lorsqu'il s'agit de ses phobies et de ses obsessions favorites.

Lorsque le Serpent se met en colère, son courroux n'a pas de limites. Sa hargne silencieuse est profondément enracinée. Son mécontentement va s'exprimer par une froide hostilité plutôt que par un flot de paroles rageuses. Les types les plus extrêmes vont avoir le goût d'écraser leurs ennemis totalement. On ne peut pas prédire les mouvements du Serpent. Son esprit est le calcul personnifié et il attendra tout le temps qu'il faudra pour se venger. Celui ou celle qui a eu la malchance de soulever sa colère, devrait peut-être choisir l'exil volontaire!

La femme Serpent est l'authentique femme fatale. Sa beauté calme, sereine et classique hypnotise littéralement les gens. Elle a confiance en elle et possède un grand sang-froid. Même si elle se donne parfois des airs nonchalants, elle est loin d'être indolente. Son cerveau n'est jamais au repos. Bien qu'ils soient près de la nature, les hommes et les femmes nés sous le Serpent se distinguent par la beauté de leur teint. On en voit rarement qui sont affectés par l'acné ou qui ont le visage trop pâle, et cela, même sans soins particuliers. Il semble que la tension affecte davantage les systèmes digestifs et nerveux du Serpent que son épiderme. Malgré cette apparence sereine, bon nombre de personnes de ce signe sont affectées par des ulcères d'estomac ou des dépressions nerveuses causées par la tension interne.

La femme née sous le Serpent choisira des vêtements de bonne coupe, de conception classique et fluide. Elle aime les bijoux et choisit ses accessoires avec soin. Si elle en a les moyens, elle achètera des pierres précieuses authentiques: diamants, perles, émeraudes et rubis de la meilleure qualité. En plus d'être de magnifiques ornements, les bijoux sont une excellente forme d'investissement. On est priés de ne pas lui offrir des bijoux plaqués or ou des imitations! Elle n'a absolument rien d'une paysanne et préfère se priver plutôt que d'acheter quelque chose qui n'est pas authentique. Elle n'est pas du genre à s'encombrer de colifichets sans valeur.

Les normes qu'elle applique au choix d'un partenaire sont également très élevées. Elle a de l'admiration pour le pouvoir et l'influence que l'argent peut procurer. Si elle ne peut pas gagner suffisamment d'argent elle-même, elle choisira de se marier avec quelqu'un qui a déjà une fortune. Quoi qu'il en soit, et quels que soient la richesse ou le pouvoir de son mari, elle deviendra pour lui son plus gros actif. S'il n'a pas encore fait fortune, mais qu'il en a le potentiel, son épouse Serpent remuera ciel et terre pour lui permettre de réussir. Elle jouera le jeu, se montrera une hôtesse parfaite, tout en lui indiquant judicieusement toutes les possibilités qui s'offrent à lui. Avec un tel guide lui prodiguant dévouement et soutien, il ne pourra pas faire autrement que de réussir.

De tempérament philosophe, la femme Serpent n'est pas très soucieuse de l'égalité des sexes. Vous ne la verrez pas militer pour les droits de la femme. Pourquoi devrait-elle entrer en compétition avec les hommes alors qu'elle les amène tellement facilement à faire ce qu'elle veut (en leur laissant croire qu'il s'agissait de leur idée)? De toute façon, elle a partout des admirateurs qui sont prêts à porter ses valises, lui ouvrir la porte, allumer sa cigarette.

On ne peut donc pas la blâmer d'être peu impliquée dans tous ces débats concernant l'égalité des droits entre les femmes et les hommes. Elle a toujours eu la secrète conviction que les filles étaient nées supérieures, bien qu'elle ait toujours eu la sagesse de ne pas le laisser voir à tous ces mâles qui lui font une cour assidue. À quoi servirait de mettre fin à une situation, somme toute convenable? Elle va tolérer sa cour aussi longtemps qu'elle en obtiendra ce qu'elle désire.

Contrairement à la croyance populaire, la femme Serpent n'est pas toujours d'une beauté dévastatrice. Si vous l'examinez en détail, vous découvrirez qu'elle a également des faiblesses comme un nez un peu trop large ou des yeux trop rapprochés. Chez elle, c'est l'effet d'ensemble qui compte. Elle possède sa propre formule et lorsqu'elle en réunit tous les ingrédients, le résultat est magique!

Vous apercevez une jeune femme dans un magnifique ensemble noir, une broche de diamants judicieusement agrafée à son corsage: neuf fois sur dix, il s'agit d'un Serpent! Cette dame aime également les parfums dispendieux qui fournissent un atout supplémentaire à sa séduction. Elle sait aussi les utiliser avec contrôle et modération. Elle n'en met qu'une goutte ici et là, juste ce qu'il faut pour lui donner cette aura qui la rend si attrayante et irrésistible.

Tous les Serpents ont le sens de l'humour, mais à des degrés divers naturellement. Certains préfèrent se montrer pince-sans-rire, d'autres sardoniques, pétillants ou même parfois diaboliques. Quelle que soit sa forme, cet humour est toujours présent. Le meilleur moment pour l'observer, c'est quand l'homme ou la femme Serpent est confronté à une contrainte sérieuse. Même dans une crise, le Serpent fera des blagues pour relâcher l'atmosphère. Même lorsqu'elle est submergée par d'énormes problèmes, la personne née sous le Serpent ne perd jamais ce côté malicieux.

Les Orientaux considèrent parfois le Serpent comme un être surnaturel et un peu sinistre. Cette croyance est fondée sur sa grande longévité et sur l'étrange capacité qu'il a de changer sa vieille peau contre une nouvelle tout au long de sa croissance. Cette caractéristique particulière symbolise son habileté à renaître et à ressortir d'un conflit avec une vigueur nouvelle.

Vous devez maintenant être en mesure de vous rendre compte que traiter avec un Serpent n'est pas une mince affaire. Ce qui rend les choses encore plus difficiles c'est que, sous des dehors sereins, il est toujours sur ses gardes. Son calme apparent ne trahit jamais ses sentiments véritables. Il prévoit et planifie ses gestes longtemps d'avance. Il est très volontaire et va maintenir sa position jusqu'à l'extrême limite. Il peut sembler très évasif et fuyant et lorsque vous croyez avoir finalement réussi à l'attraper, il vous échappe d'un mouvement rapide. Inutile de dire qu'il peut devenir un politicien parfait. Il arrivera à négocier n'importe quoi s'il a décidé de le faire.

Les Chinois croient qu'un Serpent né au printemps ou en été sera parmi les plus mortels qui soient. Les Serpents d'hiver sont calmes et dociles, car c'est le moment de leur hibernation. Un Serpent né au cours d'une journée chaude sera plus heureux et satisfait que celui né au cours d'une tempête.

Les Serpents sont des amoureux passionnés qui ont aussi la réputation d'être frivoles. En réalité, c'est une réputation sans fondement qui leur vient du fait qu'ils manifestent beaucoup de sensualité dans tout ce qu'ils entreprennent. La personne Serpent peut manifester autant d'ardeur à tenter d'obtenir un contrat qui lui tient à coeur qu'elle en manifesterait pour se mériter l'affection de quelqu'un pour qui elle vient d'avoir le coup de foudre.

Les personnes nées sous le Serpent mènent généralement des vies dangereuses remplies d'animation et d'intrigues, particulièrement celles qui ont une soif insatiable de pouvoir et de notoriété.

Les meilleurs partenaires du Serpent sont le Boeuf loyal, le Coq intrépide ou le Dragon imposant. Il peut également réussir une association avec le Rat, le Lièvre, le Mouton et le Chien.

Mais le Serpent devrait éviter le bouillant Tigre qui pourrait ne pas apprécier son caractère clairvoyant. Le Cheval, impulsif et exigeant ne fournira qu'un médiocre partenaire, tandis que l'astucieux Singe pourrait présenter un concurrent pour le Serpent à cause de ses manoeuvres audacieuses. Deux Serpents pourraient cohabiter pacifiquement. Le Sanglier et le Serpent ne se découvriront pas grand-chose en commun. Le Serpent est vif et sophistiqué tandis que le Sanglier est grégaire et exagérément honnête. Tout s'oppose dans leurs deux caractères.

Dans les moments de confusion et de crise, la personne née sous le Serpent reste un pilier inébranlable car elle conserve son sang-froid. Le Serpent peut affronter les mauvaises nouvelles et l'infortune avec un grand stoïcisme. Il a un sens profond des responsabilités et poursuit son orientation fondamentale avec une constance inébranlable. C'est cette constance dans ses convictions qui, alliée à son charisme naturel, peut le porter aux plus hauts niveaux de pouvoir.

Le Serpent enfant

L'enfant Serpent a une personnalité complexe. Calme, alerte et intelligent, il possède une nature sérieuse et a tendance à être méticuleux. À l'école, il est studieux et travailleur et devient souvent l'élève préféré du professeur. Il ne faut pas le gâter, car l'enfant Serpent est très conscient de ses charmes. Il peut devenir boudeur, vindicatif et capricieux lorsque l'on refuse de céder à ses caprices.

Bien que de nature secrète et rêveuse, cet enfant réussira à développer de l'autodiscipline. Il décide facilement ce qu'il veut et se montre très pratique lorsqu'il s'agit d'établir ses objectifs. Vous ne le verrez pas tenter d'obtenir quelque chose qu'il sait impossible. Persévérant, réaliste et impitoyable, il va s'atteler à une tâche jusqu'à ce qu'il la maîtrise.

En plus de posséder une facilité naturelle d'apprentissage et un quotient intellectuel élevé, cet enfant excelle à garder ses projets secrets. Il ne s'immisce pas dans les affaires des autres et préfère que ceux-ci restent chez eux. Prudent et attentif, il sait comment éviter les problèmes. Il n'est peut-être pas très sociable, mais il entretient de franches et longues amitiés.

Planificateur puissant et minutieux, cet enfant est un excellent leader, car il utilise son pouvoir avec discrétion et justice. Les autres enfants vont l'admirer et lui accorder leur soutien. Néanmoins, certaines de ses actions pourraient avoir des motifs cachés; il désire tellement être le premier qu'il ne se soucie guère des moyens qu'il prend pour y parvenir.

Ses nombreux talents et aptitudes naturels vont le rendre populaire mais il sera aussi l'objet de jalousie et de vicieuses calomnies. Il doit apprendre à vivre avec la critique et à accepter les risques rattachés au statut d'élite.

Son caractère réticent l'amène à dissimuler ses douleurs et il est susceptible de garder rancune longtemps. Il est souvent incompris parce qu'il refuse ou néglige de s'expliquer suffisamment. Les rapports qu'il entretient avec les autres sont souvent peu clairs.

Quoi qu'il arrive, le Serpent enfant saura toujours voler de ses propres ailes. Dans la vie, il saura exactement comment utiliser les gens et les situations à son avantage. On ne réussira pas à le retenir et il est destiné à la gloire et à la fortune.

Les cinq types de Serpent

Le Serpent de Métal — 1881, 1941, 2001

Ce type de Serpent est doté de beaucoup d'intelligence et de prévoyance ainsi que d'une énorme force de volonté. Possédant un goût sûr et un oeil aiguisé pour saisir les occasions, la personne née sous ce signe pourra s'avérer intrigante et solitaire. Elle aime à se déplacer rapidement et sans bruit et s'installe dans une position solide avant que vous ayiez la possibilité de l'arrêter.

La combinaison du Métal et de son signe de naissance va l'amener à rechercher le luxe et la vie facile. En conséquence, ce Serpent se consacrera à la poursuite de la richesse et du pouvoir. Sa vision est claire et à long terme, et de plus il aspire à la perfection.

Le Serpent de Métal est de loin le plus secret, le plus évasif et le plus sûr de lui. Aussi, son caractère qui le porte souvent à se méfier des autres, frôle parfois la paranoïa. Malgré son habileté à manier le pouvoir et l'influence, ce Serpent possède un côté envieux et il tente continuellement de surpasser ses opposants par tous les moyens, honorables ou non. Il accepte difficilement la défaite ou l'échec.

Possessif, dominateur et parfois étrangement renfermé sur lui-même, son orientation se précisera très tôt et il s'y consacrera avec une grande détermination. Il est capable de générosité et de coopération mais toujours en affichant une certaine réserve.

Le Serpent d'Eau — 1893, 1953, 2013

Tout comme l'Eau qui traverse pratiquement n'importe quel obstacle, le Serpent de ce type exerce une influence importante par la profondeur de sa pensée.

Ce Serpent insaisissable est doté d'un grand charisme et d'une grande curiosité. Rusé, doué pour les affaires et matérialiste, le Serpent d'Eau possède de grandes capacités mentales et un fort pouvoir de concentration. Il peut éloigner toute distraction et laisser de côté les aspects secondaires lorsqu'il s'agit de planifier efficacement l'ensemble d'une opération. Il ne perd jamais de vue ses objectifs et ne perd pas contact avec la réalité. Artiste et fin lettré, cet intellectuel est également pratique. Il excelle dans la gestion des ressources humaines aussi bien que dans celle des finances.

Bien qu'il donne une impression de calme, ce Serpent a la mémoire longue et certaines de ses rancunes durent toute sa vie. On peut dire qu'il possède la patience de Job combinée à la violence du cobra.

Le Serpent de Bois — 1905, 1965, 2025

Un Serpent consciencieux doué d'une sagesse bienveillante et d'une compréhension prophétique des événements et particulièrement de l'histoire. Il a besoin d'une liberté intellectuelle complète, mais ses amitiés sont constantes et durables. Il recherche la stabilité émotionnelle de même que la sécurité financière. Ce type de Serpent s'exprime avec facilité et éloquence.

La conjonction de l'élément Bois et de son élément stable, le Feu positif, en fait une personne très intéressante. Il brille à la manière d'un phare et attire les objets et les gens qu'il désire sans aucun effort.

Il porte des vêtements dispendieux et pourrait se montrer vaniteux au sujet de son apparence personnelle. Sa recherche de l'admiration et de l'approbation du public le porte à utiliser toutes ses ressources à la poursuite d'un succès durable et d'envergure.

Le Serpent de Bois est très bien informé, mais il accumule des connaissances non pas pour elles-mêmes, mais dans le but d'une utilisation quotidienne. Son bon jugement, sa discrétion et son sens aigu des valeurs en font un investisseur judicieux et un amateur des bonnes choses de la vie. C'est un Serpent au caractère docile qui s'intéresse aux arts, à la musique, au théâtre et aux beautés de la nature.

Le Serpent de Feu — 1857, 1917, 1977

Un Serpent intense et autoritaire. Actif physiquement et intellectuellement, il est énergique. Le Feu ajoutant à sa personnalité déjà impressionnante, il brille en public. Il dégage la confiance en soi et s'impose comme un chef potentiel. Les gens voteront pour lui s'il se lance en politique car il a la personnalité qu'il faut pour y réussir.

Même s'il organise des consultations publiques pour sonder et évaluer le point de vue de la majorité, le Serpent de Feu est extrêmement soupçonneux et n'a une confiance totale qu'en lui-même. Il censure et condamne trop rapidement. Il se retire parfois avec un petit cercle d'amis et de conseillers, s'isolant ainsi sans le savoir. Son désir presque obsessionnel de gloire, d'argent et de pouvoir le fait insister sur des résultats concrets. Persévérant et intransigeant, il se fixe les objectifs les plus élevés et, une fois le sommet atteint, il s'agrippe indéfiniment au pouvoir.

Le Serpent de Feu est le plus sensuel, le plus fervent et le plus jaloux de tous les Serpents. Il aime et déteste avec excès et reste très soucieux de lui-même.

Le Serpent de Terre — 1869, 1929, 1989

Cette variété chaleureuse et spontanée de Serpent met du temps à se former une opinion sur les gens, mais celle-ci s'avère rarement erronée. Plus moral, persistant et fiable, le Serpent de Terre peut communiquer avec un public et participer efficacement à des activités de groupe. Doté de la vision périphérique et de l'ambition fondamentale du Serpent, il peut s'emparer du pouvoir et remplir les vides durant les moments de confusion et de panique. Homme ou femme, ce Serpent n'est pas facilement intimidé et peut refuser d'être influencé par la foule. Ce Serpent se réserve le droit à un jugement personnel.

Il est de loin le plus gracieux et le plus séduisant de tous les Serpents. Calme, réservé et possédant un charme immense, il est loyal à ses amis et ne compte plus ses supporters.

Conservateur et parcimonieux avec l'argent, travailleur et systématique, le Serpent de Terre réussit dans les domaines bancaires, les assurances et les investissements immobiliers et peut concilier ses besoins et ses ressources. Voici un Serpent qui connaît ses limites et qui a la prudence de ne pas se disperser.

Le Serpent et ses ascendants

Naissance au cours des heures du Rat — 23h à 1h

Affable et mielleux, ce Serpent peut s'avérer un véritable batailleur. Il est sentimental à propos de tout, y compris de son argent.

Naissance au cours des heures du Boeuf — 1h à 3h

Un entêtement dissimulé par un comportement évasif et charmant. Deux fois plus intéressant s'il possède l'énergie et la volonté propres au Boeuf.

Naissance au cours des heures du Tigre — 3h à 5h

Un Serpent pétillant et possédant une personnalité chaleureuse et simple. Les deux signes étant soupçonneux, vous feriez mieux d'ignorer ses accusations exagérées.

Naissance au cours des heures du Lièvre — 5h à 7h

Un Serpent débonnaire et beau parleur, mais sa morsure est tout aussi venimeuse. N'a jamais fait une mauvaise transaction en affaires.

Naissance au cours des heures du Dragon — 7h à 9h

Un Serpent possédant une touche de socialisme et de philanthropie. Il associe sagesse et pouvoir et peut être à l'origine de réformes réelles et durables. Son engagement est toujours total, qu'il tende vers le bien ou le mal.

Naissance au cours des heures du Serpent — 9h à 11h

Possessif, énigmatique et profond, très profond. Vous ne parviendrez jamais à connaître celui-ci, alors ce n'est pas la peine d'essayer. La seule chose dont vous pouvez être certain, c'est qu'une fois qu'il réussit à se saisir de ce qu'il poursuit, il ne le lâche jamais.

Naissance au cours des heures du Cheval — 11h à 13h

Un Serpent heureux qui voit le beau côté de la vie. Comme les deux signes accordent beaucoup d'importance à l'amour, ils peuvent produire un séducteur ou une séductrice de premier ordre.

Naissance au cours des heures du Mouton — 13h à 15h

De ces deux signes féminins pourrait émerger un Serpent aux tendances artistiques et au flair sûr. Mieux, il sait comment subvenir à ses goûts dispendieux et ses motifs sournois sont dissimulés par la nature aimable du Mouton.

Naissance au cours des heures du Singe — 15h à 17h

Un génie sinueux auquel il est extrêmement difficile de résister. Un mélange parfait de sagesse, de séduction et d'intelligence. Ne joue jamais un jeu s'il ne peut gagner.

Naissance au cours des heures du Coq — 17h à 19h

Un chef de bande qui dissimule sa recherche du pouvoir absolu derrière une façade allègrement décorée. Très persévérant et renseigné.

Naissance au cours des heures du Chien — 19h à 21h

Un Serpent loyal et possiblement doté des convictions profondes et du sens moral du Chien. Probablement un grand intellectuel car ces deux signes regroupent des penseurs.

Naissance au cours des heures du Sanglier — 21h à 23h

Voici un Serpent qui sait vraiment profiter de la vie, mais qui est quand même assez rusé pour ne jamais se faire duper en affaires. La bonne volonté intrinsèque du Sanglier pourrait lui donner davantage de crédibilité.

Comment le Serpent traverse les différentes années

Année du Rat

Une année d'activités pour le Serpent. De nouveaux horizons et des possibilités inédites se présentent d'elles-mêmes. Le Serpent fera des progrès dans sa carrière. Ce sera également une année qui verra plusieurs événements dramatiques, à la fois agréables et désagréables. Ses gains financiers seront contrebalancés par des pertes et ses problèmes se résoudront avec de la bonne volonté. Une période où on ne devrait ni prêter ni emprunter de l'argent.

Année du Boeuf

Une année modérée. Le Serpent peut s'attendre à ce que l'on remette ses décisions en cause et que certains obstacles ou des pertes financières surviennent malgré sa prudence et son intuition. Une période où il ne faut pas trop se presser ni compliquer les choses en se montrant obstiné.

Année du Tigre

Une année qui comporte de petites mais nombreuses frustrations. Le Serpent peut facilement s'embourber dans les conflits qu'il suscite et trouver difficile de plaire à son entourage, que ce soit chez lui ou au travail. Il doit conserver son sens de l'humour et ne pas s'adonner à des actes de vengeance irrationnels. Ceci lui permettra de recevoir l'aide qu'il recherche et d'éviter des complications majeures.

Année du Lièvre

Une année relativement heureuse pour le Serpent bien que beaucoup d'occupations le retiennent. Une année où il manquera de temps à consacrer à ceux qu'il aime à cause de ses trop nombreux engagements. L'argent afflue facilement et repart de même.

Année du Dragon

Le Serpent fait face à une année difficile. Aucun gain important n'est à prévoir dans ses affaires ou sa carrière. Il doit se méfier de calomnies malicieuses et d'associés jaloux. La plus grande partie de ses problèmes sera réglée dès le début de l'été et de bonnes nouvelles devraient lui parvenir avec le froid d'automne. Une année où il faut éviter les extravagances et bien contrôler sa bourse.

Année du Serpent

Une année raisonnable pour le Serpent bien qu'il puisse être déçu de ses réalisations par rapport à ses attentes. C'est une année où il faut prendre son temps et ne faire aucun changement brusque. La patience et la réflexion sont essentielles s'il veut s'éviter des problèmes. Des mésententes au sujet de ses affaires, des problèmes sentimentaux ou une légère blessure sont à prévoir. Ses gains seront modestes mais il cherchera surtout à assurer sa position ou à conserver le contrôle.

Année du Cheval

Une période énergique pour la personne née sous le signe du Serpent. Elle doit éviter de céder à ses émotions et de trop se hâter si elle veut réussir à combler ses espérances. Des problèmes en suspens et des inquiétudes affectent sa santé. Malgré tout, cette année lui réussit admirablement, ses problèmes n'étant que temporaires.

Année du Mouton

Une année privilégiée pour le Serpent. Aucun gain important ni aucune grande perte ne sont à prévoir. Sa vie peut être calme et reposante s'il emploie ses loisirs à cultiver les amitiés qui lui profiteront dans l'avenir. Quelques mauvaises nouvelles ou problèmes mineurs à la maison.

Année du Singe

Une bonne année car le Serpent trouve de l'aide au moment où il en a le plus besoin. Il pourrait se voir involontairement impliqué dans des querelles mais les choses s'apaiseront d'elles-mêmes s'il se tient coi. Cependant, ces conditions de tension pourraient lui causer une certaine anxiété. Une année où il est bon de se montrer conservateur ou neutre.

Année du Coq

Une année très favorable. Le Serpent peut escompter faire des réalisations très importantes car il recevra la reconnaissance ou la promotion qu'il mérite. Il sera récompensé pour sa patience et sa persévérance passées. Des bénéfices ou une augmentation importante de ses revenus sont à prévoir. Sa vie familiale sera très plaisante car le Serpent récolte les fruits de son travail.

Année du Chien

De bonnes occasions se présentent au Serpent. Une excellente période pour lancer de nouvelles idées bien qu'il puisse avoir de légers problèmes de santé ou être victime d'un vol sans grande importance. Une période favorable aux voyages ou aux activités sociales.

Année du Sanglier

Une année agitée et mitigée. Le Serpent devra déployer une énergie maximum mais ses gains seront réduits. Il pourrait subir des pertes financières causées par un mauvais jugement, des problèmes légaux ou encore la séparation d'avec un proche. Une période au cours de laquelle la prudence s'impose.

Tableau de compatibilité du Serpent

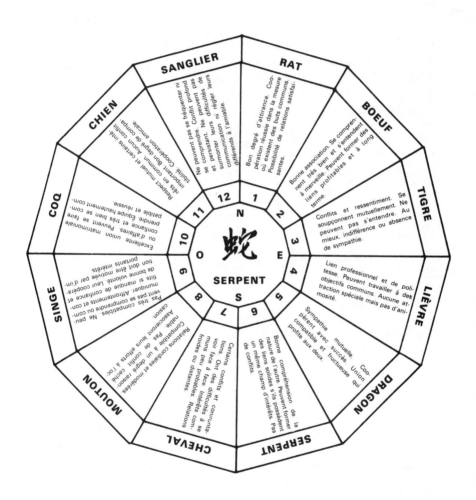

SANGLIER — Ne peuvent pas se fréquenter ni se comprendre. Conflit profond et persistant. Ne peuvent pas surmonter leurs difficultés ni régler leurs différends à l'amiable.

RAT — Bon degré d'attirance. Coopération réussie dans la mesure où existent des buts communs. Possibilité de relations satisfaisantes.

CHIEN — Ne peuvent pas se fréquenter. Conflit de communication ni régler leurs différends à l'amiable. Bon degré de compatibilité. Coopération amicale.

BOEUF — Bonne association. Se comprennent très bien et s'entendent à merveille. Peuvent former des liens profitables et à long terme.

COQ — Respect mutuel et certains intérêts en commun. Bon degré de compatibilité. Équipe hautement compatible et réussie.

TIGRE — Conflits et ressentiment. Se soupçonnent mutuellement. Ne peuvent pas s'entendre. Au mieux, indifférence ou absence de sympathie.

SINGE — Excellente union matrimoniale ou d'affaires. Peuvent se faire confiance et très bien se comprendre. Équipe hautement compatible et réussie.

LIÈVRE — Lien professionnel et de politesse. Peuvent travailler à des objectifs communs. Aucune attraction spéciale mais pas d'animosité.

MOUTON — Pas très compatibles. Ne peuvent se comprendre ou communier. Affrontements et conflits si manque de confiance et de bonne volonté. Leur coopération doit être motivée par d'importants intérêts.

DRAGON — Sympathie mutuelle. Coopèrent avec succès. Union compatible et fructueuse qui profite aux deux.

CHEVAL — Relations cordiales et modérées. Compatibles à un degré raisonnable. Pas de conflit caché. Association possible. Relations froides ou distantes.

SERPENT — Certains conflits et confrontations. Ont des difficultés à se voir face à face. Bonne compréhension de l'autre. Peuvent former des liens solides s'ils possèdent un même champ d'intérêts. Pas de conflits.

蛇

SERPENT

N
O   E
S

12 1 2 3 4 5 6 7 8 9 10 11

Personnalités célèbres nées au cours de l'année du Serpent

Métal
Pablo Picasso
Carole King
Ann-Margret

Eau
Johannes Brahms
Mao Tse-Toung
J. Paul Getty
Mary Pickford

Bois
Howard Hughes
Greta Garbo
Seni Pramoj

Feu
Franz Schubert
Henry Ford II
Gamal Abdel Nasser
Ferdinand Marcos
John F. Kennedy
Indira Gandhi

Terre
Abraham Lincoln
Edgar Allan Poe
Le Roi Hassan du Maroc
Jacqueline Onassis
La Princesse Grâce

Chapitre 7

Le Cheval

Je suis le kaléidoscope de l'esprit
Et j'apporte lumière, couleurs et mouvement perpétuel.
Une fluidité électrique anime ma personne et mon monde.
N'étant fidèle qu'à mon inconstance
Je refuse les conventions mondaines
Et aucune contrainte ne m'attache.
Je cours en toute liberté dans la prairie sauvage.
Mon esprit est indompté,
Mon âme libre à jamais.

JE SUIS LE CHEVAL.

Le Cheval

Nom chinois du Cheval: MA
Ordre hiérarchique: Septième
Heures gouvernées par le Cheval: 9h à 13h
Orientation de ce signe: plein Sud
Saison et mois principal: Été — juin
Correspondance avec les signes solaires: Gémeaux
Élément stable: Feu
Souche: Positive

Années lunaires du Cheval dans le calendrier occidental

Début	Fin	Élément
25 janvier 1906	12 février 1907	Feu
11 février 1918	31 janvier 1919	Terre
30 janvier 1930	16 février 1931	Métal
15 février 1942	4 février 1943	Eau
3 février 1954	23 janvier 1955	Bois
21 janvier 1966	8 février 1967	Feu
7 février 1978	27 janvier 1979	Terre
27 janvier 1990	14 février 1991	Métal

Si vous êtes né la veille du début de l'année lunaire du Cheval, par exemple le 24 janvier 1906, vous appartenez au signe animal qui vient avant celui du Cheval, c'est-à-dire au Serpent. Si vous êtes né le jour qui suit la fin de cette année lunaire donc le 13 février 1907, vous appartenez alors au signe suivant, soit au Mouton.

L'année du Cheval

Une année vivante et pleine de fougue pour tous. La vie sera trépidante et ponctuée d'aventures. Les gens se sentiront téméraires, romantiques et exempts de soucis. Une période tout à fait propice au progrès. Nous trouverons très agréable de suivre les traces du ravissant cheval.

Ce sera une période au cours de laquelle on se mettra d'accord rapidement et efficacement en vue de décisions et de projets. Le mot d'ordre sera l'action. Tout sera en mouvement et nous devrons faire attention au surmenage. Ce sera une année profitable mais harassante.

Emballant mais parfois frustrant, le rythme de cette année va taxer considérablement nos réserves d'énergie et nous communiquer un sentiment d'épuisement. Voici le moment tout indiqué pour oublier les contraintes et vous permettre certaines des fantaisies dont vous avez toujours rêvé. Soyez à l'écoute de vos sens, Le vent pourrait changer continuellement, mais une fois que vous avez perçu une odeur, suivez votre intuition.

Le calcul et les hésitations seront mis de côté. L'impulsivité et la confiance en soi du Cheval inspireront nos actions et nos émotions. L'industrie, la production et l'économie mondiale connaîtront une croissance. Du côté de la diplomatie et de la politique, on connaîtra des situations énervantes. Cependant, la bonne humeur triomphera en tout.

Tenons-nous bien, le vivant Cheval va accélérer nos pulsations et apporter de la tension et de l'excitation dans nos vies quotidiennes. Le rythme du Cheval est rapide, son caractère joyeux mais instable. Cependant, malgré tout, nous allons retenir son approche pratique concernant les questions monétaires. Un moment propice pour la réalisation d'initiatives personnelles. Cette année nous accorde pleine liberté de mouvement. Ne craignons pas de nous montrer braves, courageux et déconcertants.

La personnalité du Cheval

On dit qu'une personne née au cours de cette année est d'humeur gaie, vive d'esprit et charmante. Elle se caractérise davantage par sa sensualité que par sa beauté au sens conventionnel. Son côté naturel et chaleureux lui confère une grande attirance, elle est sensible et loquace. Sa nature changeante peut parfois la porter à se montrer colérique, irritable et entêtée. L'imprévisible Cheval va devenir amoureux et se désintéresser ensuite tout aussi facilement.

Dans la plupart des cas le Cheval va quitter assez tôt la maison de ses parents. Dans les autres cas, son esprit indépendant va le porter à commencer à travailler ou à débuter sa carrière alors qu'il est relativement jeune. Aventurier dans l'âme, il est remarquable par la souplesse de son esprit et son habileté à gérer l'argent. Autonome, vivace, énergique, impétueux et même brusque, le Cheval s'habille avec apparat, à un point tel que sa préférence pour les couleurs vives et les motifs voyants le rend un peu théâtral.

Le Cheval adore l'exercice, autant mental que physique. Vous pouvez le reconnaître à sa démarche rapide mais gracieuse, à ses réflexes animés et à son débit de parole rapide. Il réagit rapidement et peut prendre des décisions instantanées. Son esprit opère à une vitesse remarquable et son ouverture d'esprit ainsi que sa flexibilité lui permettent de regagner ce que lui coûtent son manque de stabilité et de persévérance. Fondamentalement, c'est un non-conformiste.

Les personnes nées sous ce signe sont souvent appelées les séducteurs et séductrices du cycle lunaire. Elles aiment la parade et sont toujours prêtes à l'action. Elles recherchent le plaisir et aiment complimenter et être complimentées. Elles sont aussi douées pour les affaires que pour l'amour. Rapide et agile, le Cheval évalue subtilement les situations et peut contrôler les personnes et les événements.

Côté négatif, la personne née sous le Cheval est impulsive et têtue. Elle a un tempérament explosif, bien qu'elle oublie rapidement ses déchaînements. Son entourage, cependant, ne les trouve pas amusants et ne s'en remet pas aussi vite. Il arrivera souvent que ce trait de comportement lui fasse perdre le respect qu'on lui porte et affaiblisse sa crédibilité. Le Cheval a tendance à bousculer les gens et à s'impatienter lorsqu'ils n'agissent pas avec autant de rapidité et d'efficacité que lui. Ses exigences sont grandes, mais il est prêt à faire de légères concessions, particulièrement lorsqu'il s'agit de sa précieuse liberté. Il peut se montrer enfantin et capricieux lorsqu'il s'agit de satisfaire ses impulsions et ses caprices. Il lui arrive souvent d'oublier, d'être distrait et de sauter trop vite aux conclusions.

La personne née sous le Cheval désire que l'on respecte sa façon de faire. Égocentrique de nature, elle aime que sa vie familiale et son environnement soient construits autour d'elle. Grâce à ses remarquables capacités de persuasion, elle va tenter continuellement de vous faire partager son point de vue. Le Cheval peut, avec une facilité incroyable, vous convaincre de n'importe quoi en déployant ses charmes. Il se présente avec l'assurance de quelqu'un d'irrésistible. Pour bien comprendre le Cheval, il faut savoir que cette personne croit fermement dans sa devise: "Vivre dans la liberté et la poursuite du bonheur"... surtout s'il s'agit de sa propre liberté et de son propre bonheur! Et si vous-même vous souscrivez à ce but, le Cheval ne vous bloquera pas la route. Il n'est ni possessif ni soupçonneux ni jaloux. Le Cheval ne devient agressif que lorsqu'il a échoué dans de nombreuses tentatives pour faire valoir son point de vue.

Son égoïsme s'étend rarement au côté monétaire ou matériel de l'existence. Il serait plus juste de dire qu'il est égoïste de son temps, de son affection, de sa préoccupation pour autrui ce qui explique sa réticence à modifier son comportement pour s'adapter au groupe. Ce n'est pas délibérément qu'il se singularise. Cependant, il ne peut tout simplement pas attendre que les autres mortels le rattrapent ou égalent sa rapidité mentale ou son activité physique débordante. De ce fait, bien qu'il puisse avoir des performances remarquables, il se montre un piètre professeur.

L'instabilité du Cheval prend sa source dans son humeur fluctuante. Il perçoit des nuances qui peuvent rester inaperçues de son entourage et il modifie sans cesse son jugement en conséquence. En d'autres mots, il base son comportement sur ses perceptions. Ne lui demandez pas d'expliquer ses intuitions et ses étranges déductions, il en serait incapable. Il a la faculté prodigieuse d'improviser pendant le déroulement de l'action. Il lui arrive fréquemment de mener plusieurs choses de front et d'obtenir dans chacune des résultats dépassant la moyenne. Une fois qu'il a pris une de ses décisions éclair, il n'a aucune hésitation concernant les actions à entreprendre. Lorsqu'on le rencontre il est, ou bien occupé à faire des milliers de choses, ou complètement épuisé. Plus que les autres signes, le Cheval a de la difficulté à se reposer et peut souffrir d'insomnie.

Le Cheval est incapable de respecter des horaires autres que les siens et n'a aucun respect pour les procédures dites normales. Lorsqu'il est possédé par une idée, il va travailler jour et nuit sans manger ni dormir. Puis, lorsque tout redeviendra calme dans son travail, il se permettra une journée de congé. Il a besoin d'un emploi stimulant pour démontrer sa compétence.

Il conçoit de grandes idées de promotion, met au point de nouvelles approches dynamiques et résout des problèmes complexes. Si vous avez un employé né sous le Cheval, donnez-lui des tâches variées et beaucoup de latitude, confiez-lui vos missions impossibles. Ses nombreux talents s'épanouissent lorsqu'on lui laisse de l'initiative. Mais il est important de le garder occupé. Si un travail est trop facile sa performance en souffrira.

Lorsque vous parlez à un Cheval, adoptez son style. Venez-en aux points importants, autrement vous risqueriez de perdre son attention. Que votre réponse soit positive ou négative, donnez-la sans détour. De son côté il est capable de réviser ses plans lorsqu'ils ne reçoivent pas votre approbation ou de trouver une porte de sortie. Le provoquer ne va que faire sortir son côté négatif. La franchise ne l'offensera pas et il appréciera que vous soyez brusque si cela signifie que vous ne voulez pas lui faire perdre son temps.

Il serait déloyal de demander à un Cheval de se restreindre inutilement, ou de contenir ses sentiments. Il a besoin de s'exprimer. S'il est forcé de retenir ses émotions, il pourra se révolter ouvertement ou se mettre à bouillir intérieurement s'il est du type silencieux. Les tergiversations et les procédures rigides lui paraissent mortellement ennuyeuses.

Le Cheval a une âme volage. S'il ne peut pas être avec la personne qu'il aime, alors pourquoi ne pas s'intéresser à celle avec laquelle il se trouve? De toute manière, ses béguins ne causeront pas grand tort; il ne s'intéresse pas aux engagements sérieux et à long terme. Le Cheval reconnaît toujours le côté avantageux d'une situation. Il ne se fera pas prendre dans un contrat où tous les avantages sont à sens unique à moins, bien sûr, qu'ils n'aillent dans sa direction. Il a une multitude d'amis et s'en fait de nouveaux chaque jour. Cependant il prend la précaution de ne pas trop dépendre d'aucun d'entre eux.

Le Cheval peut surgir dans votre existence monotone, un peu comme un rayon de soleil et en disparaître sans bruit dès que vous détournerez les yeux. Puis, quand vous aurez finalement renoncé à le revoir, il réapparaîtra de nouveau et reprendra la conversation au point où il l'avait laissée.

Prompte à s'enflammer et à foncer à pleine vapeur, la personne née sous le Cheval perd tout aussi rapidement intérêt. Elle n'est pas non plus capable de se confronter très longtemps à un obstacle. Il n'y a aucun danger qu'elle enfonce votre porte comme le ferait un Dragon. Elle va laisser sa carte de visite et vous rappellera lorsqu'elle aura des raisons de croire que vous serez plus réceptif. Lorsque souffle le vent du changement, le Cheval revise toujours sa tactique.

Bien qu'il n'ait pas la capacité de soutenir des efforts prolongés, vous ne savez jamais si un Cheval ne va pas demander de reprendre des négociations sur un projet longtemps mis de côté. Son esprit fonctionne à la façon d'un puzzle et lorsqu'il trouve une pièce qui s'imbrique dans les autres, il l'utilise.

Comme son meilleur ami, le Tigre, le Cheval va connaître une jeunesse très mouvementée. Cependant, lui rappeler ses bévues sera complètement inutile. S'il est une chose qui lui répugne, c'est bien de revenir sur ses erreurs. Il consentira à faire sincèrement amende honorable, puis classera le malheureux événement au chapitre de l'expérience. Après tout, on ne pas toujours avoir raison! Quant à la prochaine fois, il promettra de se montrer plus prudent.

La femme Cheval est pleine de ressources. Elle est mignonne et frondeuse; vive et jolie, subtile et intelligente. Elle parle sans arrêt et a le potentiel d'une championne de tennis ou de conduite automobile.

Elle peut simultanément se donner une manucure, écrire une lettre, regarder la télévision, répondre au téléphone et avoir soin des enfants. Ses idées concernant la relaxation sont pour le moins déconcertantes. Elle consacre au jeu une énergie qui semblerait une rude épreuve pour la plupart d'entre nous. Si on parle devant elle d'escalader le mont Everest, elle demandera deux minutes pour faire ses bagages et se joindra à l'expédition.

La femme Cheval ne laisse rien traîner. Si elle le pouvait, elle serait à dix endroits en même temps. Elle donne parfois l'impression qu'elle est en compétition avec elle-même. Personne d'autre ne travaille à une vitesse comparable à la sienne.

La jeune fille Cheval peut sembler aussi douce qu'un duvet et possède une fraîcheur qui suggère la lavande. Cependant, elle cache un esprit extrêmement aiguisé qui va de pair avec son agilité corporelle. Elle peut se montrer d'une grande gentillesse ou avoir la fierté d'une jument sauvage, mais elle ne manque jamais de jugement. Elle se fait des amis facilement et prend sa vie romantique à la légère. Son logis est un endroit pratique, accessible et bien situé où elle peut refaire ses forces et examiner sa situation. La permanence n'est pas dans ses aspirations et vous ne la retrouverez jamais bien longtemps au même endroit.

Elle aime la fraîcheur, la verdure ainsi que les paysages et les sons que l'on découvre dans la nature. Elle se revivifie de mille façons. Le bruit de l'océan, le bruissement des feuilles, la magie des arbres, la majesté des montagnes, tout cela lui communique le goût de l'aventure. Lorsqu'elle prend son envol, ce n'est pas par infidélité ou manque de responsabilité. Il est tout simplement dans sa nature de réagir à ces stimuli. Si vous l'aimez et que vous voulez la garder, ne l'attachez pas.

Les Chevaux des deux sexes accumulent des richesses mais jamais la sécurité. Ils ne se soucient guère de cette dernière et ne souffrent pas de son absence. Ils ont tendance à exagérer, à embellir la vérité, à faire usage de pieux mensonges, ce qu'ils ne considèrent pas comme des défauts mais comme des sous-produits de leur imagination créatrice. Ils ne craignent pas de prendre les devants et vont pour ainsi dire s'épuiser à courir, avant de s'arrêter pour écouter un conseil.

Les Orientaux croient que, malgré les passions débridées que l'on attribue au Cheval, celles-ci seront plusieurs fois amplifiées chez les personnes nées au cours de l'année du Cheval de Feu, laquelle revient à tous les 60 ans. La dernière année du Cheval de Feu a été 1966 et la prochaine ne reviendra pas avant 2026. Dans les temps anciens, alors que les femmes libérées et volontaires étaient considérées comme des trouble-fête difficiles à marier, les familles percevaient comme une malchance la naissance d'une fille au cours de cette année.

La légende veut que le Cheval de Feu brûle tout sur son passage et sème le désordre partout où il va. On dit même que plusieurs femmes Cheval de Feu ont ruiné la vie de leurs époux simplement du fait de leur nature passionnée.

L'homme Cheval de Feu n'inspire pas autant de crainte; on le considère parfois comme chanceux, car il sait se distinguer et s'attribuer les mérites de ses réalisations, bonnes et mauvaises. Naturellement, au même titre que le Dragon et le Tigre, on identifie le Cheval à un signe fortement masculin.

Cependant, la célébrité et la fortune du Cheval de Feu, de même que des Chevaux des autres éléments, bénéficient rarement à leur famille immédiate car ils la quittent généralement très tôt. Leonid Brejnev, le Roi Faïçal d'Arabie saoudite et Otto Preminger (tous nés en 1906) ne sont que quelques exemples de Chevaux de Feu modernes. Aristote Onassis a déclaré être né en 1905, cependant certains biographes croient qu'il est né en 1906 et qu'il se serait vieilli d'un an lorsqu'il a quitté le foyer paternel à la recherche de son premier emploi. Ayant étudié sa biographie et son style de vie phénoménal, je serais prête à parier qu'il était un Cheval de Feu et non pas un Serpent.

On dit du vif et aimable Cheval qu'il est très vulnérable aux périls de l'amour. Il peut facilement perdre tout ce qu'il possède, s'il éprouve un coup de foudre. Il en résulte de nombreuses aventures qui peuvent amener des fins malheureuses, ou même plusieurs mariages et divorces.

Un Cheval né au cours de l'été connaîtra une meilleure existence que celui né en hiver. La meilleure période de sa vie sera l'âge mûr lorsqu'il aura suffisamment de maturité pour accepter de bonne grâce la contrainte des responsabilités.

Les meilleurs partenaires du Cheval seront le Tigre, le Chien et le Mouton. À un degré moindre, il pourra s'associer avec le Dragon, le Serpent, le Singe, le Lièvre, le Sanglier, le Coq ou un autre Cheval.

Le Cheval ne se sent pas d'affinités avec le Rat qui éprouve des sentiments identiques. Il pourrait aussi venir en conflit direct s'il est confronté aux manières rigides des personnes nées sous le Boeuf. Le Boeuf va exiger de la stabilité et le Cheval ne pourra pas et ne voudra pas lui en offrir.

Le Cheval enfant

Un enfant né au cours de l'année du Cheval se montre animé, turbulent et ingénieux. Il aime passionnément la vie et est optimiste. Il aime travailler rapidement et apprendre de nouvelles choses, ce qu'il fait avec facilité (plusieurs enfants Cheval naissent également gauchers). Cet enfant est porté à la désobéissance et à l'entêtement lorsqu'on lui impose des contraintes, mais il n'est pas bruyant ou pleurnichard. Cette petite personne bondissante aime jouer à l'extérieur et on devrait lui permettre beaucoup d'exercice et d'indépendance, car autrement elle pourrait se les permettre sans demander la permission.

Même s'il parcourt le voisinage et se livre à toutes sortes de jeux robustes, le jeune Cheval retourne toujours à la maison lorsqu'arrive l'heure du repas. Il est possédé par son esprit inquiet et curieux et a besoin d'être continuellement occupé.

Il parle et marche très tôt et souffre si ses parents le restreignent trop. Il est affectueux et démonstratif mais n'aime pas beaucoup être cajolé. Imposez-lui des limites, des règlements et un horaire sévère et vous le verrez déguerpir. Casse-cou que la chance accompagne, il agit sur l'impulsion du moment.

On ferait bien de discipliner le Cheval pendant qu'il est enfant, ce qui lui permettrait d'apprendre à contrôler son tempérament volage et impulsif. Étant égocentrique, le Cheval, réaliste, va s'incliner et s'adapter une fois qu'il aura compris qu'il ne peut pas s'en sortir autrement.

151

Il ne fait pas de doute que ce petit aventurier va se retrouver dans de nombreux pétrins, mais on n'aura pas besoin de l'en sortir. Il est tout à fait capable de se mettre lui-même hors de danger. Bien qu'il ne cherche pas délibérement les problèmes, on ne lui fait pas peur facilement et il aime à mener ses propres batailles.

En résumé, la personnalité colorée et vivante du Cheval égaiera n'importe quel foyer.

Les cinq types de Cheval

Le Cheval de Métal — 1870, 1930, 1990

Un type de Cheval populaire mais nomade et indomptable. Démonstratif, impétueux et courageux, il a une personnalité des plus engageantes. Il est très affectueux et très attirant pour le sexe opposé. Doué d'un cerveau proléfique et d'une grande intuition, il peut être extrêmement productif lorsqu'il est bien disposé. Il est difficile de ne pas perdre sa trace car il est partout à la fois.

Grâce à son extraordinaire pouvoir de récupération, le Cheval de Métal suspend rarement son activité. Il recherche constamment de nouvelles sensations et grimpe à des hauteurs étourdissantes.

Le Métal rendra le Cheval plus entêté et plus égocentrique que les autres types de Cheval. Il pourra s'avérer doté d'une énergie proverbiale, débordant d'idées brillantes, mais ce ne sera pas un administrateur cohérent. Si son travail ne lui donne pas suffisamment de satisfaction et de plaisir, ou ne lui procure pas une stimulation intéressante, il va devenir indécis et irresponsable. Il ne réussit pas à vivre avec un régime fait de routine quotidienne. Il ne peut pas non plus fonctionner si on le surveille de trop près.

Il a toujours soif de nouvelles expériences et de nouveaux défis. Lorsqu'il est d'humeur négative, il sent un besoin irrationnel de liberté et est incapable de prendre des engagements personnels véritables de crainte d'avoir à restreindre sa liberté ou d'y consacrer trop de son temps.

Le Cheval d'Eau — 1882, 1942, 2002

Un Cheval vif et pimpant doué d'un excellent sens des affaires, mais excessivement préoccupé par son bien-être, son statut social et son confort. Il est très ouvert au changement et peut procéder sans sourciller à des ajustements complexes.

De type nomade, ce Cheval sera plus agité que les autres. Éternel voyageur et sportif enthousiaste, il ne tient jamais en place.

Il a aussi l'habitude de changer d'avis fréquemment et peut adopter une tactique complètement différente sans se soucier de fournir des explications. Des poussées intuitives soudaines et sporadiques guident son esprit et son action. Il possède un délicieux sens de l'humour et peut se montrer très amusant lorsqu'il le veut bien. Il s'habille bien tout en aimant les accessoires colorés et peut aborder n'importe quel sujet avec n'importe qui. Lorsqu'il est négatif, il est prétentieux et incohérent et peut faire montre d'un manque déplorable de considération pour les autres. Le Cheval d'Eau doit s'efforcer d'acquérir un sens du dévouement et de planification à long terme.

Le Cheval de Bois — 1894, 1954, 2014

Amical, coopératif et moins impatient, celui-ci est le plus raisonnable de tous les types de Chevaux. Cependant il résiste lui aussi à la domination. L'élément Bois l'aide à mieux discipliner son esprit et il est capable d'une pensée claire et systématique. Le Cheval de Bois aura un caractère joyeux et se montrera actif sur le plan social. Amusant et ayant une conversation agréable, son égoïsme est tempéré et il ne recherche pas continuellement la vedette.

Cependant, comme c'est un progressiste à l'esprit moderne et qu'il n'est pas sentimental, il va rejeter les idées anciennes et accueillir les nouvelles. Les changements et les nouvelles inventions captivent son imagination et il ne craint pas de cheminer hors des sentiers battus. Il va être attiré par l'exploration de nouveaux domaines mais va s'efforcer de remplir en premier lieu ses responsabilités. Fort, intrépide, optimiste, le Cheval de Bois est entreprenant à l'extrême et il ferait bien de s'efforcer d'acquérir davantage de prudence et de discernement.

Le Cheval de Feu — 1906, 1966, 2026

Un Cheval flamboyant et nomade doté d'une superbe intelligence et d'un grand magnétisme personnel. Il tente d'apporter les changements qu'il recherche par la force et la volonté.

C'est un double signe de Feu (le Feu étant également l'élément stable du Cheval) qui produit des personnes très émotives et passionnées.

Le Cheval de Feu est facilement distrait et trop instable pour pouvoir accomplir des tâches répétitives. Il a du flair, de l'esprit et du charme, mais il est animé par un flot continu d'idées brillantes qui le rendent inconstant à l'excès. Sa personnalité présente plusieurs aspects diversifiés et il a besoin de beaucoup de stimuli et de variété dans la vie. Il sera heureux s'il réussit à mener une double ou une triple vie, ou encore à pratiquer simultanément plus d'une profession.

Il aime à voyager, anticipe l'action et le changement et travaille plus efficacement lorsqu'il a la responsabilité des opérations. Il accepte rarement d'être surveillé, même par ses supérieurs.

Le Cheval de Feu recherche les sensations fortes. Il peut évaluer rapidement toutes sortes de personnes et de situations et passer à l'action à une minute d'avis. Il a l'habileté de résoudre les situations complexes mais il a de la difficulté à supprimer sa tendance à se montrer déraisonnable.

Ce type de Cheval possède des dons d'ingéniosité et une grande énergie, mais il manque de persévérance.

Le Cheval de Terre — 1918, 1978, 2038

Un Cheval joyeux et sympathique, mieux défini et plus lent. Il est capable d'être logique mais il a moins de volonté. Il aime à peser tous les aspects d'une question avant d'agir.

La Terre étant son élément, il est moins abrupt. Il peut réussir à se stabiliser et même à démontrer une certaine patience lorsque c'est nécessaire. Il offre moins de résistance à l'autorité. Néanmoins il conserve toujours une grande vivacité et il a l'habileté de déceler les investissements rentables. Il peut remettre d'aplomb les entreprises défaillantes et redonner de la vigueur aux industries chancelantes.

Bien qu'il soit du type à sonder le terrain avant de sauter, il n'en est pas moins très pointilleux et il ne prend pas une décision facilement. Il pourra refuser de s'impliquer sur un point, puis accepter plus de tâches qu'il ne peut en accomplir.

Le Cheval et ses ascendants

Naissance au cours des heures du Rat — 23h à 1h

Un Cheval amateur de réjouissances et sociable à cause de l'influence du Rat. Ces deux signes savent comment acquérir et administrer l'argent.

Naissance au cours des heures du Boeuf — 1h à 3h

Un Cheval sérieux et même stable lorsque le Boeuf réussit à apaiser sa turbulence. Peut s'en tenir à une chose à la fois et ne devient pas follement amoureux si facilement.

Naissance au cours des heures du Tigre — 3h à 5h

Une bonne combinaison de talents et d'audace. Le Tigre possède l'audace, le Cheval, le don d'éviter les problèmes. Il faut cependant que le Tigre oublie sa méfiance et accepte les intuitions du Cheval.

Naissance au cours des heures du Lièvre — 5h à 7h

Un Cheval dont les actions présentent un soupçon de modération. Son goût pour la richesse et parfois la vulgarité sera atténué par le raffinement du Lièvre.

Naissance au cours des heures du Dragon — 7h à 9h

Un coursier qui cesse de courir quand il n'arrive pas le premier. Trop fougueux pour être confié à des mains inexpérimentées. Il a aussi tendance à avoir des réactions excessives.

Naissance au cours des heures du Serpent — 9h à 11h

Il est à espérer que le Serpent pourra communiquer une partie de sa sagesse à ce Cheval. S'il y réussit, le Cheval aura des mouvements un peu plus lents mais il aura de meilleures chances de succès grâce à son guide.

Naissance au cours des heures du Cheval — 11h à 13h

Un pur-sang qui connaît vraiment son affaire. Il possède une nature turbulente et nerveuse, mais ses mouvements ont une grâce irrésistible. Cependant il est également vaniteux et capricieux au point d'en devenir insupportable.

Naissance au cours des heures du Mouton — 13h à 15h

Un Cheval moins turbulent et qui possède certains aspects du caractère harmonieux et compatissant du Mouton. Également séducteur et sociable.

Naissance au cours des heures du Singe — 15h à 17h

Une puissante association d'agilité et d'intelligence. Les deux signes sont égoïstes et vifs. Ce Cheval pensera toujours à lui-même. Un beau parleur qu'il sera difficile de mettre en boîte.

Naissance au cours des heures du Coq — 17h à 19h

Un Cheval compétent, sensible et de caractère joyeux. Grâce à l'attitude intrépide du Coq, il n'aura jamais besoin de s'inquiéter.

Naissance au cours des heures du Chien — 19h à 21h

Un Cheval fidèle et honnête. Le deux signes sont pratiques, souples et mentalement vigoureux. Ces qualités pourraient le rendre condescendant, impatient et facilement agité.

Naissance au cours des heures du Sanglier — 21h à 23h

Un Cheval plus stable et coopératif qui possède une partie de la sincérité du Sanglier. Il a un caractère moins changeant et il lui arrive parfois de se montrer trop complaisant.

Comment le Cheval traverse les différentes années

Année du Rat

Une année difficile pour le Cheval, des problèmes et une vie sentimentale malheureuse. Il doit éviter les confrontations, particulièrement sur le plan légal. Des problèmes financiers dans la famille. Une période au cours de laquelle le Cheval devra se montrer prudent et persévérant. Il ne devrait pas prêter ou emprunter de l'argent.

Année du Boeuf

Le Cheval a la vie plus facile au cours de l'année du Boeuf. Il lui faut encore travailler fort pour atteindre ses buts, mais il a la capacité de contrôler sa propre situation. Quelques fâcheux incidents et des gains financiers sont à prévoir. Ses problèmes semblent venir de ses enfants ou de ses subalternes.

Année du Tigre

Une année modérément heureuse pour le Cheval. Aucun problème de santé mais il doit s'attendre à des obligations sociales et à des dépenses imprévues. Des progrès dans ses études ou relatifs à l'aspect technique de sa profession sont à prévoir. Des querelles ou la rupture d'une amitié pourront résulter des colères qu'il pourrait faire cette année.

Année du Lièvre

Une année de chance pour le Cheval, plus particulièrement du côté de ses investissements. Il a la vie relativement facile et est très occupé. Il pourrait recevoir de bonnes nouvelles et voir l'apparition de nouveaux membres dans sa famille. Une année bénie au cours de laquelle il peut s'aventurer n'importe où et aborder de nouveaux problèmes.

Année du Dragon

Une année mitigée. Plusieurs problèmes dont les solutions tardent à venir mettent la patience du Cheval à l'épreuve et lui donnent des préoccupations qui minent sa santé. Il ne devrait pas être trop pessimiste. La tempête s'apaisera d'elle-même et les dommages seront moins importants que prévus. Une période où il convient de considérer le bon côté des choses, de cultiver l'amitié et de se réconcilier avec ses ennemis.

Année du Serpent

Une année active et complexe qui exige beaucoup du Cheval à la fois en temps et en énergie. Des partenaires ou des amis lui créent des difficultés; des délais sont occasionnés par des obstacles qui n'avaient pas été prévus. Il est assuré du soutien de sa famille mais ne pourra pas accomplir grand chose en dépit de tous ses efforts.

Année du Cheval

Une année bonne et fructueuse pour le Cheval. Une certaine notoriété ou une promotion lui apporte joie et satisfaction. Ses projets se réalisent sans trop d'efforts. Il ferait bien de suivre ses intuitions. Une année au cours de laquelle le Cheval sera sensible aux maladies contagieuses. Il devra donc éviter de visiter des malades ou de s'exposer inutilement. Il ne devra pas rompre avec ses amis ou ses associés au cours de cette année.

Année du Mouton

Une année moyenne pour le Cheval. Un changement de résidence ou un long voyage est à prévoir. C'est une année équilibrée au cours de laquelle les événements heureux et malheureux s'équivalent et qui s'écoule somme toute sans problèmes sérieux.

Année du Singe

Une année de chance pour le Cheval car elle laisse entrevoir des gains soudains et des bénéfices imprévisibles. Il réussira à obtenir tout ce qu'il recherche mais il devra aussi se méfier d'accidents stupides qui pourraient survenir. Il pourrait y avoir de mauvaises nouvelles venant de sa famille mais il ne sera pas directement concerné.

Année du Coq

Une année convenable. Tout est calme à la maison mais sa carrière est légèrement perturbée. Les problèmes que le Cheval rencontre ne sont pas très importants mais ils pourraient ralentir ses progrès et il sera porté à s'inquiéter trop facilement.

Année du Chien

Une bonne année pour l'étudiant qui est né sous le Cheval. Il pourra passer ses examens avec distinction ou obtenir l'emploi qu'il recherche. Il se fera remarquer par des personnages importants. Une poursuite légale venant d'un parent ou le départ d'un être aimé sont à craindre. Aucun problème de santé ni d'échec financier ne sont à prévoir.

Année du Sanglier

Une année moins que favorable car certaines réussites du Cheval sont annulées par des interférences extérieures et la maladie retarde ses plans et ses progrès. Ses investissements et ses projets rencontrent des écueils et il doit faire face à de nombreuses complications. Ses difficultés devraient commencer à s'atténuer au début de l'hiver.

Tableau de compatibilité du Cheval

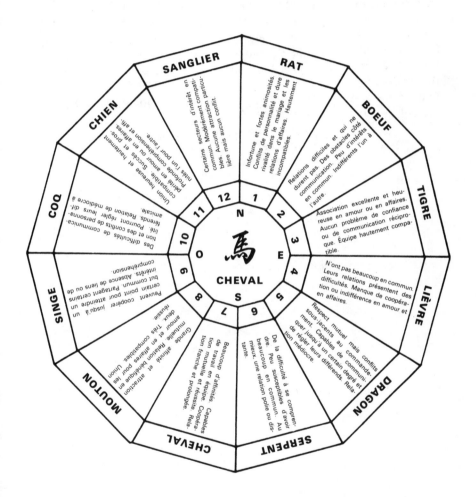

SANGLIER — Certains secteurs d'intérêt en commun. Modérément attraction particulières. Aucune attraction conflit. liée mais aucun conflit.

RAT — Infortune et fortes animosités. Conflits de personnalité, rivalité dans le mariage et les relations d'affaires. Hautement incompatibles.

BOEUF — Relations difficiles et qui ne durent pas. Des obstacles côté communication. Peu d'intérêts en commun. Indifférents l'un à l'autre.

TIGRE — Association excellente et heureuse en amour ou en affaires. Aucun problème de confiance ou de communication réciproque. Équipe hautement compatible.

LIÈVRE — N'ont pas beaucoup en commun. Leurs relations présentent des difficultés. Manque de coopération ou indifférence en amour et en affaires.

DRAGON — Respect mutuel mais conflits sous-jacents. Capables de commander. Peu susceptibles d'avoir quer jusqu'à un certain degré et beaucoup en commun. Au de régler leurs différends. Relation médiocre.

SERPENT — De la difficulté à se comprendre. Peu susceptibles d'avoir beaucoup en commun. Au mieux, une relation polie ou distante.

CHEVAL — Beaucoup d'affinités de travail en équipe. Capables de tion mutuelle et réussite. Coopération franche et prolongée.

MOUTON — Grande affinité et attraction amour et en affaires pour les deux. Très compatibles. Union mutuelle et bénéfique en réussie.

SINGE — Peuvent coopérer jusqu'à un certain point pour atteindre un but commun. Partagent certains intérêts. Absence de liens ou de compréhension.

COQ — Des difficultés de communication et des conflits de personnalité. Pourront régler leurs différends. Relation de médiocre à amicale.

CHIEN — Union heureuse et hautement compatible. Succès en amour ou en affaires. Pro-petite en amour ou un prolongée compréhension et affinités l'un pour l'autre.

(Au centre : 馬 CHEVAL — repères N, E, S, O et numéros 1 à 12)

Personnalités célèbres nées au cours de l'année du Cheval

Métal
Neil Armstrong
Lord Snowdon

Eau
F.D. Roosevelt
Ulysses S. Grant
Barbra Streisand
Paul McCartney
Raquel Welsh

Feu
Rembrandt
Leonid Brejnev
Roberto Rossellini
Le Roi Faïçal
Otto Preminger
Agnes Moorehead

Bois
Le Duc de Windsor
Nikita Khrouchtchev
Chris Evert
Patricia Hearst

Terre
Theodore Roosevelt
Kurt Waldheim
Pearl Bailey
Alexandre Soljenitsyne
Helmut Schmidt
Leonard Bernstein
Billy Graham
Anouar el Sadate

Chapitre 8

Le Mouton

Je suis l'enfant choyé de la nature
Ma foi est récompensée par la confiance.
La chance me sourit sans cesse
Et tout fleurit
Grâce à ma gentillesse,
Tous mes gestes sont une recherche de la beauté.
Paisible est mon visage
Et gracieuse mon approche.

JE SUIS LE MOUTON.

Le Mouton

Nom chinois du Mouton: YÁNG
Ordre hiérarchique: Huitième
Heures gouvernées par le Mouton: 13h à 15h
Orientation de ce signe: Sud-Sud-Ouest
Saison et mois principal: Été — juillet
Correspondance avec les signes solaires: Cancer
Élément stable: Feu
Souche: Négative

Années lunaires du Mouton dans le calendrier occidental

Début	Fin	Élément
13 février 1907	1er février 1908	Feu
1er février 1919	19 février 1920	Terre
17 février 1931	5 février 1932	Métal
5 février 1943	24 janvier 1944	Eau
24 janvier 1955	11 février 1956	Bois
9 février 1967	29 janvier 1968	Feu
28 janvier 1979	15 février 1980	Terre
15 février 1991	3 février 1992	Métal

Si vous êtes né la veille du début de l'année lunaire du Mouton, par exemple le 12 février 1907, vous appartenez au signe animal qui vient avant celui du Mouton, c'est-à-dire au Cheval. Si vous êtes né le jour qui suit la fin de cette année lunaire, donc le 2 février 1908, vous appartenez alors au signe suivant, soit au Singe.

162

L'année du Mouton

Une année pleine de douceur qui vient à la suite de celle gouvernée par l'énergique Cheval. Une année de repos où il sera bon de faire la paix avec soi-même ainsi qu'avec les autres. Les choses progressent lentement et nous accordons davantage d'importance aux sentiments et aux émotions. L'influence du Mouton va nous rapprocher de nos foyers et de nos familles. Nous nous montrons davantage soucieux du bien-être de nos proches et plus prodigues de notre temps et de notre argent.

Protecteur des arts, le Mouton fait ressortir toute notre créativité naturelle. Nous sommes productifs et imaginatifs au sein de diverses entreprises artistiques et esthétiques. Les vibrations pessimistes qu'émet le Mouton nous rendent hypersensibles et irritables face à nos petits problèmes. Nous nous décourageons plus facilement si nos entreprises ne marchent pas à notre goût.

Sur la scène mondiale, c'est une année tranquille et sans éclat. Accordez-vous le temps de suivre vos impulsions. Rencontrez de nouveaux amis et voyagez; investissez dans l'art et dans les antiquités. Faites cependant attention à bien contrôler vos dépenses si vous voulez éviter les répercussions d'une trop grande prodigalité.

Souhaitons que l'amour du Mouton pour l'harmonie et son sens aigu de la coexistence pacifique avec ses ennemis nous exempte cette année de plusieurs bouleversements. Les modérés et les doux se font entendre et on suit leurs conseils. Les guerres, les conflits internationaux et les animosités entre individus se règlent habituellement au cours de l'année du Mouton.

La sérénité des agissements du Mouton va un peu ralentir les signes plus actifs, mais après tout, ce n'est pas une année caractérisée par un bourdonnement d'activités, mais par l'introspection.

La personnalité du Mouton

Ce signe est le plus féminin de tout le zodiaque chinois. On dit également qu'une personne née sous le Mouton est le bon samaritain du cycle lunaire. Elle est vertueuse, sincère et facilement compatissante. Elle a en général des manières douces et même timides. À son meilleur, le Mouton a une personnalité artistique, élégante, et manifeste beaucoup de créativité dans son travail. Dans les pires cas, il se laisse trop facilement submerger par ses émotions et se montre pessimiste et circonspect.

Le Mouton est renommé pour sa gentillesse et sa compassion. Il pardonne facilement et se montre compréhensif pour les fautes d'autrui. Il déteste les horaires fixes et ne peut pas accepter trop de discipline ou de critiques. Attiré par les enfants et les animaux, il est près de la nature et généralement casanier. Le Mouton est capable d'adulation pour l'objet de son affection, allant parfois même jusqu'à l'excès. Il est la proie d'humeurs changeantes et trouve impossible de travailler sous pression. Il a également de la difficulté à être objectif.

L'apparence soumise du Mouton est en contradiction avec sa détermination intérieure. Lorsqu'il est menacé, il peut réagir fermement et avec passion même s'il déteste se battre. Dans une querelle, il va se renfrogner plutôt que de dire directement ce qui le tracasse. Son profond silence et sa bouderie ont probablement plus d'effet que des agressions verbales et il obtient finalement ce qu'il désire. Enfant, il est souvent gâté par l'un ou l'autre de ses parents, si ce n'est par les deux.

Les Chinois croient que la fortune sourit au Mouton à cause de la pureté de sa nature et de son bon coeur. Il est généreux de son temps et de son argent. Lorsque vous n'avez nulle part où aller et que vous êtes sans le sou, vous pouvez être assuré que le Mouton ne vous fermera pas sa porte. Les trois plus importantes nécessités de la vie, c'est-à-dire la nourriture, le logement et le vêtement ne lui feront jamais défaut. Partout où il va, il est assuré de pouvoir rencontrer des gens qui peuvent et vont l'aider. Une personne de ce signe se soucie de faire un bon mariage et elle est aimée non seulement de son conjoint, mais également de sa belle-famille.

On dit d'une personne née au cours de l'hiver de l'année du Mouton qu'elle connaîtra une vie difficile, car l'herbe est rare en cette saison et se nourrir demande des efforts considérables. Cependant, même dans les circonstances les plus difficiles, le Mouton dispose toujours des trois nécessités de base et les gens prennent toujours bien soin de lui. Son signe est le huitième du zodiaque chinois et, pour les Chinois, le chiffre huit symbolise la prospérité et le confort.

Il a une chance inouïe. Il arrive souvent que les gens lui laissent de l'argent en héritage et même les plus pauvres parmi les Moutons pourront hériter d'objets de valeur de leurs parents ou amis. Des admirateurs lui offrent des cadeaux dispendieux et il s'attire des protecteurs riches et puissants. Des personnalités célèbres l'adoptent et en font leur protégé. Quoi qu'il arrive, on lui facilite toujours les choses. Tous ses problèmes sont atténués par ceux qui veillent sur ses intérêts.

Il est également vrai que le Mouton peut se faire doucereux lorsqu'il veut entrer dans les bonnes grâces de quelqu'un. Il en résulte que, comme le Lièvre, il obtient ce qu'il veut sans force ni violence. Il va faire preuve d'une grande endurance passive et va vous épuiser à force de prières et de supplications. Il ne montrera pas son courage jusqu'au moment où vous tenterez de le briser. C'est alors que vous découvrirez qu'il n'est pas que chaleur et douceur. Fondamentalement attaché à sa survie, le Mouton va savoir comment apaiser ou éviter ses ennemis. S'il n'y réussit pas, il reviendra chez lui en pleurant et demandera à son grand frère de le défendre.

L'approche indirecte du Mouton peut s'avérer extrêmement irritante pour les personnes nées sous les signes lunaires plus directs. Il est vrai que ses tactiques insidieuses ont quelque chose d'ennuyeux mais c'est sa façon d'être. Les types les plus primaires de Moutons adoptent parfois un comportement si théâtral que vous ne pouvez faire autrement que de vous mettre en colère. Ne comptez pas sur lui pour vous aborder directement et vous raconter ses soucis. Il n'a aucun plaisir à être aussi brutal et direct. Vous devez être disposé à lui tirer les mots un par un. Motivez-le par des récompenses. Promettez que vous ne vous fâcherez pas. Tentez de le faire rire. Accordez-lui beaucoup de latitude et ne ménagez pas vos signes d'approbation. Comme il n'a pas conscience du temps, vous devrez probablement modifier votre horaire. En dernier ressort, si tout a échoué, allez-y carrément, frappez sur la table (ce qui l'impressionnera), arpentez la pièce comme si vous étiez en colère, mais sans cesser de lui manifester votre affection et l'intérêt que vous portez à son bien-être. Il laissera finalement voir les blessures secrètes qu'il tentait de guérir depuis des semaines et vous serez alors en mesure de clarifier ensemble la situation.

Il est avantageux pour le bienveillant Mouton d'avoir des partenaires plus résolus et volontaires que lui. Ceux-ci l'aideront à la fois à se discipliner et à mettre ses talents en valeur. S'il dirige une entreprise, il lui sera essentiel de pouvoir compter sur un gérant ou un secrétaire d'une grande fermeté qui pourront refuser à sa place toutes les demandes déraisonnables qu'il s'attire grâce à sa bonne nature. Bref, il a besoin de personnes qui peuvent le protéger du harcèlement en éloignant de lui les parasites.

Le Mouton ne coupe vraiment jamais le cordon ombilical. Il revient toujours à sa mère et à ses "petits plats". Il n'oublie jamais les anniversaires et les occasions spéciales. Il célèbre chaque fois avec éclat (particulièrement lorsque ce n'est pas lui qui paie). Il est également très susceptible lorsqu'il est question de ses propres anniversaires. Vous feriez bien de ne pas oublier de souligner son anniversaire de naissance, de le visiter ou de lui envoyer une carte de prompt rétablissement s'il lui arrive de passer une semaine à l'hôpital. Un tel oubli pourrait le chagriner à un point tel qu'il s'imaginerait devoir en porter les cicatrices pour le reste de sa vie.

Le Mouton est fondamentalement un inquiet. Il a tendance à être pessimiste au sujet de tout et à prédire le pire. Bien entendu, il s'attend à ce que vous démentiez vigoureusement ses sombres pressentiments et il fera en sorte d'être toujours encouragé par son entourage. Il ne trouve pas utile de pleurer seul et préfère avoir une audience. Ses infortunes le touchent profondément et il ne s'en remet pas facilement. Il ne permet pas non plus qu'on les oublie; il va donc revenir continuellement sur ses malchances. Un autre de ses handicaps consiste à avoir de la difficulté à se refuser quoi que ce soit. Il dépense toujours trop et devrait éviter de gérer ses propres finances. Dans les situations extrêmes, le Mouton dépense avec une prodigalité telle qu'on le croirait mandaté par le Conseil du Trésor.

La jeune femme née sous le Mouton est attirée par les belles choses et recherche tous les raffinements que la mode a à offrir. Elle est extrêmement coquette et peut consacrer des heures à sa toilette. Elle est rarement ponctuelle et se comporte comme si elle était faite de porcelaine. Elle a la démarche d'une princesse et la fleur qu'elle place sur son bureau chaque matin montre à quel point elle apprécie sa féminité. La femme Mouton est d'une propreté extrême; elle se préoccupe surtout de son hygiène personnelle même si sa maison est en désordre et qu'elle ne s'y retrouve plus. Dans les cas extrêmes, elle se souciera des normes sanitaires. Ses enfants sont d'une propreté excessive et toujours bien habillés. Elle choisit ses vêtements avec un goût impeccable et elle apprécie beaucoup les accessoires ingénieux.

Elle est douée pour les costumes, l'étalage et les décors de théâtre. Bien qu'elle semble désorganisée et dispersée, à la dernière minute tout est en place et elle confond ses critiques.

La jeune femme Mouton montre ouvertement son favoritisme et passe son temps avec ceux qu'elle appelle ses confidents, ses préférés. Si vous n'êtes pas dans ses grâces, ne vous en plaignez pas. Elle ne fera que vous ignorer sans tenter de vous transformer ou de vous poursuivre avec un gourdin comme la femme Dragon ou Boeuf. Elle utilise la voie de la persuasion. Elle peut vous forcer la main, mais elle y joint des attentions délicates. Dans ses relations amoureuses, elle trouve un énorme plaisir dans le flirt et les cajoleries. Son "oui" peut toujours signifier "non" et son "non", "peut-être". Si vous avez une âme de chevalier et que vous désirez conquérir cette gente dame, vous pouvez toujours tenter votre chance.

Qu'elles soient enfants ou vieillards, les personnes nées sous le Mouton restent d'incorrigibles romantiques. La musique légère, le clair de lune et les dîners intimes à la chandelle ont pour elles un caractère magique.

Une personne née sous ce signe possède le talent exceptionnel de pouvoir transformer sa faiblesse en puissance. Elle sait comment obtenir ce qu'elle veut au moyen d'insinuations et de suggestions discrètes. Elle est passée maîtresse dans la technique de vente en douceur et vous feriez bien de ne pas la sous-estimer car elle peut vous prendre en défaut. Sa manière posée, discrète et parfois geignarde a prouvé son efficacité en faisant tomber les défenses les plus solides. Elle peut plaider sa cause avec tellement de justesse dans la conviction et l'émotion que souvent elle n'a pas besoin d'utiliser beaucoup de mots.

Le Mouton peut se présenter devant vous avec des demandes absurdes, frôlant le chantage et le vol pur et simple, et juste au moment où vous allez trancher la question par un "non" catégorique, vous remarquez cette expression d'innocence et de pureté sur son visage, cette larme qui se forme au coin d'un oeil, un léger frémissement des lèvres et soudainement, vous vous sentez comme un monstre qui mène un veau à l'abattoir. Vous vous surprenez à consentir à sa folle demande, sans savoir encore pourquoi ou comment cette créature d'apparence vulnérable et inoffensive a pu vous posséder.

Nullement fait pour les décisions, le Mouton va plutôt suivre le courant et se plaindre lorsque surgissent les difficultés. Néanmoins, on l'aime sincèrement à cause de sa bonne nature et parce qu'il a la gentillesse de partager tout ce qu'il possède. La femme et l'homme Mouton sont très près de leur famille et la comblent de soins.

Étant donné que le Mouton ne peut déplaire délibérément à ceux qui lui sont chers, il lui arrive de ne pas agir, pour éviter un conflit, et d'être ensuite accusé de ne pas avoir pris une position ferme. Il est difficile de traiter avec lui, car il est hypersensible, s'apitoie trop sur lui-même et utilise même les larmes.

Lorsque ses talents sont appréciés, le Mouton s'épanouit de façon remarquable. Il recherche par ordre d'importance, l'amour, l'attention et l'approbation. Il excelle dans les secteurs demandant de la créativité et on devrait lui permettre de faire ce qui lui plaît le plus. Lorsqu'il s'agit de beauté, on peut être certain que le Mouton ne décevra personne. Il possède un goût raffiné et un jugement très nuancé. Toutefois, il est peut-être important de rappeler encore une fois que le Mouton est porté à la prodigalité et qu'il n'a pas beaucoup d'esprit pratique.

À moins qu'il ne soit né à une heure du jour gouvernée par un signe puissant tel que le Dragon, le Serpent ou le Tigre, il ne devrait pas postuler d'emplois comportant beaucoup de responsabilités et de prises de décision. Passif de nature, le Mouton n'a aucun talent pour les affrontements et le maintien de la discipline.

Dans l'ensemble, on peut dire que le Mouton n'a pas à travailler très fort pour assurer sa subsistance. La chance lui vient naturellement, ce qui lui convient à merveille, car il aime le luxe et la facilité. Comme son meilleur ami le Lièvre, il a une âme d'esthète. La laideur et la bassesse le dépriment. Il est tellement sensible à la beauté et à l'équilibre que son humeur est en grande partie dépendante de son environnement. Il produit mieux lorsqu'il travaille dans des pièces bien éclairées, aérées et décorées avec goût.

Tout au long de sa vie, il a besoin de pouvoir compter sur des amis forts et loyaux. Les caractéristiques franches et optimistes du Cheval, du Sanglier et du Tigre complètent bien sa personnalité. Il se retrouve également en parfaite harmonie avec le Lièvre. Il s'entend bien aussi avec le Singe, le Dragon, le Coq, le Serpent ou un autre Mouton.

Le Rat déteste la prodigalité et le manque de dévouement du Mouton. De plus, ce dernier n'a pas d'affinités avec les personnes austères nées sous le Boeuf ou les caractères pratiques comme le Chien, car tous deux n'ont aucune patience pour écouter les minauderies du Mouton.

Le Mouton enfant

La gentillesse de l'enfant Mouton ravit ses parents. Il aime être cajolé, choyé, dorloté et tout simplement gâté. Artiste, sensible à la beauté, il est friand de musique et de poésie. Il apprécie le parfum du savon et toutes les sensations délicates qui peuvent stimuler ses sens raffinés. Dépendant à l'extrême, il aime ne rien faire par lui-même si on lui en laisse la possibilité. Chaleureux, doux, vulnérable et soumis, il aime que l'on prenne soin de lui.

Comme le petit Linus, personnage de la bande dessinée *Peanuts* de l'américain Schulz, il est probable qu'il va traîner partout sa couverture fétiche ou, dans le cas d'une fille, sa vieille poupée de chiffon. Il déteste la taquinerie et si, à l'école, on le critique sévèrement ou qu'on l'embarrasse, il ne voudra plus y retourner durant plusieurs jours. Il va chercher à se mettre sous la protection d'écoliers plus agressifs que lui. Lorsqu'il se sent abattu, il a besoin de démonstrations répétées de sympathie pour reprendre courage. Son imagination fertile et ses craintes morbides peuvent véritablement le rendre malade. Il est facilement influencé ou affecté négativement et va littéralement vous inonder de son chagrin lorsqu'il a l'esprit mélancolique.

Lorsqu'il se sent ridiculisé ou rejeté, il peut se retirer dans un monde magique connu de lui seul et il sera difficile de l'en faire sortir. Les aliments et le confort représentent pour lui l'amour et la sécurité. S'il y trouve l'affection et les soins dont il a besoin, le Mouton ne se pressera pas de quitter le foyer de ses parents. Lorsqu'il se décide à prendre son propre appartement, on peut être assuré qu'il sera décoré avec un goût impeccable. Il aime à bien s'habiller et a un don pour les agencements harmonieux. Étant parfois volage, inconsistant et léger, il compense par sa très grande créativité, sa modestie et sa patience. Il a beaucoup de compassion pour le chagrin des autres et lorsqu'il s'éprend de quelqu'un, sa passion et sa générosité sont sans limites. C'est un plaisir de lui rendre service car il rembourse toujours au centuple en affection. Il est difficile de résister à son charme très longtemps. Cet enfant a peut-être ses défauts mais c'est un joyau de la plus haute qualité.

Ne craignez pas de le conduire par la main ou de l'aider à prendre ses décisions. On ne le rassure jamais assez et, règle générale, il est porté à rechercher l'avis ou l'approbation de ses parents pour tout ce qu'il fait. N'essayez pas de faire disparaître ou de changer son monde féérique en le transformant en une matière plus ferme. Ce serait inutile car, quoi qu'on fasse, le Mouton verra toujours la vie et le monde à travers des lunettes roses.

Les cinq types de Mouton

Le Mouton de Métal — 1871, 1931, 1991

Le Mouton de Métal possède une immense confiance en lui et connaît la valeur de ses talents. Il peut dissimuler sa grande sensibilité derrière une force apparente, bien qu'en réalité il soit vulnérable et facilement offensé par des remarques désobligeantes.

Le Métal renforce son goût artistique et lui inspire une recherche continue de la beauté sous toutes ses formes. Son domicile pourrait être un chef-d'oeuvre de décoration intérieure car il se préoccupe énormément de l'harmonie et de l'équilibre dans sa vie quotidienne. Quitter un environnement familier peut lui causer un traumatisme car il a de la difficulté à s'adapter au changement.

Ce type de Mouton recherche aussi la sécurité à la fois dans sa vie familiale et financière. Il demande un prix élevé pour ses services, même s'il ne lui répugne pas de poser des gestes gratuits de temps à autre.

Ses relations se limitent aux personnes qu'il aime ou à celles qui pourraient lui être utiles dans sa carrière. Les non-initiés devront s'attendre à ce qu'il prenne du temps à répondre à leurs avances.

En dépit de son calme et de son apparence avenante, le Mouton de Métal est doté d'une émotivité instable dont il a de la difficulté à contrôler. Il en résulte qu'il peut se montrer possessif, jaloux et protecteur à l'excès avec ceux qu'il aime. Il devrait accorder une plus grande liberté à ceux qui l'entourent. Exiger la disponibilité permanente de ses proches ne peut que lui apporter du ressentiment et susciter une résistance aux contributions précieuses qu'il peut apporter.

Le Mouton d'Eau — 1883, 1943, 2003

Ce type de Mouton est extrêmement populaire. Il sait s'entourer de douzaines de personnes qui veulent le gâter et, s'il a besoin d'aide, il peut réunir une armée.

Populaire mais sans grandes connaissances, humble mais foncièrement opportuniste, le Mouton d'Eau va rechercher les gens sur qui il peut compter. Lorsque l'Eau est associée à son signe de base, elle l'encourage à suivre le sentier qui offre le moins de résistance. Il est impressionnable et suivra toujours la tendance majoritaire ou adoptera les idées de ceux qui ont une forte influence sur lui. Cependant, bien qu'il puisse facilement assimiler les idées des autres, il va s'en tenir à ce qui lui est familier. Il craint les changements dans son style de vie et ne manifeste aucun enthousiasme pour l'exploration de l'inconnu.

Même s'il a une personnalité diversifiée et qu'il peut se mêler pratiquement à tout le monde, il souffre d'un complexe de persécution et va se sentir rejeté et attaqué chaque fois que l'on ne lui donnera pas raison.

Le Mouton de Bois — 1895, 1955, 2015

C'est un Mouton réfléchi, joyeux, à la démarche dégagée, mais préoccupé des souhaits d'autrui. Il est sentimental et cherche à plaire. Son élément, le Bois, va l'empêcher d'être trop désinvolte. Sa nature comporte plus de stabilité et de générosité que les autres Moutons et il est animé par des principes moraux de grande valeur.

Cet aimable Mouton a une foi aveugle en ceux qui se sont mérités sa confiance. Il met sa vie entre leurs mains avec la candeur d'un enfant. Bien qu'il connaisse sa propre valeur, ce Mouton permet que l'on abuse de lui. Il capitule trop facilement et fait des sacrifices démesurés dans le seul but de maintenir la paix.

Le Mouton de Bois a tendance à se préoccuper du bien-être des autres et manifeste une véritable dévotion pour ceux qu'il aime. Les conditions de vie des personnes moins fortunées que lui le bouleversent et, pour des raisons diverses, il apporte son aide à toutes sortes d'individus.

Ses bons sentiments et sa compassion ne sont pas sans être récompensés. La facilité avec laquelle il accepte d'aider les autres lui assure l'aide d'autrui lorsqu'il en a besoin. Il recevra même une aide financière ou un héritage imprévisibles.

Le Mouton de Feu — 1907, 1967, 2027

Le Mouton de Feu possède de solides convictions; il suit ses intuitions avec courage et fait preuve d'initiative dans son travail.

Sa créativité réside dans sa capacité de dramatiser plutôt que d'inventer. Il peut mettre ses points forts en évidence et atténuer ses faiblesses. Même en expérimentant avec des couleurs vives, il réussit à produire des compositions apaisantes et agréables.

Il désire posséder sa propre maison, car il est sensible à son confort personnel et aime recevoir avec ostentation. En conséquence, il est probable qu'il va vivre au-dessus de ses moyens et mal gérer ses propres affaires.

Le Feu le rend très énergique et agressif. Lorsqu'il est offensé, il devient brutal. Son attitude comporte beaucoup de grâce personnelle, mais son émotivité, à certains moments, défie la logique.

D'un autre côté, il accorde tellement d'importance à ses souhaits qu'il arrive difficilement à évaluer la situation réelle dans laquelle il se trouve. Il poursuit alors des chimères, puis se montre maussade et amer lorsque la réalité lui impose une leçon.

Le Mouton de Terre — 1859, 1919, 1979

Ce type de Mouton est plus optimiste et autonome. Malgré son grand attachement à la vie familiale et sa loyauté envers ses proches parents, il tente de maintenir un certain degré d'indépendance.

La Terre, son élément, le rend conservateur et prudent. Il n'aime pas gaspiller son argent mais il n'est pas non plus avare. Cependant, étant toujours un Mouton, il va trouver difficile de se priver de quelque chose. Ce qui, pour d'autres, semble être du luxe, va lui paraître une nécessité vitale.

Néanmoins, comme il procède avec rigueur, le Mouton de Terre manifeste beaucoup d'ardeur au travail. Il peut prendre ses responsabilités avec sérieux et consentir à des efforts lorsqu'il s'agit d'aider des amis. Il est peu probable qu'il refuse jamais d'aider une personne en difficulté.

Bien qu'il dissimule passablement ses émotions, ce type de Mouton est aussi porté à devenir névrosé et hyperdéfensif lorsqu'il est critiqué.

Le Mouton et ses ascendants

Naissance au cours des heures du Rat — 23h à 1h

Un Mouton opportuniste mais habile. Les deux signes sont émotifs et centrés sur eux-mêmes. Cependant, la présence du Rat peut le rendre plus fiable et moins porté à s'effondrer durant une crise.

Naissance au cours des heures du Boeuf — 1h à 3h

Un Mouton qui présente beaucoup de charme allié à l'autorité brutale du Bison. Ponctuel, conservateur, plus ferme dans ses manières.

Naissance au cours des heures du Tigre — 3h à 5h

Une impétuosité féline, accentuée par les manières exquises mais capricieuses du Mouton. Créateur, innovateur et charmant, il possède néanmoins un côté instable qui le rend inconstant et imprévisible.

Naissance au cours des heures du Lièvre — 5h à 7h

Un Mouton intelligent mais discret qui n'est pas aussi charitable qu'il le prétend. Il n'accepte pas facilement de s'impliquer dans une tâche qui demande beaucoup de travail ou de sacrifices. Il craint de trop s'engager.

Naissance au cours des heures du Dragon — 7h à 9h

Un Mouton qui possède une grande détermination. Le Dragon lui fournit le courage et la conviction nécessaires pour mettre ses idées et ses plans à exécution. Cependant, son côté Mouton a toujours un grand besoin d'adulation et d'appréciation.

Naissance au cours des heures du Serpent — 9h à 11h

Un Mouton qui possède un grand potentiel ainsi qu'un esprit fin et délié. Le Serpent lui communique de l'assurance et de la compétence. Il exerce un jugement indépendant et garde ses émotions pour lui.

Naissance au cours des heures du Cheval — 11h à 13h

Un Mouton qui aime vraiment l'action. Très expressif et possédant un goût dispendieux et raffiné. À cause de son côté Cheval, il est toujours à la poursuite de l'argent tandis que le Mouton qui domine chez lui saura certainement comment le dépenser.

Naissance au cours des heures du Mouton — 13h à 15h

Beaucoup d'ardeur et de sensibilité, mais a tendance à dépendre des autres. Va préférer se faire servir ou céder à d'autres les tâches difficiles. N'a parfois pas de talent particulier à offrir, mais c'est fondamentalement un inquiet qui bouge sans cesse et qui a de la difficulté à prendre des décisions.

Naissance au cours des heures du Singe — 15h à 17h

Le Singe pourrait porter le Mouton vers davantage d'action et lui communiquer en même temps de l'assurance et sa faculté de toujours voir le beau côté des choses.

Naissance au cours des heures du Coq — 17h à 19h

Débordant d'idées qui ne se matérialiseront jamais. Le Mouton est trop dépendant et le Coq ne lui apporte que des solutions déraisonnables. Il manifeste sans aucun doute beaucoup d'intelligence et de qualités positives, mais quelqu'un d'autre devra tirer profit de ses ressources et organiser sa vie à sa place.

Naissance au cours des heures du Chien — 19h à 21h

Ce Mouton est plus rationnel et sensible. Le Chien lui communique une certaine force de caractère et l'aide à affronter la réalité. Il n'aura pas recours aux larmes ou à l'apitoiement sur soi.

Naissance au cours des heures du Sanglier — 21h à 23h

Ce Mouton acceptera toujours de vous consoler. Mais vous devez être prêt à lui rendre la réciproque si vous devenez son ami. Espérons que le robuste Sanglier lui donnera la force de supporter ses épreuves sans dépression.

Comment le Mouton traverse les différentes années

Année du Rat

Une très bonne année pour le Mouton. Des cadeaux et des gains provenant de sources inattendues, comme le jeu ou la loterie. Des chances se présentent en affaires. La vie familiale est paisible; une aventure sentimentale ou un succès social pourrait survenir. Aucune maladie ou problème important.

Année du Boeuf

Une année difficile pour le Mouton, ponctuée de querelles, de mésententes et de demandes venant de sa famille et de ses amis. Des problèmes financiers résultent d'extravagances et de dépenses exagérées. Un temps difficile pour trouver de l'argent. Il peut s'attendre à des gains modérés seulement.

Année du Tigre

Une année de chance mitigée. La personne née sous le Mouton peut conserver son pouvoir mais elle doit lutter hardiment pour se maintenir face à l'opposition. La vie familiale est calme, mais des problèmes avec les parents sont à prévoir. Beaucoup d'activités dans le secteur du travail sont à prévoir mais il aura la chance de se faire de nouvelles relations qui lui seront favorables.

Année du Lièvre

Une année passable car le Mouton est assuré de certains gains à son travail et dans ses finances. Il pourrait aussi avoir à affronter un problème important dans sa famille ou sentir les répercussions d'une négligence passée. Des problèmes de santé sont causés par une blessure accidentelle. Cependant, le bilan est positif puisqu'il comporte davantage de gains que de pertes.

Année du Dragon

Une année mouvementée mais sobre. Le Mouton ne fait que des gains négligeables et, bien qu'il ait de nombreux tracas, il a la bonne fortune de ne rencontrer aucun problème majeur. Le Mouton arrive difficilement à accumuler de l'argent au cours de cette période, mais il s'en sort admirablement s'il évite les paris et tout changement radical dans sa façon de vivre.

Année du Serpent

Une bonne année car le Mouton améliore son pouvoir, son statut social et sa popularité. Des connaissances nouvelles et influentes lui apportent de l'aide et il fait un voyage ou perçoit des revenus additionnels. Une mauvaise stratégie lui fait perdre temporairement du temps mais il atteint quand même ses buts à la fin.

Année du Cheval

Une année qui se passe en douceur et en tranquillité. Le Mouton n'a aucun problème important ni chez lui ni à son travail. Il réussit à contrôler en coulisse, et surmonte les obstacles qui se dressent sur son chemin. Une légère maladie ou infection est à craindre mais, en général, ce sera une année de prospérité. Un problème qu'il avait rencontré dans le passé va s'avérer être une chance déguisée.

Année du Mouton

Une année pas très favorable pour la personne née sous le Mouton. L'année peut commencer en grande; et il pourrait se lancer dans de nombreux projets ou recevoir plusieurs invitations. Mais des complications vont surgir et ses gains seront considérablement diminués. Une période au cours de laquelle il doit limiter ses ambitions et se montrer pratique.

Année du Singe

Une bonne année pour le Mouton. Une nouvelle notoriété ou une promotion à son travail lui redonne confiance en ses réalisations; il connaît une année trépidante et rémunératrice. Les obstacles sont négligeables et il n'a que de petits problèmes de santé.

Année du Coq

Une année passionnante et plutôt dispendieuse. Les dépenses du Mouton dépassent ses revenus et il pourrait avoir à affronter des remontrances ou des conflits à la maison. Une année au cours de laquelle il ne devra pas tenter de plaire à tout le monde et où il lui faudra surveiller soigneusement ses finances.

Année du Chien

Une année éprouvante car le Mouton est confronté à des changements malheureux, à des dettes, à des problèmes sentimentaux ou familiaux. Ce n'est pas un temps propice aux voyages, aux investissements ou aux engagements à long terme. Il doit demeurer optimiste tout en adoptant une attitude conservatrice.

Année du Sanglier

Une année passable pour le Mouton car il se remet de ses problèmes passés. Sa position est encore vacillante; il est incapable de se reposer car il soupçonne des amis ou des associés de le trahir. Il néglige sa vie familiale. Il accède à des fonds antérieurement inaccessibles.

Tableau de compatibilité du Mouton

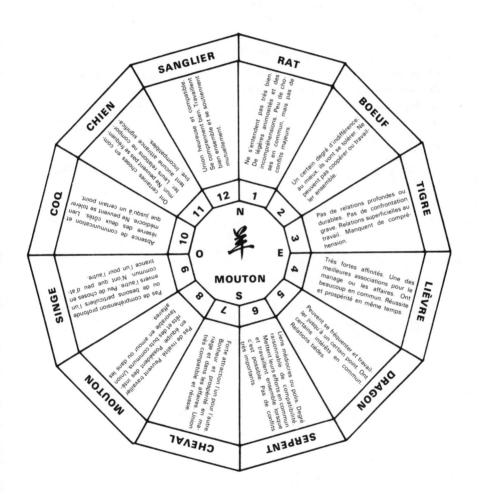

SANGLIER — Union heureuse et compatible. Se comprennent et se soutiennent bien ensemble et se soutiennent mutuellement.

RAT — Ne s'entendent pas très bien. De légères animosités et des incompréhensions. Peu de choses en commun, mais pas de conflits majeurs.

BOEUF — Un certain degré d'indifférence, au mieux. Ils vont se tolérer. Ne peuvent pas coopérer ou travailler ensemble.

CHIEN — Se comprennent bien. Travaillent ... tient. Leurs relations ne comportent aucune attirance significa...

COQ — On certaines choses en commun. Ne peuvent pas se fréquenter que jusqu'à un certain point.

TIGRE — Pas de relations profondes ou durables. Pas de confrontation grave. Relations superficielles au travail. Manquent de compréhension.

SINGE — Absence de communication et réserve des deux côtés. Lien médiocre. Ne peuvent se tolérer... commun. N'ont que peu d'attirance l'un pour l'autre.

LIÈVRE — Très fortes affinités. Une des meilleures associations pour le mariage ou les affaires. Ont beaucoup en commun. Réussite et prospérité en même temps.

MOUTON — Pas de compréhension profonde ou de besoins particuliers l'un envers l'autre. Peu de choses en ... favorable en amour ou dans les affaires.

DRAGON — Peuvent se fréquenter et travailler jusqu'à un certain point. Ont certains intérêts en commun. Relations tièdes.

CHEVAL — Pas de rivalité. Peuvent travailler en équipe. Possèdent des intérêts communs. Union très compatible et réussie.

SERPENT — Forte attraction l'un pour l'autre. Bonheur et prospérité en mariage et dans les affaires. Union ... et travaillent ensemble lorsque c'est possible. Pas de conflits très importants.

MOUTON (centre)
N / O / E / S
12 1 2 3 4 5 6 7 8 9 10 11

Liens médiocres ou polis. Degré raisonnable de compatibilité. Mettent leurs efforts en commun

Personnalités célèbres nées au cours de l'année du Mouton

Métal
Andy Warhol
Barbara Walters
Catherine Deneuve

Eau
Mohammed Ali
Douglas Fairbanks
Bobby Fisher
Billie Jean King
John Denver

Bois
Andrew Carnegie
L'Archevêque Fulton
J. Sheen
Le Roi George IV
Rudolph Valentino
Michel-Ange

Feu
Miguel de Cervantes
James Michener
Takeo Miki
Sir Laurence Olivier

Terre
Dino De Laurentiis
Pierre E. Trudeau
Ian Smith
Le Shah d'Iran
George Wallace

Chapitre 9

Le Singe

*Je suis le voyageur
De l'antique labyrinthe.
Sorcier de l'impossible
Et génie de l'astuce.
Mon originalité reste à jamais inégalée.
Mon coeur renferme une magie
Qui résiste à tous les maléfices.
J'existe
Pour mon seul plaisir.
JE SUIS LE SINGE.*

Le Singe

Nom chinois du Singe: HÓU
Ordre hiérarchique: Neuvième
Heures gouvernées par le Singe: 15h à 17h
Orientation de ce signe: Ouest-Sud-Ouest
Saison et mois principal: Été — août
Correspondance avec les signes solaires: Lion
Élément stable: Métal
Souche: Positive

Années lunaires du Singe dans le calendrier occidental

Début	Fin	Élément
2 février 1908	21 janvier 1909	Terre
20 février 1920	7 février 1921	Métal
6 février 1932	25 janvier 1933	Eau
25 janvier 1944	12 février 1945	Bois
12 février 1956	30 janvier 1957	Feu
30 janvier 1968	16 février 1969	Terre
16 février 1980	4 février 1981	Métal
4 février 1992	22 janvier 1993	Eau

Si vous êtes né la veille du début de l'année lunaire du Singe, par exemple le 1er février 1908, vous appartenez au signe animal qui vient avant celui du Singe, c'est-à-dire au Mouton. Si vous êtes né le jour qui suit la fin de cette année lunaire donc le 22 janvier 1909, vous appartenez alors au signe qui suit celui du Singe, soit au Coq.

L'année du Singe

On peut venir à bout de tout durant cette année. Le Singe, agile, ne renonce pas avant d'avoir essayé tous les moyens disponibles. On réussit même des aventures impossibles et l'on connaît un sommet dans les inventions et les improvisations. La politique, la diplomatie, la haute finance et les affaires prennent l'allure d'une immense partie de pocker dans laquelle les partenaires se livrent à une énorme surenchère. Une période plutôt excitante et amusante au cours de laquelle tout le monde a l'occasion de s'impliquer et de participer. On n'assiste pas à des confrontations directes, car le Singe a la faculté de se moquer de ses erreurs et d'améliorer sa performance d'une expérience à l'autre.

C'est une année au cours de laquelle tout le monde essaie de se montrer plus rusé que son voisin. Il est difficile de savoir qui est le vainqueur, car la main droite ignore souvent ce qu'a fait la main gauche. Chose certaine, c'est une période extrêmement progressive. Nous allons tous de l'avant et, même si nous n'y consacrons pas tous nos efforts, nous nous laissons tout de même porter par la vague créée par le talent naturel du Singe pour les connaissances et le progrès.

Le petit diable de Singe qui gouverne cette année va nous pousser vers le jeu, la spéculation et l'exploitation de solutions ingénieuses mais risquées. Si vous êtes un adepte des décisions rapides, cette année va rapporter des dividendes prodigieux. Elle ne convient par contre pas à ceux qui ont le coeur faible ou l'esprit lent. Le Singe ne fait pas de concessions et n'en demande pas en retour. Dans le cas d'une période de récession, l'année du Singe va rapidement y mettre fin. Grâce à son optimisme et à l'influence de son esprit habile et entreprenant, le monde des affaires va déborder d'activités. Les ressources inépuisables du Singe vont surprendre et confondre tout le monde.

Il est intéressant de noter que les États-Unis d'Amérique ont vu le jour en 1776, année du Singe de Feu. Ceci explique peut-être leur croissance phénoménale et leurs incroyables réalisations en si peu de temps.

On dit que l'année du Singe voit naître des façons inédites et non conventionnelles de faire les choses. S'il y avait un mot d'ordre pour cette année, ce serait: "N'acceptez jamais un NON comme réponse!"

La personnalité du Singe

De tous les animaux du cycle lunaire, le Singe est celui qui ressemble le plus à l'homme qui, on s'en souvient, est également appelé par certains le "singe nu". Il ne faut donc pas se surprendre que ce signe présente un maximum de caractéristiques humaines et qu'il puisse être décevant.

Le Singe est le signe porteur de l'invention, de l'improvisation et de la motivation dans le zodiaque chinois. C'est un charmeur capable de s'attirer les bonnes grâces de tout le monde par sa ruse inimitable. Étant le génie du cycle, il a l'esprit rapide et il se caractérise par son intelligence, sa flexibilité et sa capacité novatrice. Le Singe peut résoudre facilement des problèmes complexes et il apprend avec une rapidité étonnante. Il peut maîtriser n'importe quel sujet et il possède généralement une aptitude pour l'étude des langues. Une personne née au cours de cette année, réussit tout ce qu'elle choisit d'entreprendre. Aucun défi n'est trop grand pour elle.

Parmi ses aspects négatifs, la personne née sous le signe du Singe a un complexe de supériorité inné et n'a pas suffisamment de respect pour les autres. Elle peut s'avérer extrêmement égoïste et vaniteuse; de plus une pointe de jalousie refait surface chaque fois que quelqu'un obtient une promotion ou quelque chose qu'elle ne possède pas. Elle pousse la concurrence à l'excès mais elle est habile à dissimuler ses sentiments et à planifier ses habiles manoeuvres. Lorsqu'il s'agit de rechercher l'argent, le succès ou le pouvoir, ses prouesses sont insurpassables.

Du fait de ses talents variés, la personne née sous le signe du Singe peut faire carrière comme comédien, écrivain, diplomate, avocat, athlète, courtier, professeur, etc. Elle est extrêmement sociable et sait se lier d'amitié avec tout le monde. Elle a le don très rare de se faire apprécier même de ceux dont elle a abusé.

De toutes les facettes de la personnalité du Singe, il en est une qui ne fait jamais défaut, même s'il est timide ou docile d'apparence: c'est sa confiance en lui. Il va s'astreindre à afficher un bon maintien, une politesse apprise et une calme dignité mais il est animé par une foi en lui-même intense et inébranlable. Il serait injuste de qualifier le Singe de personne complètement égoïste; c'est plutôt un enfant, absorbé dans une délicieuse attitude narcissique. Il peut oublier totalement les autres lorsqu'ils ne sont pas directement impliqués dans ce qu'il fait à un moment précis. Il se regarde avec la même fascination ou la même joie qu'un bébé apprenant à jouer avec ses doigts et ses orteils. Observez la réaction d'un enfant lorsqu'il découvre comment taper des mains. Il va crier de joie et recommencer jusqu'à ce qu'il maîtrise ce geste. Entièrement absorbé par sa merveilleuse découverte, il n'est réceptif à aucun autre phénomène.

De la même manière, le Singe manifeste sans pudeur la joie que lui procure sa propre ingéniosité et ses actions d'éclat. Il ne dissimule pas son orgueil mais il ne montre pas non plus d'affectation. Il croit honnêtement qu'il n'y a personne qui puisse le surpasser.

Si vous connaissez vraiment bien le Singe, vous trouverez difficile de ne pas apprécier son extraordinaire joie de vivre. C'est elle qui le rend si différent des autres et, parfois, si digne d'envie.

Même dans la Bible, on peut repérer le Singe. Je crois personnellement que Marie-Madeleine était née sous le signe du Singe, tout comme l'enfant prodigue. Si on s'en souvient, tous les deux pouvaient à la fois se permettre leurs caprices et se les faire pardonner. Il peut même paraître injuste qu'ils aient aussi facilement réussi à rentrer dans les bonnes grâces de tout le monde. Mais il n'en est jamais autrement, car le Singe n'est pas seulement chanceux et astucieux, il est aussi indestructible.

Lui lancer des insultes, des accusations ou le réprimander, s'avère inutile et même frustrant. Toutes ces attaques le laisseront indifférent. Il lui est tout simplement impossible de prendre au sérieux les injures qui lui sont faites: il n'en croit pas un mot. Il les trouvera sans fondement et parfois même, outrageusement comiques. Il a une perception tellement haute de lui-même, de ses talents et de la chance qui lui revient, qu'il ne peut s'empêcher de penser que vos propos ridicules sont inspirés par une jalousie maladive.

Le Singe ne manque pas de crédibilité. Son principal problème réside dans le fait qu'il trouve avec une aisance étonnante des moyens de justifier ses actions ou de résoudre ses dilemmes et que, par conséquent, il cède facilement à la tentation. Il en résulte qu'il a de la difficulté à inspirer totalement confiance. Son intelligence innée le rend également suspect et on met souvent sa motivation en doute. Il arrive fréquemment que les personnes nées sous le signe du Singe soient jugées sévèrement ou accusées faussement par d'autres qui sont d'un statut inférieur. Leur popularité fluctue sans cesse. Par ailleurs, elles ne semblent jamais profondément inquiètes de l'opinion que vous avez d'elles, quelles que soient les bonnes intentions qu'elles manifestent. Peut-être est-ce parce qu'elles savent qu'elles trouveront bien une manoeuvre pour vous faire changer d'avis.

Ceci ne signifie pas que le Singe soit insensible ou refuse d'accepter la critique: il n'en est rien. Vous vous en apercevrez lorsque vous en viendrez à bien le connaître. Il est le premier à se rendre compte que rien n'est permanent ou irréparable. Ne le boudez pas et évitez de désespérer ou de vous alarmer. Laissez à son cerveau le temps de fonctionner et, très rapidement, apparaîtra une solution qui remettra tout en ordre. Souvenez-vous qu'il considère que les records sont faits pour être brisés, les normes pour être améliorées et les inventions pour être remplacées par des mécanismes plus sophistiqués. C'est un impresario, un perpétuel réformateur. Rarement découragé par ses échecs ou impressionné par les succès d'autrui, le Singe s'efforce continuellement de faire mieux et se surprend parfois lui-même.

Lorsqu'on négocie avec le Singe, il faut s'en tenir aux faits. L'objectivité est pour lui une exigence permanente. Ultimement, vous vous en doutez déjà, il lui importe assez peu que vous approuviez ou non ses méthodes. Il ne recherche qu'une approbation, et c'est la sienne.

La personne née sous le signe du Singe peut saisir toutes les bonnes occasions qui se présentent. Non seulement elle saura en profiter, mais vous la verrez tenter d'extirper de petits suppléments pour rendre la transaction encore plus avantageuse. Elle ne bondira pas sur vous comme le Tigre et ne vous immobilisera pas par son puissant regard comme le fait le Dragon; elle va se contenter de gagner quelques centimètres à la fois. Cette tactique, tout à fait inoffensive en apparence, peut lui permettre en un rien de temps de s'approprier un mètre de votre terrain. Cependant calculez rapidement car vous pourriez être désagréablement surpris de son avance.

Même ses coups de grâce sont tempérés par une "bienveillance" qui leur est particulière. Ensuite, lorsque vous reprenez conscience, vous devez admettre que jamais auparavant vous n'avez été mis hors de combat avec autant de charme et d'ingéniosité.

Vous n'avez pas à vous inquiéter, ses coups ne sont jamais mortels. Mais aussitôt que vous vous serez remis de votre premier choc, le Singe vous présentera un projet plus attrayant encore, une manoeuvre infaillible et vous ne manquerez pas de tomber à nouveau sous sa coupe. S'agit-il d'hypnose ou de sorcellerie? Peu importe, il est déjà trop tard! Vous avez développé une dépendance à l'égard du Singe et vous ne pouvez plus vous en passer.

Le Singe est un intellectuel et il possède une excellente mémoire. Grâce à sa superbe intelligence et à sa compétence, il ne peut pas faire autrement que de remporter des victoires. Son génie est alimenté par une insatiable curiosité; il veut tout essayer au moins une fois. S'il se heurte à un problème, il va nonchalamment inventer une solution. Quoi d'autre? En plus d'être ingénieux et brillant, le Singe est pratique et il connaît la valeur de l'argent. Vous ne le verrez pas perdre son temps dans des entreprises vouées à l'échec.

Réaliste et habile lorsqu'il s'agit de sa survie, le Singe n'hésite pas à sortir d'une impasse par la voie la plus facile. Lorsqu'il est coincé quelque part, tous les moyens lui sont bons pour en sortir. Mais le Singe a tout de même une conscience et, lorsqu'elle le préoccupe trop, il la calme par des gestes charitables et soudains. Il faut alors en profiter car ces dispositions sont passagères et de courte durée.

La jeune fille née sous le signe du Singe, est une véritable étoile filante. Naturellement douée pour le spectacle, elle apporte une stimulation partout où elle va. Peu de gens peuvent résister à l'attrait de sa vitalité et de son attrayante beauté.

Elle a du talent pour les mathématiques et s'adapte facilement au changement. Elle peut travailler dans n'importe quel groupe, à condition qu'on lui fournisse la motivation et de bonnes raisons pour le faire. Très mondaine, verbale, hôtesse accomplie et confidente pleine de tact, la femme Singe ne doit jamais être sous-estimée. Elle possède un esprit de compétition extrêmement fort et ne manque ni du sens de l'observation ni de stratégie. Cette femme est également attirée par le théâtre et pourra s'avérer une excellente comédienne. Énergique et pleine de ressources, elle surmonte facilement ses difficultés et fait montre de beaucoup d'initiative. Cette femme efficace n'a pas besoin qu'on la conduise par la main ou qu'on lui indique comment exécuter une tâche. Indépendante et sûre d'elle-même, elle sait exactement où elle va et pourrait être en mesure de vous donner quelques bons conseils de son cru. Elle est peut-être un peu curieuse mais elle ne dévoile pas ses secrets pour apprendre les vôtres.

La femme Singe a besoin de motivation. Elle ne travaille pas gratuitement! Habile dans le choix de ses mots, elle emploie la bonne expression au bon moment. Elle fait rarement de gaffes sur des sujets importants et se montre prudente dans ses remarques. Elle cherche à obtenir gain de cause car elle est un excellent juge des caractères et sait ne pas dépasser ses limites. Vous ne la verrez pas non plus gaspiller son argent. Si on veut qu'elle achète quelque chose, il faut lui offrir de la qualité car elle peut être très critique et même un peu snob.

La femme née sous le signe du Singe, aime à suivre la mode mais sans extravagance. Elle accorde une importance particulière à ses cheveux. Ses vêtements et sa coiffure ont le maximum de soin et de classe que peuvent lui permettre ses moyens financiers. Il faut aussi noter que les personnes nées sous le signe du Singe sont sensibles aux maladies de la peau et aux allergies. Les jeunes filles ont une peau sensible et peuvent souffrir d'irritation si elles utilisent trop de cosmétiques. Bien qu'elles semblent se dorloter à l'excès, elles ne sont ni paresseuses ni désorganisées. En plus de leurs diverses activités, elles vont trouver le temps et l'énergie nécessaires aux loisirs et à l'étude en profondeur des sujets qui les intéressent. Elles sont parmi les femmes les mieux informées.

Chaque Singe est en lui-même un original. Il n'existe pas de moule pour ces personnages et on ne les reproduit pas à la douzaine. Malgré quelques lacunes intellectuelles, on se rallie autour d'eux simplement parce qu'on ne peut pas se passer de leurs talents et de leur habileté.

Le Singe n'a pas son égal en relations publiques. Il est remarquablement habile dans les questions d'argent et, en fait, il manipule tout avec une telle dextérité que l'industrie, la politique et le commerce ne pourraient pas exister sans lui. La finesse du Singe est célèbre dans l'histoire chinoise et son nom est synonyme d'ingéniosité. Il n'y a pas de doute qu'il constitue un actif important dans une équipe. Cependant, assurez-vous tout d'abord qu'il est totalement de votre côté, car il y a fatalement des mercenaires parmi les Singes.

Il est difficile de lui garder longtemps rancune car il excelle à se rendre aimable et indispensable. Il réussit toujours à se placer dans une position qui peut lui apporter un bénéfice. Lorsqu'il perd, le Singe ne s'entête pas inutilement. Il sait céder lorsque les chances sont contre lui. Passé maître dans l'art de survivre, le Singe croit profondément que, devant un très grand danger, il est préférable de fuir et de se garder en vie pour de nouvelles batailles.

Le Singe est un stratège-né. Il n'agit jamais sans un ou même plusieurs plans. Il ne laisse jamais passer une occasion et il sait la reconnaître sous n'importe quel déguisement. On le retrouve toujours dans le sillage d'un plus grand que lui et son opportunisme ne connaît pas de relâche.

Le Singe est un critique efficace. Il peut déceler le secteur spécifique qui a causé un problème et suggérer des solutions applicables. Bien sûr, son attitude à cet égard dépendra de son type particulier. Certains types mesquins sont tellement imbus d'eux-mêmes qu'il vaudrait mieux mourir que d'accepter leur aide.

Généralement, cependant, le Singe est une personne chaleureuse, naturelle et spontanée qui consent à travailler fort, particulièrement si elle est mêlée à l'action. Plus elle sera impliquée, plus sa motivation sera profonde. Si vous la payez avec des riens, elle vous quittera brutalement et vous n'aurez rien en retour. Un bon conseil: n'essayez jamais de mystifier un Singe, car il est probable que vous n'en sortirez pas indemne. En plus d'être un expert lorsqu'il s'agit de se venger, le Singe possède habituellement un malin sens de l'humour. Vous le verrez plus souvent afficher un sourire méchant que rire aux éclats.

Comme le Singe obtient ce qu'il veut sans beaucoup d'efforts, il ne valorise pas beaucoup ses conquêtes. Il y perd intérêt. Il devrait apprendre à montrer davantage de stabilité et de sérieux. Au cours de sa vie, il ne va faire confiance qu'à une poignée de personnes et il n'aura que quelques amitiés prolongées et véritables à cause de sa personnalité compliquée et soupçonneuse. En outre, il a horreur de se confier.

Néanmoins, le Singe est très en demande. Le Rat sera enchanté de son ingéniosité. Ils vont se reconnaître à l'intérêt que tous les deux portent à l'argent. Le Dragon va rechercher sa compagnie à cause de son jugement supérieur. Le Lièvre, le Mouton, le Chien, le Cheval et le Boeuf apprécieront tous la polyvalence du Singe et valoriseront sa compétence. Le Sanglier et le Coq feront également appel à son génie.

Naturellement, le Serpent qui possède une grande sagesse et un esprit soupçonneux, ne sera jamais complètement à l'aise avec le Singe. Le Tigre devrait éviter de se retrouver en sa présence, car il deviendrait la première cible des manoeuvres et des facéties du Singe. Ce dernier ne peut pas s'empêcher de montrer ses prouesses lorsqu'on le défie, et découvrant que le Tigre est un mauvais perdant, il ne pourra pas résister au plaisir de le contrarier.

Le Singe enfant

L'enfant né sous le signe du Singe est captivant. L'oeil brillant et les cheveux en broussaille, il ne reste pas en place. Taquin, jovial et toujours en compétition, il saura se mériter votre affection. Maîtrisant la flatterie, et très habile à profiter de vos faiblesses, ce petit diable incorrigible obtient toujours ce qu'il veut.

Curieux, imprévisible et ingénieux, cet enfant sera continuellement occupé à fabriquer quelque chose. Ne vous inquiétez pas s'il brise ses jouets; c'est qu'il n'est tout simplement pas attiré par l'apparence extérieure. Il démonte les mécanismes pour en voir l'intérieur et comprendre leur fonctionnement. Les appareils complexes le fascinent au plus haut point. Il ne cesse jamais de réclamer l'attention de ses parents et de les assaillir de brillantes questions au sujet de l'univers. Un de ces jours, il s'emparera du réveil-matin que vous voulez jeter à la poubelle parce qu'il n'a jamais fonctionné et il le réparera avec une épingle. Il n'est jamais satisfait de ce qu'il possède. L'herbe est toujours plus verte dans le champ du voisin et ce diablotin qui déborde d'ambition et de convoitise a toujours un oeil sur la propriété d'autrui.

Il est continuellement préoccupé de s'améliorer et s'enorgueillit de sa vaste accumulation de connaissances et de savoir-faire. Il s'implique dans une myriade d'activités. Aujourd'hui, il approfondit la théorie de la photographie et demain, il pourra tenter de construire un poste de radio. Ce qu'il y a de plus remarquable au sujet du Singe, c'est qu'il peut disperser son attention entre plusieurs sujets et parvenir à les maîtriser tous. Il a parfois des bouffées de snobisme et d'orgueil au cours desquelles il utilise ses connaissances étendues pour taquiner son entourage. Optimiste et toujours confiant, il ne s'avouera jamais vaincu. Il va répéter ses tentatives jusqu'à ce qu'il réussisse.

L'enfant né sous le signe du Singe possède une pointe d'égoïsme et peut refuser de partager ses jouets tout en se servant à satiété de ceux des autres. Irritable, prétentieux et rusé, il ne tient pas compte des règles qui lui imposent des restrictions. Il faut lui apprendre que la vie ne fonctionne pas à sens unique. Même quand il partage, il examine soigneusement ce qu'il obtient en retour. Même le plus jeune des Singes évalue le pour et le contre dans n'importe quelle situation. Il crie à l'injustice dès que l'on a sur lui un avantage quelconque, mais il compte bien que l'on ferme les yeux lorsque la balance penche en sa faveur.

Aussitôt que vous atteignez votre point de saturation et que vous ne pouvez plus le supporter, le Singe affiche son plus beau sourire, s'excuse du fond du coeur, utilise les flatteries comme un baume sur vos plaies et fait des culbutes pour vous faire rire. Vous oubliez alors toutes les mesures de représailles que vous étiez sur le point de prendre contre lui et vous consentez de nouveau à être son captif.

Les cinq types de Singe

Le Singe de Métal — 1860, 1920, 1980

C'est un Singe batailleur. Fort, racé et indépendant, la sécurité financière présente pour lui un attrait irrésistible. Capable de faire de bons investissements, ce type de Singe va préférer ouvrir son propre commerce ou encore se procurer une deuxième source de revenus, s'il a un emploi régulier. Il est stable et capable de conserver ses économies s'il ne les emploie pas à spéculer dans des entreprises à hauts risques.

Le Métal lui communique de l'ardeur et il la communique à ceux qu'il aime. Il entretient de grandes aspirations et peut sembler arriviste ou parfois adopter un comportement théâtral.

Se caractérisant par sa grande activité, le passionné Singe de Métal peut se montrer chaleureux, positif et très convaincant. Il est capable de vous vendre n'importe quoi et, s'il est créatif, ses oeuvres sont à la fois esthétiques et pratiques. Le Singe de Métal souvent lance des modes. Lorsque ressort son côté négatif, l'esprit analytique du Singe de Métal peut le rendre excessivement conscient de lui-même et orgueilleux. Il n'est loyal que pour un nombre limité de sujets et de personnes qui n'ont en commun que le fait d'être reliés à sa vie personnelle.

Travailleur et pratique, il lui répugne de demander l'aide des autres et est très capable de veiller à ses intérêts.

Le Singe d'Eau — 1872, 1932, 1992

Ce type de Singe se montre intéressé mais coopératif. Il est du genre de personne à qui s'applique le proverbe "un service en attire un autre". Toutefois, malgré son apparence digne et sociable, ce type de Singe s'offusque plus facilement que les autres. Il possède une nature secrète bien que gentille et peut poursuivre ses objectifs avec discrétion et patience.

L'alliance de l'Eau et de son signe de naissance lui communique un sens de l'efficacité plus prononcé. Cependant, il saura ne pas être trop direct lorsqu'il s'agit de dévoiler ses intentions. Il accepte les compromis de bonne grâce et il sait contourner les obstacles plutôt que de perdre temps et énergie à les abattre.

Le Singe d'Eau possède du flair et de l'originalité. Il motive les autres par sa façon plaisante de travailler et ses idées rencontrent peu d'opposition grâce à la façon ingénieuse dont il les introduit. Il sait présenter les choses sous leur meilleur jour. Il a une compréhension raffinée des relations humaines et il utilise cette connaissance pour atteindre ses buts.

Lorsqu'il décide d'être négatif, le Singe d'Eau peut souffrir d'un manque d'orientation. Il vacille et devient tour à tour erratique, évasif et intrigant.

Le Singe de Bois — 1884, 1944, 2004

Ce type de Singe sent le besoin d'établir de bonnes communications avec les autres. Cependant, s'il en a la possibilité, il préfère ne pas s'immiscer dans les affaires de son entourage, en même temps qu'il s'enorgueillit de pouvoir tenir sa maison et ses affaires en bon ordre.

Bien qu'il soit foncièrement honorable et intéressé par le prestige, ce Singe est très instable et possède un esprit de pionnier. Il est au courant de tout ce qui se passe autour de lui et il est avide de connaître les nouvelles inventions ou modes de pensée. L'élément Bois lui donne un esprit intuitif qui lui permet de prévoir le cours des événements. Il est continuellement à la recherche de réponses et n'accepte pas facilement les échecs.

Bien qu'il réussisse à respecter les normes élevées qu'il s'est fixées, le Singe de Bois va continuellement tenter de s'élever au-dessus de sa situation présente. Il regarde continuellement vers l'avant et n'est jamais satisfait de ce qu'il possède. Dans sa recherche de conditions meilleures, ce type de Singe va littéralement bondir sur de nouveaux défis.

Cette personne, riche en ressources, met de l'ordre dans tout travail qu'elle décide d'entreprendre. Elle cède rarement à l'exagération ou à la spéculation. Prudemment, très prudemment, elle émiette peu à peu l'opposition qu'elle rencontre.

Le Singe de Feu* — 1896, 1956, 2016

Un Singe énergique, aux gestes amples et qui manifeste les caractéristiques d'un leader naturel et d'un innovateur. Il a beaucoup

---

* Les États-Unis d'Amérique sont nés en 1776 (année du Singe de Feu).

d'assurance et de détermination. Il s'exprime avec facilité et ne dissimule pas ses émotions. Il est également très intéressé par le sexe opposé.

L'élément Feu lui communique une grande vitalité et il a tendance à dominer ceux qui sont moins agressifs que lui ou tout au moins à vouloir les former. Il possède une imagination fertile et ne devrait pas laisser s'échapper ses idées. Il est inventif mais toujours prudent.

Le Singe de Feu est animé par un puissant et constant désir d'être à la tête de son domaine professionnel. Il a l'esprit extrêmement compétitif et il est capable d'une grande jalousie. Sa créativité est faite de volonté, de nécessité et d'initiative, qualités qui lui permettent de détrôner ses rivaux et de conserver une longueur d'avance.

Le Singe de Feu est le plus énergique de tous les Singes. Il savoure le pouvoir et peut se montrer opiniâtre, entêté et querelleur lorsqu'il est négatif. Il est chanceux dans les entreprises qui présentent des risques et il peut évaluer ces derniers avec une grande précision. Cependant, en dépit de la façade courageuse et discrète qu'il présente au public, ce type de Singe dissimule une crainte morbide d'être trompé par les autres.

Le Singe de Terre — 1908, 1968, 2028

Un Singe placide et responsable qui peut avoir une nature calme et réservée. Il est dépensier et il a un penchant pour les actes charitables et désintéressés. Sans ostentation, il exige admiration et reconnaissance de ses talents et de ses services. Lorsqu'on les lui refuse, il peut se montrer boudeur et insolent.

Il y a des chances qu'il soit un intellectuel et un étudiant travailleur ou un passionné de lecture, s'il ne peut pas poursuivre ses études. Il est généralement honnête et direct; il se fait remarquer par sa persévérance et son sens du devoir.

Le Singe de Terre fuit les réunions mondaines à moins qu'il ne soit obligé à y assister, mais il est foncièrement affectueux pour ses proches. Moins préoccupé par son ego, il peut faire preuve d'altruisme et se dévouer pour le bien commun. Il accorde beaucoup d'importance à son intégrité et peut avoir un souci exagéré de ne jamais enfreindre la loi.

Le Singe et ses ascendants

Naissance au cours des heures du Rat — 23h à 1h

Pétillante personnalité. Rien n'arrête cette combinaison lorsqu'il s'agit de savourer tout ce que la vie peut offrir, tout en ne dépensant pas trop d'argent. Réussit à tout obtenir en échange de très peu.

Naissance au cours des heures du Boeuf — 1h à 3h

Un Singe balourd, conventionnel mais offrant des garanties sérieuses. Moins enclin à jouer des tours mais lorsqu'il se le permet, il est difficile de se douter que c'est lui tellement il garde son sérieux!

Naissance au cours des heures du Tigre — 3h à 5h

Un Singe énergique et exubérant. Ces deux signes présentent une confiance en eux exagérée et une même méfiance à l'égard d'autrui. Ce Singe pourrait se retrouver submergé de problèmes et il refuserait encore d'accepter un conseil ou de s'avouer vaincu.

Naissance au cours des heures du Lièvre — 5h à 7h

Un Singe subtil, moins malfaisant et possédant une certaine prudence. Pourrait manifester des pouvoirs quasi paranormaux dans son évaluation des gens et dans les relations qu'il entretient avec eux.

Naissance au cours des heures du Dragon — 7h à 9h

Un Singe éveillé et doublement ambitieux. L'alliance de ses prouesses phénoménales et de la motivation excessive du Dragon l'amène à entreprendre des projets d'une envergure qui dépasse ses capacités.

Naissance au cours des heures du Serpent — 9h à 11h

Si la sagesse du Serpent s'affirme dans cette combinaison, ce Singe aura le potentiel d'un grand magicien. Il possède une grande intelligence et des pouvoirs pénétrants Sa vivacité est telle qu'on a de la difficulté à le suivre.

Naissance au cours des heures du Cheval — 11h à 13h

Un singe qui manque de persévérance et qui va changer d'opinion sans préavis. Un adepte du jeu qui tient généralement à établir lui-même les règles.

Naissance au cours des heures du Mouton — 13h à 15h

Un Singe rêveur et romantique aux charmes nombreux. Également porté à être opportuniste et complice, mais possédant une allure plus agréable et plus souple.

Naissance au cours des heures du Singe — 15h à 17h

Le diable en personne. D'une adresse extrême et possédant une personnalité très évoluée, ce Singe aime les plaisirs et est extrêmement optimiste. Il n'y a rien à son épreuve.

Naissance au cours des heures du Coq — 17h à 19h

Un Singe original et aventurier, animé de grandes aspirations. Grâce au talent du Singe, il se peut que même les rêves du Coq se réalisent.

Naissance au cours des heures du Chien — 19h à 21h

Un Singe détaché de ses émotions et un peu campagnard. Un brin pince-sans-rire. Il est néanmoins très populaire car il n'abandonne jamais son sens de l'humour et ne perd jamais contact avec la réalité.

Naissance au cours des heures du Sanglier — 21h à 23h

Un Singe sportif et moins conscient de lui-même. La présence du Sanglier le rend plus honnête et il est plus facile de traiter avec lui. Il est travailleur et sait garder sa parole.

Comment le Singe traverse les différentes années

Année du Rat

Une année de chance et de prospérité pour le Singe. De l'argent lui parvient de sources inattendues et c'est le moment idéal pour améliorer sa situation ou demander un emprunt. Ses problèmes se résolvent facilement.

Il fera l'objet d'une célébration ou des personnes importantes tenteront de le rejoindre. De nouveaux membres s'ajoutent à sa famille.

Année du Boeuf

Une année somme toute modérée. Les profits et les plaisirs du Singe sont limités et la perte de biens personnels est à prévoir. Sa vie familiale demeure calme mais il est forcé de voyager ou il est atteint d'une maladie chronique. Ses réalisations sont en deçà de ses attentes. Une période où il lui faudra freiner sa grande ambition.

Année du Tigre

Une période très instable pour le Singe. Il est très vulnérable aux attaques de ses ennemis et il sera peut-être obligé de fuir, voyager, travailler pour d'autres ou emprunter de l'argent à un taux d'intérêt élevé. Les gens ont tendance à tirer avantage de sa position de faiblesse. Il doit demeurer patient et tranquille. Une année à employer à la consolidation de ses ressources et durant laquelle il faut éviter de s'impliquer dans de nouvelles entreprises.

Année du Lièvre

Une bonne année. Le soleil brille à nouveau pour le Singe et il reçoit l'aide de personnes ou d'endroits inattendus. Le calme se rétablit au travail et à la maison et ses affaires reviennent à la normale bien que ses bénéfices soient encore modestes. Une période où il devrait rechercher de nouvelles possibilités ou entreprendre des changements dans son environnement.

Année du Dragon

Cette année apporte au Singe des gains sous la forme de connaissances ou de savoir-faire technique. Les bénéfices qu'il retire ne sont pas immédiatement tangibles et accessibles. Des problèmes et des conflits latents occupent son esprit et il aura peut-être à consacrer une partie de son argent ou de ses économies pour faire avancer ses plans. Une année à consacrer à l'observation et à l'apprentissage, pas à la spéculation.

Année du Serpent

Une année modérément heureuse car le Singe est aidé par ses amis et peut compter sur le soutien de ses supérieurs. Il connaît des moments agréables bien qu'il faille prévoir certaines querelles à la maison. Une année au cours de laquelle il doit tenir sa langue et éviter à tout prix les confrontations.

Année du Cheval

Une année passable pour le Singe bien qu'il ait encore à faire face à des ennuis et à des frustrations. Ses difficultés pourront se résorber d'elles-mêmes s'il ne brouille pas les cartes et s'il accepte de réduire un peu ses attentes. Une année où il doit se joindre à ses opposants lorsqu'il devient évident qu'il n'est pas de force à les battre. Il doit se montrer conservateur et conformiste s'il veut réussir.

Année du Mouton

Une année d'engagement et d'action. Le Singe gagne facilement de l'argent mais ses profits sont réduits par des dépenses inattendues. Il fait la connaissance de nouveaux et utiles associés et il doit offrir des réceptions ou voyager plus que d'habitude. De légers problèmes de santé ou des désagréments sont à prévoir dans sa famille. Une année qui lui impose d'être secret car on tente d'obtenir de lui des informations privilégiées.

Année du Singe

Une excellente période pour les personnes nées sous le signe du Singe. Une année propice pour démarrer son propre commerce car elle laisse présager des réalisations, du bonheur et de la réussite. Il y connaît des progrès impressionnants. Ses maux de tête lui viennent principalement de ses subordonnés, de ses débiteurs ou des gens qui financent ses téméraires entreprises. Des problèmes de santé résultent d'un surmenage.

Année du Coq

Une année modérée mais stable dans la vie de la personne née sous le signe du Singe. Elle pourra trouver des sommes supplémentaires et les contacts qui lui sont nécessaires pour réaliser ses projets. Cependant, elle néglige sa vie familiale, participe à trop de rencontres sociales obligatoires et se retrouve épuisée et complètement débordée par ses engagements. Une année au cours de laquelle elle ne devrait pas mésestimer ses opposants.

Année du Chien

Une année difficile pour le Singe car ses plans tournent mal et on ne tient pas les promesses qu'on lui a faites. Il pourrait perdre certains investissements et il lui est déconseillé de prêter de l'argent à qui que ce soit. Il découvre cette année qui sont ses véritables amis. Des déceptions lui permettent de se rendre compte en détail de ses erreurs.

Année du Sanglier

Une année active mais épuisante. Le Singe est assailli par des querelles dans son milieu professionnel, des problèmes financiers ou

légaux, et même des complications de santé. Il arrive à résoudre ses
problèmes mais il lui faut faire des compromis. Il doit faire des concessions difficiles ou accepter sans broncher les insultes de ses
ennemis. Une année au cours de laquelle il ne doit faire confiance à
personne, pas même à son meilleur ami. Les associations dans un but
d'affaires s'avèrent non productives et souvent dangereuses.

Tableau de compatibilité du Singe

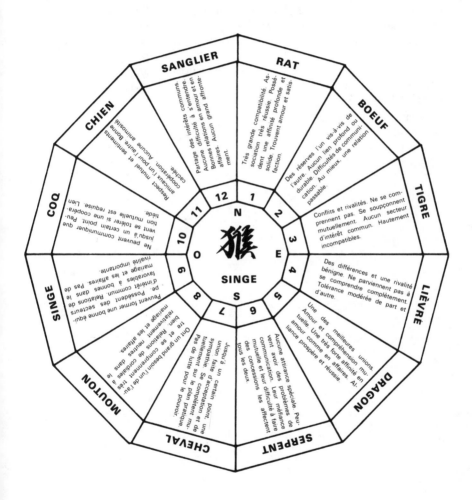

SANGLIER — Partage des intérêts communs. Aucune difficulté à s'entendre en amour et en affaires. Aucun grand affinité. Bonnes relations.

RAT — Très grande compatibilité. Association très réussie. Possédent une affinité profonde et solide. Trouvent amour et satisfaction.

CHIEN — Respect mutuel et sentiments amicaux. L'un pour l'autre. Bonne coopération. Aucune animosité cachée.

BOEUF — Des réserves l'un vis-à-vis de l'autre. Aucun lien profond ou durable. Difficultés de communication. Au mieux, une relation passable.

COQ — Ne peuvent communiquer que jusqu'à un certain point. Peuvent se tolérer si une coopération mutuelle est requise. Lien tiède.

TIGRE — Conflits et rivalités. Ne se comprennent pas. Se soupçonnent mutuellement. Aucun secteur d'intérêt commun. Hautement incompatibles.

SINGE — Peuvent former une bonne équipe. Possédent des secteurs d'intérêt commun. Relations de favorables à bonnes dans le mariage et les affaires. Pas de rivalité importante.

LIÈVRE — Des différences et une rivalité bénigne. Ne parviennent pas à se comprendre complètement. Tolérance modérée de part et d'autre.

MOUTON — On a un grand besoin l'un de l'autre et se comprennent très bien. Relations de cordiales à relativement neutres dans les affaires.

DRAGON — Une des meilleures unions. Amour et compréhension mutuelle. Une très forte affinité en amour comme en affaires. Alliance prospère et réussie.

CHEVAL — Jusqu'à un certain point, une union faite d'acceptation et de sympathie. Se complétent mutuellement sur le plan amoureux. Pas de lutte pour le pouvoir.

SERPENT — Aucune attirance spéciale. Peuvent avoir des problèmes de communication. Leur méfiance mutuelle et leur difficulté à faire des concessions les affectent tous les deux.

SINGE (centre) — 猴 SINGE

N — O — E — S
1 · 2 · 3 · 4 · 5 · 6 · 7 · 8 · 9 · 10 · 11 · 12

Personnalités célèbres nées au cours de l'année du Singe

Métal
Federico Fellini
Walter Matthau
Milton Berle
Mujibur Rahman

Eau
Léonard de Vinci
Charles Dickens
La Reine Sirikit
de Thaïlande
Edward Kennedy
Andrew Young

Bois
Harry Truman
Eleanor Roosevelt
Mick Jagger

Feu
La Duchesse de Windsor

Terre
John Milton
Paul Gauguin
Lyndon B. Johnson
Joan Crawford
Bette Davis
Mary Hemingway
Nelson Rockefeller

Chapitre 10

Le Coq

Par mon chant
Je célèbre le lever du jour
Et consacre sa fin.
J'exige la minutie et la précision.
Dans ma recherche de la perfection,
Toute chose doit trouver sa place.
Je suis le Maître,
L'administrateur vigilant.
Mon monde est celui de l'ordre parfait.
Je symbolise le dévouement indéfectible.

JE SUIS LE COQ.

Le Coq

Nom chinois du Coq: J̄Ī
Ordre hiérarchique: Dixième
Heures gouvernées par le Coq: 17h à 19h
Orientation de ce signe: plein Ouest
Saison et mois principal: Automne — septembre
Correspondance avec les signes solaires: Vierge
Élément stable: Métal
Souche: Négative

Années lunaires du Coq dans le calendrier occidental

Début	Fin	Élément
22 janvier 1909	9 février 1910	Terre
28 février 1921	27 janvier 1922	Métal
26 janvier 1933	13 février 1934	Eau
13 février 1945	1er février 1946	Bois
31 janvier 1957	17 février 1958	Feu
17 février 1969	5 février 1970	Terre
5 février 1981	24 janvier 1982	Métal
23 janvier 1993	9 février 1994	Eau

Si vous êtes né la veille du début de l'année lunaire du Coq, par exemple le 21 janvier 1909, vous appartenez au signe animal qui vient avant celui du Coq, c'est-à-dire au Singe. Si vous êtes né le jour qui suit la fin de cette année lunaire donc le 10 février 1910, vous appartenez alors au signe qui suit celui du Coq, soit au Chien.

L'année du Coq

L'optimisme de l'année du Singe déteint sur l'année du Coq, mais ce dernier a tendance à se montrer trop confiant et soutient souvent des plans insensés. Bien que le flamboyant Coq apporte des jours brillants et heureux, il éparpille également l'énergie. Il est préférable de ne pas trop le suivre et de s'en tenir à des chemins pratiques qui ont fait leurs preuves. Oubliez le livre à succès que vous vouliez écrire car aucune tactique pour s'enrichir rapidement ne réussira cette année.

Beaucoup de concentration sera nécessaire pour résister à l'attrait de l'aventure. Abstenez-vous de toute entreprise basée sur la spéculation. Il ne pourrait en résulter que des déceptions et des conflits. Le Coq aime afficher son autorité et cette attitude de domination peut provoquer quantité de problèmes. Néanmoins, comme il symbolise également la bonne gestion et l'administration consciencieuse de la justice dans la basse-cour, la paix est quand même maintenue. Au cours de l'année du Coq, toute stabilité disparaît car sa personnalité théâtrale crée toutes sortes de petites disputes.

Nous aurons peut-être également à consentir, cette année-là un effort maximum pour un minimum de rendement. N'essayez pas d'être trop perfectionniste. Il faut, bien sûr, s'occuper des détails, mais n'oubliez jamais de considérer l'ensemble. Soyez prudent et ne visez pas trop haut car vous pourriez tomber.

Les hommes politiques adoptent la ligne dure. Le monde diplomatique est dominé par les propos philosophiques d'orateurs qui parlent pour ne rien dire. Les gouvernements se montrent les dents mais ce n'est que pour le spectacle. On n'assiste pas à de véritables confrontations. Tout le monde est trop absorbé par lui-même pour écouter ou se soucier de ce que disent les autres. L'influence égoïste du Coq nous porte à nous offusquer aux moindres remarques. Nous avons tendance à devenir imbus de la splendide image que nous croyons projeter. Les désaccords et les débats qui surgissent de partout soulignent le penchant du Coq pour l'exercice oratoire et il n'en résulte aucun dommage permanent, compte tenu du contexte. C'est une année pleine d'entrain, en dépit du talent qu'a le Coq de rendre compliquées mêmes les choses les plus simples. Une chose est certaine, c'est qu'il se présente rarement les mains vides. C'est l'année de l'oiseau qui a beaucoup d'autonomie et qui ne souffre jamais de la faim. Gardez l'oeil ouvert et examinez discrètement faits et chiffres avant d'entreprendre une action novatrice. Nous devrions tous nous en tirer sans trop de difficultés. Cette année nous laissera un gain raisonnable même si nos nerfs auront été mis à l'épreuve.

La personnalité du Coq

Le Coq est le Don Quichotte du cycle astrologique chinois. Ce chevalier intrépide qui doit fouiller le sol s'il veut survivre est le plus incompris et le plus excentrique de tous les signes. Paradoxalement, il est le symbole de la confiance en soi et de l'agressivité, alors qu'en réalité il est conservateur et démodé.

Les personnes nées sous le signe du Coq, particulièrement les hommes, sont attirants et possèdent même une beauté fougueuse. Ce volatile princier est radieux et fier de son plumage qu'il valorise par son port altier. Vous ne verrez jamais un Coq qui traîne les pieds; ils se déplacent tous avec dignité. Même le plus timide des membres de la famille du Coq a une apparence soignée et conserve toujours une certaine majesté.

Il existe parmi les Coqs, deux types bien distincts. Le premier aux gestes énergiques et qui n'arrête pas de parler, l'autre solennel, qui se contente d'observer de ses yeux pénétrants. Tous les deux sont aussi difficiles d'approche. Le Coq a plusieurs qualités remarquables dont il peut s'enorgueillir. Il est éveillé, soigneux, précis, organisé, volontaire, intègre, alerte et, par-dessus tout, direct. Il peut aussi se montrer critique jusqu'à en être brutal. Ne lui demandez pas de vous donner sa franche opinion, vous pourriez trouver difficile d'avaler ses commentaires. Il aime la discussion et adore les débats qui lui permettent de faire montre de ses connaissances et de son intelligence, oubliant parfois toute considération pour les sentiments des autres. Cependant, lorsqu'il se fait rabrouer, il devient intolérable. Il n'a pas été fait pour la diplomatie. Les situations qui exigent du tact, de la délicatesse et de la discrétion, le paralysent. Sa tactique consiste à essayer de convertir tout le monde à sa façon de penser, ce qu'il fait avec le zèle d'un missionnaire.

Personnage remarquable, le Coq est à son meilleur lorsqu'il est le centre d'attraction. Grâce à sa personnalité imposante, il peut envisager de poursuivre toutes les carrières publiques. De caractère joyeux, malicieux et amusant, le flamboyant Coq ne laissera jamais passer une occasion de raconter ses aventures et d'énumérer ses réalisations. Il a de la facilité à s'exprimer autant par la parole que par l'écriture. Vous devrez reconnaître qu'il est bien renseigné et préparé sur tous les sujets qu'il aborde. Si vous avez l'intention de lui lancer un défi sur un sujet controversé, vous feriez mieux de vous préparer à une longue et dure bataille. Le Coq possède une énergie surprenante, se prépare soigneusement et peut vous vaincre par son endurance.

Lorsque ressort son côté négatif, le Coq est égoïste, entêté et trop caustique même envers lui-même; il croit pourtant avoir totalement raison. Il préside à des assemblées pour renforcer l'image qu'il a de lui-même. Cependant, si vous regardez de près, vous découvrirez que s'il se livre à cette parade c'est à cause du perpétuel besoin qu'il a de se rassurer sur sa propre valeur plutôt que pour irriter qui que ce soit. Malgré ses fanfaronnades, le Coq n'est pas vraiment sûr de lui-même et, pour cette raison, il est sensible à la flatterie et aux idées de grandeur.

Tous les Coqs ont du talent pour l'administration. Ils sont tout simplement fascinés par la comptabilité, la planification financière et la surveillance de la caisse. Le Coq établit un contrôle budgétaire systématique sur tout ce qu'il approche, y compris son temps, son argent, le temps de ses employés, de la compagnie, etc. Même très jeune, il tente de se faire élire trésorier de sa classe. Il utilise son argent avec circonspection et, sans que vous vous en soyez aperçu, il aura fondé sa petite banque, accordé des prêts et exigé un intérêt de la part d'enfants moins organisés que lui.

Si vous avez des problèmes financiers dus à un manque de discipline de votre part, confiez votre argent à un Coq. Il va vous établir un budget rigoureux et vous faire regretter chaque dépense non prévue.

Bien que vous puissiez en venir à regretter cette solution, ne doutez cependant pas qu'il agit ainsi pour votre bien, même s'il semble y prendre un plaisir sadique et, qu'après tout, il s'agit de votre argent. Mais ne soyez pas ingrat! Vous devriez plutôt vous réjouir qu'il ait consenti à vous aider.

Tous ces bouts de papier que vous gardiez un peu partout sont maintenant classés proprement par cet expert. Votre revenu et vos dépenses concordent pour la première fois depuis plusieurs années. Maintenant que le Coq est là, vous-même commencez à y voir clair, les fonctionnaires du ministère du Revenu ne surveillent plus votre porte, vos créanciers ne vous poursuivent plus jour et nuit. Rendez-vous compte que vous seriez dans une bien plus mauvaise situation n'eût été ce sauveur financier et cessez de vous dire que vous n'avez pas demandé un contrôle aussi sévère. Vous vous plaignez amèrement qu'il ne vous permette même pas la plus petite erreur? Vos finances sont maintenant en parfait état, mais cette nouvelle chance vous rend profondément malheureux... Votre pression sanguine augmente chaque fois que vous avez une longue discussion avec lui. Évidemment, il y a d'autres façons de le prendre...

Essayons de revenir en arrière. Souvenez-vous du jour où vous l'avez engagé et où il a fait voeu de vous tirer d'embarras et de rester avec vous quoi qu'il arrive. C'est tout simplement que l'aspect négatif vous saute tout d'abord aux yeux. Patientez, les choses vont s'améliorer. Sa motivation principale est de servir et il ne vous décevra pas, même si vous attendez beaucoup de lui. Vous vous rendez peut-être compte qu'il vous est impossible de vivre avec le Coq, mais vous découvrez également que vous ne pouvez pas vous passer de lui.

Incidemment, le caractère chinois utilisé pour représenter le Coq est "JI", lequel signifie simplement "poulet". Mais comme cette personne n'a rien de fragile et qu'elle a un grand courage, j'ai choisi d'utiliser le mot Coq. Cependant, la personnalité du Coq rehausse réellement et domine la famille des poulets. S'il apparaissait dans un journal une offre d'emploi rédigée comme suit: "Surhomme doué de talents administratifs demandé", vous pouvez être certain que le Coq postulerait l'emploi et qu'il l'obtiendrait.

Son signe est également celui du contrôleur financier. Il ne peut absolument pas supporter que des comptes demeurent impayés. Si l'on vous doit de l'argent et que vous ne réussissez pas à le percevoir, confiez-en la tâche au Coq. Puis, observez la façon avec laquelle il s'adresse à ceux qui ont le malheur de vous devoir de l'argent. Vous ne pouvez trouver personne qui puisse mieux que lui s'acquitter d'une mission importante. Il aime les affectations difficiles. Mais ne croyez pas qu'il va improviser. C'est une personne qui aime connaître les détails et vous devrez lui fournir des ordres précis. Il ne faut pas lui demander de posséder en plus des qualités de polyvalence et d'invention. Ce serait exagéré.

Pour vraiment comprendre un Coq, il faut accepter sa prédilection pour la controverse. Elle lui vient peut-être de l'exercice mental que cette dernière lui procure. Vous devez comprendre, bien que cela puisse vous paraître difficilement croyable, qu'il n'y a rien de personnel dans ses manoeuvres. Vous devez cependant avoir le bon sens d'éviter son chassé-croisé lorsque vous savez qu'il est toujours sur le qui-vive. Il est également surprenant de noter que, bien qu'il semble renseigné et pratique dans presque tous les domaines, le Coq devient un véritable puritain lorsqu'il s'agit de sexualité ou de vie sentimentale.

Le Coq peut accepter de faire des progrès lents et réguliers mais il faut d'abord qu'il se rende compte qu'on accepte beaucoup mieux ses précieux conseils s'il fait attention à la forme. Il doit apprendre à dorer la pilule: on n'en est plus au temps où les médecins faisaient croire à leurs patients que plus un remède était mauvais au goût plus il serait efficace!

Lorsqu'un Coq dépense son argent sans compter, il le fait évidemment pour apaiser son ego démesuré. Il s'habille avec goût et aime attirer l'attention. Il lui arrive donc d'avoir tendance à décorer exagérément son appartement, son bureau ou même sa personne. Il est très impressionné par les honneurs de toutes sortes, médailles et titres honorifiques. Chaque Coq tente d'obtenir une récompense, un titre professionnel ou au moins une médaille lors de son service militaire. L'argent lui sert tout d'abord à entretenir généreusement sa famille immédiate et d'autre part à se mériter l'affection et l'admiration de son entourage. En dehors de cela, la seule chose que vous puissiez obtenir gratuitement de lui, ce sont ses conseils.

Un Coq né à l'aube durant les heures du Tigre, ou au moment du coucher du soleil (entre 17h et 19h, soit durant les heures du Coq) est certainement le plus bruyant de tous. J'en connais personnellement un dont la famille est depuis longtemps intéressée à acheter une muselière. Dommage qu'aucun d'eux n'ait eu le courage de le faire. Les Coqs nés la nuit ont exactement la tendance opposée. Ils sont portés à être trop sérieux, à se montrer réservés et peu communicatifs. Ces Coqs paisibles ont tendance à être doublement excentriques, bouquineurs et solitaires dans leur recherche de la perfection.

Tous les Coqs sont perfectionnistes d'une manière ou d'une autre. Ils ont un oeil aiguisé qui voit tous les détails ainsi que des élans d'imagination théorique. Leurs idées sont parfois plus intéressantes sur papier que dans la réalité, car ils négligent de tenir compte de la fragilité humaine ainsi que de facteurs divers. Ils possèdent un esprit scientifique et peuvent avoir de la difficulté à comprendre pourquoi certaines personnes ne conçoivent pas, comme eux, la vie comme un ensemble de formules mathématiques.

Cependant, en dépit de ses défauts et de ses manières un peu encombrantes, la personne née sous le Coq est habituellement sincère dans son désir d'aider les autres et reste animée de bonnes intentions. Sa trop grande insistance témoigne simplement du fait qu'étant extrêmement positif, il a tendance à se montrer réfractaire à l'opinion des autres.

Si les rêves du Coq sont trop échevelés et ambitieux, la vie lui apportera plusieurs déceptions. Il lui faut apprendre à reconnaître qu'il existe des limites. Tandis qu'il peut se montrer pratique face à des problèmes difficiles, le Coq peut aussi s'avérer tout à fait déraisonnable et pénible lorsqu'il est question de sujets très simples. Cependant, s'interposer entre lui et les buts qu'il poursuit s'avère toujours inutile. Il est du genre chevalier sans peur et sans reproche qui semble n'avoir jamais besoin de repos et qui est toujours prêt à poursuivre une étoile filante. Il a toujours l'impression de pouvoir réussir à la prochaine tentative. Le Coq se montre brave et chevaleresque dans les moments de crise, mais il lui arrive de pousser l'héroïsme beaucoup plus loin que nécessaire.

La femme née sous ce signe est généralement plus pratique et animée d'aspirations moins spectaculaires. Elle est d'une efficacité extrême et s'acquitte de ses tâches avec un minimum de complication. Vous pouvez compter sur son énergie lorsqu'elle a accepté de s'engager dans une entreprise.

On ne trouve pas de femme possédant un sens du dévouement dépassant le sien si ce n'est la femme Sanglier. Même si elle peut paraître avoir accepté une tâche suite à des pressions, en réalité elle aime bien consacrer sa vie à un engagement social. Sinon, comment utiliser toute cette réserve d'énergie? Alors que certains qui ont des temps libres s'ennuient, elle est réellement effrayée lorsqu'elle n'a rien à faire. La femme née sous le Coq s'adapte mieux que l'homme né sous ce signe et réussit bien dans la vie sociale. Elle ne voit pas d'inconvénients à n'être qu'un membre parmi d'autres dans une équipe, à condition que son travail aille dans le sens de ses projets. Elle apprécie la routine et elle est toujours en avance sur son échéancier, quand elle ne le devance pas. Elle a autant de capacité et d'efficacité que l'homme de son signe, mais son comportement est beaucoup moins agressif. Prudente, modeste et plus discrète, elle peut exceller dans des travaux qui exigent de la précision comme la correction d'épreuves, la planification d'études à long terme ou la compilation de statistiques. Son caractère méticuleux lui permet également de bien réussir dans l'enseignement. C'est une mère et une épouse pleine d'attention.

Elle a tendance à revenir plusieurs fois sur un point et à vous rappeler continuellement ce qui reste à faire, mais il faut le prendre comme un trait positif qui lui vient de son souci de la perfection et non comme une agression à votre égard. On peut même avoir l'impression qu'elle cherche à réformer ou à transformer les personnes qu'elle aime, alors qu'il s'agit simplement de sa manière de montrer son affection. Elle ne peut pas supporter de voir se commettre des erreurs qu'elle peut empêcher. Elle est donc là pour vous aider chaque fois que vous trébuchez et pour vous souffler le mot juste lorsqu'il vous manque. Dévouée à l'extrême, cette femme peut pousser sa dévotion jusqu'aux limites de la raison.

Elle va tout vous pardonner, mais ça ne sera qu'après s'être soulagée le coeur par une sévère remontrance. Quand ce sera chose faite, elle ne vous gardera pas rancune car elle n'est pas de nature vindicative.

La femme née sous le Coq s'habille avec simplicité. Elle préfère les vêtements simples, classiques qui donnent un air naturel et peuvent convenir à de nombreuses occasions, tout en pouvant s'adapter aux nombreux accessoires dont elle est friande.

Un simple coup d'oeil dans sa bourse pourrait vous apprendre beaucoup de choses sur son caractère. En plus des petites notes qu'elle écrit sans cesse, vous y trouverez probablement un ruban à mesurer ainsi que la liste des tailles et pointures de tous les membres de sa famille. Il pourrait aussi y avoir des remèdes pour toutes sortes de maladies et divers articles qu'elle garde en cas de besoin. Elle est précise et ordonnée et aime être responsable de la distribution ou de l'organisation du travail. Il ne serait pas surprenant qu'elle se charge d'ouvrir la porte au bureau le matin et qu'elle insiste pour partir la dernière afin de pouvoir vérifier si tout est en ordre avant de s'en aller. Elle protège jalousement sa responsabilité et savoure littéralement le pouvoir que lui confère l'autorité.

Tout Coq est un travailleur remarquable. Il sait faire plaisir à ses supérieurs qui, en retour, seront impressionnés par sa vive intelligence et son efficacité. Cependant, bien qu'il ait une énergie inépuisable et une intense volonté de réussir, le Coq est trop téméraire quelquefois ce qui l'amène à mal orienter ses efforts ou à entreprendre des tâches impossibles. Ironie du sort, le Coq trouve succès et fortune dans les endroits les plus ordinaires. Contrairement à ce qu'il croit, il n'a pas à aller très loin pour faire fortune. Comme le dit l'adage chinois: "Grâce à leurs solides becs et à leurs ergots, les Coqs et leurs familles peuvent tirer leur nourriture du terrain le plus dur."

Par conséquent, si la personne née sous le signe du Coq réussit à dominer son énergie et à devenir plus terre à terre, tout en s'appliquant à des tâches concrètes, elle peut littéralement découvrir de l'or dans son jardin. Elle réussit très bien dans son propre commerce ou dans la gestion de l'héritage familial. De toutes façons, quelle que soit sa carrière, elle est assez méticuleuse et compétente pour parvenir à tout mettre en ordre en un rien de temps.

La vie émotive du Coq a des hauts et des bas. Il est affligé d'un esprit curieux et orienté vers l'action. Son caractère évaluateur le garde enchaîné à ses objectifs. Une fois qu'il aura entrepris de prouver un point, il ne négligera aucun détail. Il pourrait faire un excellent détective, car il tient un peu de Sherlock Holmes.

De nombreux talents administratifs et la passion au travail amènent le Coq à commencer très tôt sa carrière et à connaître le succès alors qu'il est encore jeune. Quoi qu'il entreprenne, il doit faire preuve de modération et chercher à travailler avec quelqu'un dont la fermeté peut réussir à canaliser son énergie débordante. Quelle que soit sa compétence, il doit se rendre compte qu'il ne peut pas changer le monde en un jour, ni le transformer suffisamment pour qu'il s'adapte à sa manière de penser. Bref, le Coq peut accomplir les tâches les plus étonnantes avec beaucoup d'aplomb, et terminer avec une note d'excentricité.

Le Coq aime les louanges, est allergique aux critiques de toutes sortes et se montre très égoïste lorsqu'il s'agit de partager la vedette. Il n'admet jamais ses torts. Il ne ménage aucun effort lorsqu'il veut discréditer un ennemi. Comme parent, la personne née sous le signe du Coq montre une grande générosité envers sa famille et pardonne facilement à condition que personne n'ose prétendre à la première place qu'il se réserve naturellement. Une famille nombreuse pourrait mieux lui réussir, car le Coq excelle lorsqu'il est appuyé par son entourage.

Quoi qu'il arrive, l'énergie inépuisable du Coq lui sera d'un grand secours car il devra faire des efforts toute sa vie. Rien ne lui tombera du ciel. C'est un rêveur incorrigible, rempli d'ambition et de bonne volonté, mais qui est destiné à ne réussir que dans les secteurs conventionnels. Néanmoins, il lui faut faire attention à ne pas sous-estimer ses capacités. Il possède un instinct tellement compétitif qu'il serait bien capable de frapper à mort le prodigieux Serpent si l'idée lui en venait.

En résumé, le Coq, flamboyant mais paradoxal, vous impressionnera toujours. Soit qu'il vous enchante et que vous en veniez à l'aimer énormément ou que vous soyez tout simplement incapable de supporter sa vue ou de l'entendre.

Le Coq peut former une bonne association avec le sage et intuitif Serpent. En retour, le Serpent trouvera bénéfique la personnalité effervescente et l'allure fière et colorée du Coq. Le Boeuf apprécie également les bienfaits que la présence ensoleillée du Coq peut apporter à son existence sévère. Tous les deux sont des travailleurs acharnés bien que le Coq ne soit pas aussi discipliné que le Boeuf. Le Dragon ne pourra pas s'empêcher d'être séduit par les aspirations grandioses du Coq, tous les deux étant introvertis, énergiques et ambitieux. Le Tigre, le Mouton, le Singe et le Sanglier seront également de bons partenaires pour le Coq, mais à un degré moindre. Mettez deux Coqs en présence et vous ne pourrez faire autrement que d'assister à un combat. Lorsqu'il s'agit d'un homme et d'une femme Coq, la rencontre est un peu plus harmonieuse. Les personnes nées sous le signe du Coq auront des conflits avec celles nées sous le signe du Rat. Le Coq n'a pas de vie personnelle, le Rat pour sa part recherche continuellement l'intimité. Une association avec le Lièvre n'est pas non plus souhaitable. Le Lièvre est sensible et tente d'éviter de se quereller ou de provoquer ses ennemis. De son côté, le Coq est un expert de la provocation et il irrite facilement les gens par ses remarques désobligeantes. Cet aspect de son caractère scandalise et agresse le Lièvre qui ne peut pas supporter une franchise aussi évidente. La relation entre le Coq et le Chien est de passable à hostile, dépendant de la largeur du fossé qui sépare leurs différents points de vue. Ils réussissent à travailler ensemble lorsque nécessaire mais ils ne sont pas destinés à se réunir dans une alliance heureuse.

Le Coq enfant

L'enfant né sous le signe du Coq manifeste beaucoup d'initiative. Bon élève, apprenant vite et besogneux, cet enfant a toujours une question sur les lèvres. Vous pouvez vous fier à lui pour la poursuite de ses études ou de tout autre projet qui retient son attention, car il possède un zèle inné. Il aura tendance à fréquenter les livres avec assiduité.

L'enfant né sous le signe du Coq est propre et ordonné. Il se montre respectueux des étapes prescrites pour l'accomplissement des tâches et il pousse la méticulosité et la rigidité de ses habitudes jusqu'à en être irritant. Il n'est pas non plus réticent à communiquer ses opinions, au contraire; il en est même un peu fatigant. Ferme et bien discipliné, il appartient au type d'enfant qui économise son argent de poche. Il insiste sur la ponctualité et planifie les tâches les plus simples avec une précision militaire.

Cet enfant est probablement le critique le plus clairvoyant que vous puissiez trouver. Réjouissez-vous-en, même si c'est un peu pénible de subir aussi souvent des attaques personnelles. Cela est dû à la pureté d'esprit du Coq qui déteste l'hypocrisie. Ses critiques et ses observations cliniques prennent la forme de simples énoncés factuels et ne sont pas faites dans le but de vous offenser. Il lui arrive d'être réellement étonné de voir que vous vous fâchez alors qu'il essaie sérieusement de vous montrer vos vraies faiblesses. Par contre, il n'accorde aucune attention à ce que les autres pourraient penser de lui. Il doit dire ce qu'il pense car il possède un esprit véritablement indépendant.

Le Coq enfant est très exigeant envers ses parents, mais en retour il est toujours disponible lorsqu'on lui demande de faire sa part. Il ne réclame jamais d'aide et il déteste la faiblesse et la dépendance chez les autres. Si vous avez une défaillance, il va être le premier à la remarquer et à vous la montrer. Il ne peut pas s'en empêcher car cela fait partie de sa nature. Il a aussi tendance à être autoritaire, et si vous n'êtes pas prudent, ce jeune Coq pourrait très bien mener votre vie.

Optimiste et intrépide, le Coq ne change jamais son plan d'action même si le monde entier le désapprouve. Il peut arriver qu'on le voit courir au désastre sans pouvoir l'aider, car une fois son idée faite, il n'accepte aucun conseil. Il ne vous reste qu'à souhaiter que ses manoeuvres saugrenues et idéalistes fonctionnent. Il n'est jamais trop pratique lorsqu'il s'agit de sa vie personnelle. Cependant, un de ces jours, qui sait, une de ses entreprises dont vous ignoriez l'existence pourrait connaître un succès éclatant. Beaucoup de millionnaires sont nés au cours de l'année du Coq et, à part leur richesse, ils avaient en commun d'être dotés d'un caractère excentrique.

Le côté le plus énervant de sa personnalité, c'est qu'il ne voit absolument pas ses propres fautes. Ne vous donnez pas la peine de discuter avec lui, car ce serait peine perdue: le Coq n'admet jamais qu'il a tort. Il a toujours raison et il n'est pas question d'en discuter!

En résumé, énergique et splendide, le Coq possède des talents spectaculaires (dont il vous fera soigneusement l'énumération), mais ceux-ci sont accompagnés d'un nombre aussi grand de défauts. Il a horreur des demi-mesures. Avec lui, il n'y a rien de conditionnel. Son attitude est simple et signifie que, si vous êtes d'accord avec lui, vous devez être prêt à aller jusqu'au bout.

Les cinq types de Coq

Le Coq de Métal — 1861, 1921, 1981

Un type de Coq pratique, exigeant et travailleur qui possède le don de captiver les autres par ses grands pouvoirs de déduction. Esprit curieux, optimiste et idéaliste, il démontre une attitude passionnée face au travail.

Le Métal le rend opiniâtre et têtu. Il est fortement attiré par la notoriété et la gloire et il s'attache à l'image qu'il se fait de lui-même, ce qui l'empêche de souscrire facilement aux points de vue des autres. Il possède des talents oratoires qu'il utilise abondamment pour neutraliser ses opposants. Bien qu'il soit rigoureux et raisonnable, il a de la difficulté à être totalement impartial lorsque son ego est mis au défi.

S'il ne parvient pas à s'entendre avec les autres ou à faire des efforts réels en vue de compromis, il risque de gaspiller ses talents et d'appauvrir son génie. S'il rationalise et analyse trop, il n'arrive à rien. Lorsque ressort son côté négatif, même ses élans amoureux sont analysés avec une rigueur clinique. Il doit s'efforcer d'atténuer sa propension à l'extrémisme.

En dépit de sa vantardise apparente, le Coq de Métal éprouve une certaine pudeur au sujet de ses émotions. Il insiste pour que tout dans sa vie soit en ordre et exige des conditions hygiéniques quasi extrêmes dans son environnement.

Bien que ce Coq soit attiré vers la richesse, il est aussi préoccupé de réformes sociales. Il se fait un devoir de mettre ses ressources et ses connaissances au service de l'humanité et éprouve une grande satisfaction à résoudre les problèmes sociaux ou à tenter de réaliser des réformes destinées au progrès collectif.

Le Coq d'Eau — 1873, 1933, 1993

Ce Coq est du type intellectuel et il consacre sa vie à la culture. Il dispose d'une très grande énergie et cherche à utiliser ses ressources ou à recevoir l'aide des autres dans le but d'accélérer le progrès. Il accepte la discussion car il est capable de souplesse lorsqu'il est confronté à des problèmes insurmontables. Il n'est pas aussi austère et ascétique que les autres Coqs.

Doué pour l'écriture et orateur éloquent, le Coq d'Eau peut soulever les foules et réussir à les convaincre de la nécessité d'une action. Il est fortement orienté vers les sciences et ses intérêts portent surtout sur la santé, la médecine et la technologie. Son cerveau possède l'efficacité d'un ordinateur, ce qui entraîne la perte occasionnelle de sa vision d'ensemble, en l'amenant à se concentrer sur les détails. Les systèmes et les procédures le fascinent et s'il est obsédé par la perfection, il peut devenir pointilleux et bureaucratique.

Le Coq de Bois — 1885, 1945, 2005

Un Coq chaleureux, capable de considération pour les autres et qui a des vues plus diversifiées sur l'existence. Bien qu'il soit beaucoup moins têtu et opiniâtre que le Coq d'Eau, il a quand même tendance à compliquer les choses et à s'embourber dans des labyrinthes qu'il se crée. Il devrait apprendre à contenir son enthousiasme, éviter de se surmener et arrêter d'exiger de tous ceux qui travaillent avec lui une énergie et une dévotion comparables aux siennes. Malgré ses bonnes intentions, la précision et la discipline qu'il exige au travail ont de quoi exacerber ses subalternes.

Le Bois l'oriente vers le progrès et lorsque cette influence s'ajoute à ses qualités d'honnêteté et d'intégrité, ses performances atteignent des sommets remarquables qui étonnent tout le monde.

Large d'esprit, juste et sociable, il consacre une partie de son temps au bien-être des autres et il tente de contribuer à l'amélioration des conditions sociales existantes. Assoiffé d'amitié, il s'associe étroitement aux gens avec lesquels il travaille et témoigne d'un sens aigu des responsabilités. Cependant, il reste quand même un Coq avec ses colères mordantes et son besoin de sécurité. Sa vie est un véritable rêve s'il apprend à ne pas s'attaquer à trop de grands projets à la fois.

Le Coq de Feu — 1897, 1957, 2017

Celui-ci fait penser à une étoile filante. Son élément, le Feu, communique à ce Coq énormément de vigueur, de motivation et d'autorité. Il est capable d'agir de manière indépendante et avec beaucoup d'habileté et de précision, bien qu'il lui arrive d'être instable, alarmiste et nerveux.

Doté de forts principes et entêté dans sa poursuite de la réussite, il possède des qualités de gestionnaire et de leader qui dépassent la moyenne. Vif et intense, le Coq de Feu s'en tient fanatiquement à ses idées et réalise ses propres enquêtes et ses propres études de faisabilité. Les sentiments ou les opinions personnelles des autres le laissent imperturbable; cependant, son comportement est rigoureusement professionnel et éthique.

Il lui arrive d'être trop inflexible pour consentir aux compromis qui s'imposent, et de soumettre les personnes et les situations à un véritable examen microscopique. Si les résultats obtenus ne sont pas à la hauteur de ses attentes, il peut se transformer en un véritable inquisiteur ou causer des perturbations importantes.

En dépit de cela, il possède réellement des talents d'organisateur et, malgré ses quelques manquements, ce type de Coq est animé des intentions les plus nobles qui soient. Son image publique est souvent stimulante et dynamique.

Le Coq de Terre — 1909, 1969, 2029

Un Coq studieux, à l'esprit analytique et pénétrant, qui va s'employer à rechercher la vérité, manifester très tôt de la maturité et compiler lui-même une documentation irréfutable. La Terre lui communique de la précision, de l'efficacité et de la prudence dans la poursuite de ses entreprises. Il ignore les détails et se concentre sur les faits solides. Son travail est toujours d'une grande profondeur.

Ne craignant pas les responsabilités, il entretient sa réputation de franc-parler. Il n'est ni prétentieux, ni dogmatique mais il possède une forte tendance au "missionnariat". Il cède souvent à son impulsion de tenir des discours paternalistes dans lesquels il exhorte tout le monde à travailler fort et à suivre son exemple. Il peut mener une vie simple et austère lorsque son emploi le satisfait. Systématique à l'excès, il conserve des notes, des dossiers, et enregistre tout ce qu'il fait pour la postérité.

Surveillant implacable, éducateur sévère et critique redouté, le Coq de Terre travaille sans relâche, ce qui lui permet de récolter des succès importants, témoins de ce qu'il peut faire lorsqu'il s'astreint à devenir pratique.

Le Coq et ses ascendants

Naissance au cours des heures du Rat — 23h à 1h

Un mélange de charme mordant et de curiosité. Le Coq est plus sympathique et tolérant grâce à l'influence du Rat. Il aime toujours la discussion, mais il est moins agressif.

Naissance au cours des heures du Boeuf — 1h à 3h

Avec ses sabots bien plantés dans le sol, le Boeuf pourrait rendre le Coq plus réaliste. Cependant, ces deux signes étant autoritaires, ils peuvent se montrer redoutables s'ils obtiennent un pouvoir absolu. Ce Coq pourrait bien utiliser un marteau de forgeron pour tuer une mouche.

Naissance au cours des heures du Tigre — 3h à 5h

Du magnétisme mais une nature un peu incohérente qui l'amène à pouvoir dire oui et non dans la même phrase. Les qualités analytiques du Coq peuvent être estompées par le comportement impénétrable du Tigre. Il en résulte une confiance en soi plus déraisonnable que normale.

Naissance au cours des heures du Lièvre — 5h à 7h

Un volatile calme et efficace qui réussit toujours à tirer son épingle du jeu. Un Coq qui devrait causer moins de problème, mais un expert en boniments.

Naissance au cours des heures du Dragon — 7h à 9h

Un Coq qui ne vous permet pas d'usurper la moindre portion de son pouvoir. Le Dragon le rend extrêmement rigide, difficile à contenter en même temps que courageux. Il fauche littéralement ses opposants tellement ses répliques sont cinglantes.

Naissance au cours des heures du Serpent — 9h à 11h

Personnage sec et nerveux, il est doté de sagesse. Le Serpent le rend distant et secret. Ce Coq pourrait apprendre à s'occuper de ses propres affaires et à garder ses opinions pour lui-même.

Naissance au cours des heures du Cheval — 11h à 13h

Un Coq pimpant et pratique, doué de réflexes rapides. Ces deux signes partagent un goût pour les choses colorées et flamboyantes, mais le Cheval pourrait apprendre au Coq à ne pas perdre son temps dans des aventures impossibles. Les efforts de ce dernier pourraient donc rapporter beaucoup plus.

Naissance au cours des heures du Mouton — 13h à 15h

Un Coq aimable, moins autoritaire et un peu timide. La timidité du Mouton pourrait atténuer la brusquerie du Coq, ce qui n'est pas une mauvaise chose.

Naissance au cours des heures du Singe — 15h à 17h

Un Coq ingénieux mais sympathique qui a un certain sens pratique et utilise la conciliation pour arriver à ses fins. Un Coq insouciant, heureux et courageux.

Naissance au cours des heures du Coq — 17h à 19h

Une double ration d'efficacité méticuleuse et d'esprit critique que peu de gens parviennent à avaler. Susceptible d'être remarquable, fort excentrique et très individualiste, il fait partie d'une classe à part.

Naissance au cours des heures du Chien — 19h à 21h

Un Coq calculateur, inconstant, mais honnête. Le Chien le rend moins prétentieux et entêté. Cependant, il faut s'attendre à ce que cette combinaison de deux esprits également idéalistes et querelleurs nous en fassent voir de toutes les couleurs.

Naissance au cours des heures du Sanglier — 21h à 23h

Un Coq complaisant qui va insister pour vous apporter son aide que vous le vouliez ou non! Son côté brillant n'existe qu'en surface et, socialement, c'est un véritable papillon. Il n'est pas pour autant égoïste et il ne saurait se montrer malhonnête.

Comment le Coq traverse les différentes années

Année du Rat

Une année difficile. Le Coq est forcé de puiser dans ses économies car l'argent est rare ou bien il découvre que d'autres personnes gaspillent ses ressources. Ses amis ne peuvent pas l'aider ou le laissent tomber lorsqu'il leur demande de l'aide. Des problèmes à la maison ou des malaises physiques sont à prévoir car il doit travailler très fort pour régler lui-même ses problèmes. Une année où la discrétion et la modération doivent primer.

Année du Boeuf

Le Coq refait ses forces au cours de cette année du Boeuf. Il reprend le pouvoir qu'il avait perdu et il a le talent de surmonter ses problèmes ou bien il reçoit une aide extérieure. Des bonnes nouvelles à la maison et un voyage. Un écoulement de sang est à prévoir. Il serait bon d'être particulièrement prudent avec les objets tranchants. Il pourrait également s'agir d'une opération.

Année du Tigre

Une année riche en événements. Le Coq est chanceux financièrement et ses entreprises pourraient produire des résultats intéressants. Il a quelques problèmes à la maison, mais ses plans se déroulent comme prévu. La prudence est néanmoins indiquée car la vitesse à laquelle les événements se succèdent est trop grande pour en permettre une évaluation convenable. Il ne doit pas se montrer trop optimiste.

Année du Lièvre

Une année passable pour le Coq s'il maintient une apparence conservatrice. Les investissements sont peu sûrs au cours de cette année et il ne devrait pas spéculer, car une perte d'argent est à prévoir. Il est aussi porté aux erreurs de calcul et ses profits pourraient être rognés par des dépenses imprévues. Il serait souhaitable qu'il s'associe à d'autres au cours de cette année plutôt que d'agir seul.

Année du Dragon

Une année très bonne et prospère. Grande réussite pour le Coq car il a la possibilité d'occuper une position avantageuse ou de former son destin. Cependant, de légères frustrations pourraient survenir à la maison ou côté santé, accompagnées de tension. Une naissance ou un mariage dans la famille.

Année du Serpent

Une autre année de chance pour le Coq car des progrès sont à prévoir et il pourra maintenir sa position avantageuse. Aucun gain financier important n'est prévu, bien qu'il puisse récupérer ses pertes avec une facilité admirable. Un accident stupide ou des rumeurs malicieuses pourraient survenir et il ne devrait pas entreprendre inutilement de grands voyages.

Année du Cheval

Une période éprouvante. Le Coq doit modérer ses aspirations car il rencontre beaucoup d'obstacles au cours de cette année. Il s'en sort cependant, s'il n'est pas induit en erreur par des résultats favorables qui pourront plus tard se tourner contre lui. Une période où il faut se montrer diplomate car il doit faire des compromis avec ses adversaires. Son milieu de travail donne lieu à des querelles ou à des désagréments. Des bonnes nouvelles sont à prévoir dans la famille.

Année du Mouton

Une année bonne et privilégiée pour le Coq. Aucune perturbation n'est à prévoir car il reçoit de bonnes nouvelles, reprend le terrain perdu et progresse dans sa carrière. Les problèmes sont toujours nombreux mais il n'est pas directement affecté. Sa vie est plus calme et plus confortable. Il peut se permettre de se reposer ou de prendre de longues vacances.

Année du Singe

Une année mitigée. Le Coq fait face à des problèmes financiers, à des échecs dans ses affaires ou sa carrière, ou à des problèmes personnels à la maison. Il est susceptible de commettre des erreurs de jugement, ce qui l'oblige à ne pas se fier aux informations venant de l'extérieur et à faire sa propre enquête. Les choses peuvent sembler meilleures en apparence qu'elles ne le sont en réalité.

Année du Coq

Une année modérément heureuse pour le Coq. Une période favorable pour un retour en beauté. Il résout ses problèmes avec une certaine facilité et ses idées obtiennent le soutien de personnes influentes et puissantes. Il pourrait être impliqué dans des querelles de même que dans des accidents ou d'autres calamités, mais il s'en sortira indemne.

Année du Chien

Une année favorable pour le Coq car il peut reprendre le pouvoir ou la position qu'il avait perdue. Des voyages ou des rencontres sociales sont à prévoir. Ses gains sont moyens mais il ne subit que des pertes minimes. Ses plans se réalisent facilement mais sa vie personnelle pourrait être assombrie par une certaine mélancolie.

Année du Sanglier

Une année perturbée pour le Coq car il est affligé de problèmes qui lui viennent de difficultés imprévues. Sa vie familiale en souffre et il pourrait connaître un recul temporaire dans sa carrière. Des associés à qui il fait confiance pourraient lui donner de mauvais conseils ou l'encourager à dépenser au-delà de ses moyens. Une année où on ne doit pas compter sur les bonnes nouvelles et qu'il faut planifier prudemment.

Tableau de compatibilité du Coq

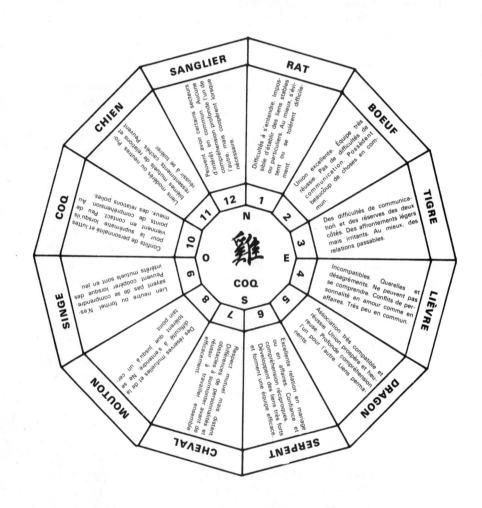

SANGLIER — Peuvent avoir certains secteurs d'intérêt en commun. Aucune compréhension profonde lorsque l'un de l'autre, mais coopèrent lorsque nécessaire.

RAT — Difficultés à s'entendre. Impossible d'établir des liens stables ou particuliers. Au mieux, s'évitent ou se tolèrent difficile-ment.

BOEUF — Union excellente. Équipe très réussie. Pas de difficultés de communication. Possèdent beaucoup de choses en commun.

CHIEN — Liens modérés ou neutres. Pro-blèmes mutuels de relations et ressentiments: certains. Peuvent réussir à se tolérer.

TIGRE — Des difficultés de communica-tion et des réserves des deux côtés. Des affrontements légers mais irritants. Au mieux, des relations passables.

COQ — Conflits de personnalité et luttes pour la suprématie lorsqu'ils viennent en contact. Peu de points de compréhension. Au mieux, des relations polies.

LIÈVRE — Incompatibles. Querelles et désagréments. Ne peuvent pas se comprendre. Conflits de per-sonnalité en amour comme en affaires. Très peu en commun.

SINGE — Lien neutre ou formel. N'es-sayent pas de se comprendre. Peuvent coopérer lorsque des intérêts mutuels sont en jeu.

DRAGON — Association très compatible et réussie. Union prospère et heu-reuse. Profonde compréhension l'un pour l'autre. Liens perma-nents.

MOUTON — Des réserves mutuelles et de la difficulté à s'entendre que jusqu'à un cer-tain point.

SERPENT — Excellente relation en mariage ou en affaires. Confiance et compréhension réciproques. Développement des liens très forts et forment une équipe efficace.

CHEVAL — Respect mutuel. Différences de personnalités mais obstacles à surmonter avant de réussir à travailler efficacement. ensemble

N — 12 — 1 — 2 — 3 — E — 4 — 5 — S — 6 — 7 — 8 — 9 — O — 10 — 11

雞

COQ

218

Personnalités célèbres nées au cours de l'année du Coq

Métal
Le Prince Philippe
Peter Ustinov
Alex Haley
Alexander Dubcek
Deborah Kerr
Yves Montand

Eau
Le Prince Akihito

Bois
Le Roi Birendra
du Népal
Elton John

Feu
D.K. Ludwig
Le Pape Paul VI
Grover Cleveland
Paul Gallico

Terre
Edwin Land
Le Baron Guy
Rothschild
La Reine Juliana
Peter Drucker
Elia Kazan
Katharine Hepburn
Andrei Gromyko

Chapitre 11

Le Chien

Le ciel me commande
D'écouter vos chagrins,
D'apaiser vos douleurs.
Je suis le protecteur de la Justice;
Et n'ai qu'une amie: l'égalité.
J'ignore totalement la peur,
Mon âme ne connaît pas les chaînes.
Protéger l'intégrité et l'honneur
Donne un sens à ma vie.
JE SUIS LE CHIEN

Le Chien

Nom chinois du Chien: GOU
Ordre hiérarchique: Onzième
Heures gouvernées par le Chien: 19h à 21h
Orientation de ce signe: Ouest-Nord-Ouest
Saison et mois principal: Automne — octobre
Correspondance avec les signes solaires: Balance
Élément stable: Métal
Souche: Positive

Années lunaires du Chien dans le calendrier occidental

Début	Fin	Élément
10 février 1910	29 janvier 1911	Métal
28 janvier 1922	15 février 1923	Eau
14 février 1934	3 février 1935	Bois
2 février 1946	21 janvier 1947	Feu
18 février 1958	7 février 1959	Terre
6 février 1970	26 janvier 1971	Métal
25 janvier 1982	12 février 1983	Eau
10 février 1994	30 janvier 1995	Bois

Si vous êtes né la veille du début de l'année lunaire du Chien, par exemple le 9 février 1910, vous appartenez au signe animal qui vient avant celui du Chien, c'est-à-dire au Coq. Si vous êtes né le jour qui suit la fin de cette année lunaire donc, le 30 janvier 1911, vous appartenez alors au signe qui suit celui du Chien soit au Sanglier.

L'année du Chien

Paradoxalement, l'année du Chien apporte simultanément du bonheur et du dissentiment. L'influence favorable du Chien sur la vie familiale apportera l'harmonie au foyer, augmente le patriotisme de chacun et communique une foi inébranlable dans les causes poursuivies.

D'autre part, sa volonté rigide et son sens inflexible de la justice provoquent des confrontations importantes du fait que les plus faibles semblent l'emporter. Au cours de cette année, les problèmes controversés retiennent l'attention et des changements originaux mais efficaces sont introduits. La noble influence du Chien entraîne beaucoup d'interventions en faveur de l'égalité et de la liberté.

Nous devenons plus idéalistes dans nos aspirations, nous nous départissons de certains de nos biens matériels dans un but charitable, ou encore, nous supportons certaines causes humanitaires. Au cours de cette année, nous délaissons un peu la poursuite de la richesse pour nous consacrer davantage à la réflexion. C'est une période idéale pour réévaluer notre sens des valeurs, nous perfectionner et entreprendre des croisades contre la tyrannie et l'oppression.

Malgré l'apparence triste du Chien il apporte la stabilité car, en général, on craint de défier son autorité lorsque l'on constate l'intensité qu'il met à maintenir la paix. L'année du Chien de Métal est plus à craindre que les autres car on dit qu'elle apporte la guerre et la calamité.

Il va sans dire que la fermeté et l'intensité du Chien vont occasionner des affrontements, des rébellions et des soulèvements de toutes sortes, mais on peut compter sur son bon sens et sur sa générosité pour rétablir les choses vers la fin. Son dévouement nous prédispose à nous montrer plus charitable qu'à l'accoutumée.

Au cours de cette année, nous allons nous surprendre à espérer un peu de repos sans que le cynisme du Chien sème de l'inquiétude dans nos esprits. C'est peut-être, encore une fois, la surveillance constante du Chien qui représente l'élément le plus important, lorsqu'il s'agit de maintenir le calme au cours de cette période.

À part ce sentiment de malaise, il ne devrait pas y avoir de raisons de s'alarmer. Nous devrions pouvoir vaquer à nos occupations sans problèmes car le Chien est une sentinelle parfaite.

L'année du Chien confère de l'intégrité à nos intentions et

nous fait enfin agir. Nous n'éprouvons pas de difficultés aussi long-temps que nous suivons le bon chemin.

La personnalité du Chien

C'est peut-être le signe le plus sympathique de tout le cycle lunaire chinois. Une personne née au cours de l'année du Chien est honnête, intelligente et directe. Elle a un sens profond de la loyauté et est passionnée de justice. La personne née sous ce signe est généra-lement animée, attrayante et elle inspire le désir. Habituellement aima-ble et sans prétention, elle sait comment s'entendre avec les autres, car elle n'est pas trop exigeante. Le Chien a un caractère égalitaire et fait toujours la moitié du chemin; il est toujours prêt à entendre raison et on peut compter sur lui pour faire sa part. Si vous avez un ami de ce signe, vous savez sûrement à quel point il est fiable, surtout lorsque surviennent des problèmes. En effet, peu importe que le Chien se plai-gne, grogne ou simule l'indifférence, il ne peut absolument pas ignorer un véritable appel à l'aide. À certains moments, le Chien protège les intérêts des autres avec plus de vigueur que les siens propres. Si quel-qu'un consent à vous aider dix fois sur dix, il doit s'agir d'un Chien. Il arrive que des personnes nées sous ce signe montrent une fidélité indé-fectible à un ami, même si celui-ci n'en vaut pas la peine. Vous ne verrez jamais un Chien quitter son foyer tout simplement parce qu'il a découvert que son maître a des faiblesses. Il comprend la fragilité et il va probablement lui rester fidèle en dépit de toutes les difficultés. Par contre, si jamais il s'en va, il ne faut pas le blâmer. Mais vous allez vous rendre compte que vous habitez un lieu extrêmement lugubre! Le Chien ne déserte pas facilement.

Tout comme son ami le Tigre qui est lui aussi humanitaire, le Chien dirige rarement sa colère contre quelqu'un personnellement. Il va vous prendre à partie pour un geste ou une offense spécifique sans vous détester totalement ou pour longtemps. Sa colère dure l'instant d'un éclair. Elle survient sans avertissement et disparaît tout aussi rapi-dement. Mais c'est toujours une colère qui s'explique et qui ne con-tient aucune malice, rancoeur ou jalousie. Lorsqu'il s'est exprimé et qu'on a fait amende honorable, il est prêt à oublier.

Les Chiens ne sont pas tous des batailleurs. Il serait plus juste de dire que la personne née sous ce signe, est un observateur qui garde les yeux et l'esprit ouverts, dans le but de préserver les objectifs sociaux et de protéger l'intérêt public.

De temps en temps, lorsque le Chien décide de supporter une cause qu'il croit juste, il remporte la victoire. Heureusement, ce n'est pas quelqu'un qui défend les mauvaises causes car ses idéaux et sa morale sont très élevés. Étant le symbole de la justice, la personne née sous le signe du Chien manifeste beaucoup de sérieux à l'égard des responsabilités qu'elle s'impose elle-même. Dans l'ensemble, les Chiens ne sont ni matérialistes ni cérémonieux et préfèrent le langage direct. Comme ils perçoivent généralement la motivation des gens, le langage recherché ne peut que les affecter négativement. Le Chien est un avocat naturel et il étudie votre cas avec objectivité. Cependant, si vous essayez de vous immiscer dans ses affaires, il devient secret et renfermé. Le Chien possède un système de défense bien développé. Vous devez obtenir, graduellement, sa confiance et attendre qu'il soit disposé à faire des confidences.

Le Chien est réputé pour son cynisme, mais c'est là cependant une réputation surfaite. En réalité, il est beaucoup plus juste de dire qu'au cours de leurs premiers mois, les Chiots sont universellement adorables et irrésistibles, les jeunes Chiens folâtres et débordants de vie et que seuls les Chiens adultes ou vieux se méritent le titre d'irréductibles cyniques du zodiaque chinois. Les défenseurs de la morale publique et les membres de la vieille garde appartiennent sûrement à l'élite des Chiens, leurs yeux s'obscurcissant après des années de désillusion, mais répondant toujours avec fidélité au cri de ralliement. Pestant avec dégoût contre l'état lamentable dans lequel notre morale a sombré, le Chien s'emploie toujours avec énergie à lutter contre les forces du mal et répond à tous les appels à l'aide qu'il entend.

Même enfant, le Chien a la capacité de distinguer les bons des méchants et se voit naturellement parmi les premiers. La fille se voit en Jeanne d'Arc et le garçon en Robin des Bois.

Qu'il l'admette ou non, le Chien semble avoir un besoin inné de diviser les gens en catégories précises. Pour lui, vous êtes ami ou ennemi, blanc ou noir. Les gris n'existent pas et il ne fait pas de nuance. Il a besoin de vous classer avant de pouvoir être à l'aise en votre compagnie. Sa décision de vous faire ou non confiance est généralement finale. S'il vous trouve suspect, il n'aura pas la rudesse de le signaler et de vous accuser sans preuves, mais vous pouvez être certain qu'il va vous avoir à l'oeil. Néanmoins, même s'il grogne ou s'il jappe, le Chien a une bonne conscience de ses droits et il ne vous accusera pas sans preuves. Cependant, lorsqu'il a identifié votre odeur et vous suit à la trace, il vous est difficile de vous en débarrasser. Dans l'ensemble, le Chien n'est violent que lorsqu'il est défié et attaqué sur son propre terrain. Il ne travaille fort que lorsqu'il y est obligé ou qu'il le veut bien. Autrement, il est un peu paresseux et il aime à rester "couché près du feu". Bien qu'il soit tolérant et bien disposé à l'égard de ses amis, il peut se montrer critique et froid envers les personnes qui lui déplaisent. Pratique, courageuse et possédant une langue bien aiguisée, la personne née sous le signe du Chien est extrêmement réaliste et franche. Elle a des qualités de juge car, en définitive, elle n'épargne personne, encore moins elle-même.

Comme le défunt Chou En-lai, né au cours d'une année du Chien, la personne de ce signe est appréciée pour son charisme et sa superbe connaissance de la nature humaine. Douée d'une fine intelligence et d'un caractère noble, elle peut devenir, même malgré elle, un important leader. Les gens lui font confiance et la tiennent en haute estime à cause de son sens du devoir et de sa discrétion. Dans l'exercice de son leadership, le Chien n'accorde aucune place à l'émotion, bien qu'il soit altruiste. Cependant, il est également sujet à des moments d'instabilité et à des comportements acariâtres. Ceci est peut-être dû au fait qu'il est vraiment un introverti et qu'il déteste toute prétention mondaine.

La personne née sous le signe du Chien ne se préoccupe pas beaucoup de l'argent, mais si elle vient à en avoir besoin, personne n'est mieux doué qu'elle pour en trouver. Dans beaucoup de cas, elle provient d'une famille aisée, sinon, elle améliore d'elle-même son statut social sans toutefois fuir sa famille ou renier ses humbles origines.

Même lorsqu'il adopte une apparence brillante et réjouie, le Chien garde une nature pessimiste. Il est porté à s'inquiéter inutilement, il s'attend à ce que les problèmes surgissent de toutes parts. Et il y a des moments où ses prévisions s'avèrent justes. Quoi qu'il en soit, il serait sage de noter que les Orientaux et les Occidentaux partagent la croyance que tout foyer a besoin d'un Chien pour distinguer les amis des ennemis.

Vous pouvez vous attendre à ce que le Chien vous communique simultanément de bonnes et de mauvaises nouvelles. Avec ses manières directes, il peut très bien s'acquitter de la tâche d'apporter de mauvaises nouvelles, particulièrement aux personnes dramatiques et émotives. Ce n'est pas qu'il prenne plaisir à informer les gens des désastres (qu'il ait ou non, la semaine précédente, participé à une manifestation pour protester contre la situation en cause); c'est plutôt qu'il n'est pas dans sa nature d'atténuer ou de reporter l'inévitable.

C'est une personne vindicative qui a besoin d'adopter une position tranchée et qui est en mesure de faire face aux réalités par elle-même, même si elle est jeune et sans expérience.

Lorsqu'il a raison, le Chien peut se montrer obstiné et inflexible. Il est difficile de l'influencer une fois qu'il s'est fait une idée et cela même s'il n'a pas d'opinion préconçue. Il réduit en miettes les arguments de ses opposants avec une logique sans faille et un esprit revêche. Sa colère et ses critiques à l'emporte-pièce peuvent faire des dommages considérables, mais il n'y a recours qu'après que la diplomatie et les protestations formelles ont échoué. Le Chien est parfois querelleur mais il livre ses bagarres publiquement et a rarement recours à des méthodes déloyales pour gagner. Il excelle comme militaire, avocat, professeur, juge, médecin, industriel ou missionnaire. C'est une personne qui peut mener des activités révolutionnaires avec des vues pacifistes.

La femme née sous le signe du Chien se montre réfléchie et compétente, elle s'habille toujours simplement, préférant les vêtements discrets et pratiques. Elle garde ses cheveux longs et adopte une coiffure flottante qui rehausse son visage déjà expressif. Elle peut devenir brusque, impatiente et impertinente lorsqu'elle est contrariée mais, règle générale, elle est bien disposée et attentive aux besoins d'autrui. Coopérante, sans préjugés et d'humeur égale, elle aime la danse, la natation, le tennis et, généralement, toutes les activités de plein air. Véritable amie pour son conjoint et ses enfants, elle leur laisse suffisamment de liberté d'expression et n'interfère pas dans le choix de leur avenir.

Les filles nées sous le signe du Chien possèdent une beauté chaleureuse et durable. Ava Gardner, Sophia Loren, Brigitte Bardot, Zsa Zsa Gabor et Cher sont quelques-unes des célébrités nées sous ce signe.

Bien qu'elle démontre des dispositions vraiment amicales et qu'elle accepte de sourire à tout le monde, la femme Chien demande que ses amitiés se fondent lentement. Vous devez lui rendre visite pour le thé (signe positif d'acceptation), puis l'inviter chez vous pour une collation. Vous découvrez ainsi à loisir vos qualités réciproques. Vous devez comparer similitudes et dissemblances avant d'échanger des serments mutuels de loyauté. Lorsque son sens de l'équilibre est satisfait, vous pouvez enfin recevoir l'approbation royale. À partir de là, votre nom est gravé dans la rubrique "ami" (elle a une autre section pour ses ennemis) dans son carnet d'adresse, et vous pouvez compter qu'elle vienne à votre rescousse chaque fois que vous demandez son aide.

La personne née sous le signe du Chien n'est jamais privée de ressources; même quand elle n'a pas elle-même de pouvoir, elle exerce une influence sur ceux qui prennent des décisions suite à ses judicieux et remarquables conseils. Les gens lui prêtent une oreille attentive car elle prône la modération en toutes choses. Malgré cela, la personne née sous le signe du Chien est la première à percevoir les dangers rattachés au sommet du pouvoir et elle est souvent blâmée pour son indifférence face à la notoriété et à l'autorité. Elle garde ses aspirations pour elle-même et elle est modérément disposée à servir les autres, comme s'il s'agissait d'un devoir ou alors, elle agit seule et fait ce qui lui plaît. Par ailleurs, elle n'est pas renommée pour sa patience et elle a tendance à montrer les dents lorsqu'elle s'impatiente. Le Chien n'est pas à la recherche du coup de foudre comme le sont le Cheval ou le Tigre, mais il est affectueux et profondément attaché à ceux qu'il aime.

Bien qu'il ne soit jamais facile pour le Chien de faire confiance à quelqu'un, contrairement au Sanglier, il s'efforce tout de même de faire ressortir le bon côté des gens de son entourage. Une fois que vous avez mérité son allégeance, il vous accorde entière confiance et vous soutient quoi qu'il arrive. Pour témoigner de cette fidélité, il suffit de critiquer l'ami d'un Chien devant lui et d'évaluer ensuite la force de sa réaction.

La plupart des gens nés sous ce signe sont robustes, c'est-à-dire qu'ils peuvent supporter un stress énorme sans broncher. La stabilité d'esprit du Chien en fait un bon conseiller, prêtre ou psychologue. Dans les moments de crise, il peut supporter sans se plaindre beaucoup de souffrances et de privations. Il souhaite honnêtement que le monde devienne un milieu de vie plus favorable; c'est pourquoi il ne craint pas de faire des efforts pour l'améliorer. Beaucoup de saints et de martyrs sont nés sous le signe du Chien.

Un Chien qui est né au cours de la nuit est sensé être plus agressif et nerveux que celui qui naît durant le jour. Quelle que soit la saison de leur naissance, les Chiens sont toujours bien pourvus toute leur vie et ne sont jamais dans le besoin.

Les signes avec lesquels il est le plus compatible sont le Cheval, le Lièvre et le Tigre. Il n'a pas de conflits avec le Rat, le Serpent, le Sanglier ou un autre Chien. Il a cependant de la difficulté à comprendre le Coq. Par ailleurs, il ne parvient jamais à faire confiance au Dragon et il trouve difficile de tolérer les plaintes incessantes du Mouton. Réciproquement, le Dragon déteste le Chien qui jette de l'eau froide sur ses projets grandioses et le Mouton trouve le Chien insensible.

Le Chien enfant

L'enfant de ce signe est amical, heureux et bien équilibré. Joyeux et ordonné, il n'est pas très exigeant envers autrui et peut accepter ses parents et ses amis tels qu'ils sont. Franc, confiant et loyal, il perçoit le point de vue des autres avec une grande clarté tout en maintenant ses propres convictions et sa dignité. Il ne permet jamais qu'on le bouscule et, capable d'engager un combat épique avec le costaud qui tyrannise le voisinage, il se mérite le respect de ses pairs.

Sensible et relativement stable, l'enfant Chien fait ses travaux scolaires sans trop de difficultés. Il se montre raisonnable lorsqu'on lui demande d'aider à la maison et il protège les plus jeunes membres de la famille.

Enjoué et communicatif, il insiste pour avoir un certain degré d'indépendance. Cependant, la fidélité de son caractère l'empêche de vagabonder très loin de la maison. Cet enfant est reconnu et apprécié pour son sens de l'humour et son côté chaleureux et candide. Lorsqu'il est offensé, l'enfant Chien peut devenir rebelle, mesquin et critique à l'extrême. Sa colère surgit comme l'éclair et se résorbe tout aussi rapidement après quoi il reprend son équilibre normal. Il ne garde pas rancune très longtemps et peut pardonner et oublier volontiers une offense. Dans ses moments négatifs, le Chien est querelleur, raisonneur, acerbe et terriblement opiniâtre. Il n'est alors libéral et juste qu'en surface. Lorsqu'il sent que l'on a injustement pris avantage sur lui, le Chien se venge amèrement et sans compassion aucune. Une fois qu'il a commencé une bagarre, le Chien n'est plus du tout disposé aux discussions ou à la négociation. Il est préférable de ne jamais défier cet enfant affable au-delà de son seuil de tolérance. Malgré sa modestie, le Chien peut entrer en éruption comme un volcan.

Si l'enfant né sous le Chien est rejeté ou peu apprécié, il peut devenir léthargique, insensible, cynique ou tout simplement indifférent au désir de ses parents. Par contre, lorsqu'on lui dispense à la fois compliments et encouragements, cet enfant témoigne grandement son appréciation. Fondamentalement, il est coopératif et il est inutile de le cajoler ou de le menacer d'aucune façon. Efficace et diplomate, le Chien ne manifeste pas de préjugés ou à tout le moins il s'oblige à ne pas en montrer. Il est davantage porté à éviter les scènes qu'à en créer.

On peut en toute sécurité lui confier des responsabilités ou lui faire des confidences même s'il est très jeune. Digne de confiance, le Chien n'aime pas qu'on l'accuse d'indiscrétion. Il garde un secret comme s'il s'agissait d'une promesse sacrée.

En résumé, le Chien va toujours défendre sa façon d'être. Il possède un bon sens des valeurs et accorde toujours la première place à son foyer et à sa famille.

Les cinq types de Chien

Le Chien de Métal — 1910, 1970, 2030

Ce type de Chien est inébranlable dans ses convictions et porté à critiquer sévèrement toute infraction qu'il constate en se basant sur sa propre interprétation de la loi. Néanmoins, ses principes sont des plus louables et, fondamentalement, il a un caractère noble et charitable. Il consacre sa vie à une cause altruiste s'il en trouve une qui soit digne de son dévouement. Cependant, s'il est fâché, il peut devenir brutal et poursuivre ses ennemis jusqu'à leur extinction.

L'élément Métal convient à ce signe lunaire également gouverné par le Métal, ce qui produit un double signe du Métal extrêmement redoutable. Les Thibétains appellent cette combinaison le ''Chien de Fer'' et attendent cette année avec beaucoup d'appréhension car elle peut s'avérer très bonne ou très mauvaise, selon qu'elle prenne une tournure négative ou positive.

De la même manière, l'austérité et les principes du Chien de Métal lui confèrent les mêmes caractéristiques et il s'impose une discipline mentale sévère tout en prenant la vie très au sérieux, particulièrement lorsqu'il s'agit de sa vie sentimentale ou de sa patrie.

Sa loyauté ne laisse aucun doute et il a des opinions politiques très démarquées. Il n'est jamais indécis, prend toujours parti et n'abandonne jamais ceux à qui il a accordé son soutien. Aussi, même s'il déteste l'injustice et la fourberie, ce type de Chien peut recourir à des mesures extrêmes lorsqu'il veut que quelqu'un adopte son point de vue.

Le Chien d'Eau — 1922, 1982, 2042

Un Chien intuitif qu'il sera difficile d'induire en erreur. L'homme sera très attirant et la femme d'une étonnante beauté.

L'Eau lui confère un côté réfléchi et il est en mesure d'écouter d'une oreille sympathique le point de vue de ses adversaires. Cependant, malgré sa personnalité plaisante et ses positions démocratiques, il n'établit pas de liens solides avec son entourage et il est parfois trop libéral dans les situations qui demanderaient de la fermeté.

Plus accommodant que les autres Chiens, il est plus indulgent envers lui-même et envers les autres, se permettant souvent d'être fantaisiste et même de faire la noce. Cependant, comme son solide tempérament est atténué par la présence de l'Eau, ce Chien pourra contenir admirablement ses émotions et présenter un extérieur calme et charmant.

Excellent conseiller, bon juge et opérant avec un grand souci de la légalité, le Chien d'Eau s'exprime avec facilité et a recours à des approches psychologiques qui sont difficiles à refuser ou à réfuter. Il développe un grand nombre d'amitiés et sa compagnie est très recherchée.

Le Chien de Bois — 1874, 1934, 1994

Un Chien charmant, cordial et de tempérament égal qui, en dépit de sa candeur et de sa prudence à l'égard des étrangers, va développer des amitiés permanentes avec ceux qu'il choisit comme amis. Honnête, respectueux et apprécié, il recherche la stimulation intellectuelle et met beaucoup d'efforts à se perfectionner.

Le Bois le rend stable et généreux et lui fait rechercher la croissance, l'équilibre et la beauté dans son environnement. Il est également attiré par l'argent et la réussite, mais il évite de devenir trop matérialiste. Ses aptitudes lui permettent d'établir des relations avec des personnes de tous les milieux et il agit avec maturité et bon sens.

Le Chien de Bois est populaire et gravite dans les milieux sociaux raffinés, en dépit de son côté autoritaire bien dissimulé. Énergique et coopérateur, il aime le travail en équipe ou cherche à s'allier à des groupes puissants.

Il est fondamentalement orienté vers les autres et s'efforce de plaire au plus grand nombre d'associés possible. De ce fait, ce type de Chien peut parfois être handicapé par le fait qu'il refuse d'agir sans l'approbation ou le soutien d'autrui. Il doit apprendre à être indépendant même si cela peut entraîner un échec.

Le Chien de Feu — 1886, 1946, 2006

Un Chien d'un type charmant et théâtral qui pourrait s'attirer la vedette à cause de sa personnalité séductrice et amicale. Il se montre insolent et rebelle lorsqu'on le force à agir contre sa volonté, mais il est très populaire auprès du sexe opposé. Bien que, par tempérament, il soit du type fêtard, il a quand même la prudence de pratiquer ce qu'il prêche et il ne se laisse pas corrompre par le succès et la richesse. Le Feu le rend extrêmement féroce lorsqu'il est attaqué et il ne profère pas de menaces qu'il ne peut mettre à exécution. Il mord aussi fort qu'il aboie.

Optimiste et confiant, le Chien de Feu possède un grand magnétisme et il peut convaincre les autres de le suivre. Son esprit indépendant et son courage font qu'il ne craint jamais de s'impliquer. Il a continuellement envie de s'engager dans de nouvelles expériences et aventures. Cependant, il a besoin d'un puissant modèle de qui il puisse s'inspirer. Il s'entend mieux avec les personnes plus âgées que lui dont il peut apprendre beaucoup, ou sur lesquelles il peut compter pour apporter de la stabilité à sa vie.

Le Feu le rend plus créateur et lui permet de s'exprimer avec plus de pureté. Il est doté d'une volonté énorme, d'une honnêteté naturelle à laquelle les gens auront de la difficulté à résister. Son caractère communicatif associé à la confiance et à l'idéalisme que l'on retrouve fondamentalement chez le Chien vont l'aider à réussir dans des projets ambitieux, de même qu'à surmonter de grands obstacles.

Le Chien de Terre — 1898, 1958, 2018

Ce Chien sera un dispensateur impartial de bons conseils et de justice. Penseur efficace et positif, il agit lentement et de manière sûre. Il est ferme dans ses convictions mais il se plie à la règle de la majorité. Vigilant et prudent, il est soucieux d'utiliser à bonnes fins l'argent et le pouvoir, et s'établit une échelle de valeur dont il dévie rarement. Calme, charitable mais secret, il comprend la façon dont il faut s'y prendre pour inspirer les autres et les conseiller sagement. Cependant, malgré ses normes morales élevées et son idéalisme indéfectible, il a tendance à montrer du zèle et à exiger des autres une loyauté et un dévouement excessifs.

Bon bagarreur, habile à survivre, ce Chien est pratique et moins sentimental. Le Chien de Terre est un réaliste qui valorise son individualisme et son amour-propre et qui livre toujours le fond de sa pensée. Il n'abuse pas des pouvoirs dont il est imparti et délègue des tâches en manifestant une grande perspicacité quant au potentiel des gens de son entourage. Il n'est jamais totalement convaincu de la défaite ni trop confiant dans la réussite.

Le Chien et ses ascendants

Naissance au cours des heures du Rat — 23h à 1h

Affectueux mais sans grande générosité. Attiré par l'argent même quand il fait la morale. Il manifeste beaucoup de respect et de prudence face à l'argent, particulièrement si c'est le sien.

Naissance au cours des heures du Boeuf — 1h à 3h

S'en tient à la vérité d'une façon constante mais brutale. Sa réputation est sans tache mais il est trop conservateur et austère sous plusieurs aspects. Valeureux défenseur de la foi!

Naissance au cours des heures du Tigre — 3h à 5h

Ces deux signes sont infatigablement actifs et courageux. Néanmoins, le Tigre pourrait rendre le Chien plus impatient et critique qu'il ne l'est normalement. Dans l'ensemble, cette combinaison pourrait aussi produire un Chien davantage motivé et plus passionné.

Naissance au cours des heures du Lièvre — 5h à 7h

Un Chien qui pense avant tout à la détente. Il pèse soigneusement le pour et le contre avant de prendre parti. Peut se montrer enjoué et n'aime pas manifester d'agressivité.

Naissance au cours des heures du Dragon — 7h a 9h

Un Chien très idéaliste qui s'avère un travailleur exceptionnel ou un missionnaire. Peut vraiment parvenir à la sainteté s'il peut accepter l'existence d'autres versions de la religion que la sienne. Combinaison extrêmement dogmatique.

Naissance au cours des heures du Serpent — 9h à 11h

Un Chien doté d'une nature méditative et silencieuse et qui se met rarement en évidence. Il est compétent et mentalement supérieur. L'influence du Serpent atténue légèrement son sens de la justice, ce qui l'amène à prendre des raccourcis dans le but d'atteindre ses objectifs.

Naissance au cours des heures du Cheval — 11h à 13h

Un Chien déluré et pétillant, aux mouvements vifs. Toujours prêt à donner la réplique et le meilleur ami de tout le monde, si on ne lui demande pas de le prouver. Risque de poursuivre joyeusement sa route si on se montre trop exigeant.

Naissance au cours des heures du Mouton — 13h à 15h

Sensible et affectueux, ce Chien sera à la fois de nature artistique, pessimiste et sympathique. Cela ne lui fera pas perdre son sens aigu de la justice mais il pourra de temps à autre fermer les yeux sur les faiblesses d'autrui.

Naissance au cours des heures du Singe — 15h à 17h

Un Chien à la conscience élastique et au jugement infaillible. Il est amusant, changeant et joyeux. Combinaison très intéressante de fermeté de caractère et d'ingéniosité.

Naissance au cours des heures du Coq — 17h à 19h

C'est un véritable prêcheur. De plus, il aime beaucoup mieux prêcher que mettre en pratique. Il sait faire montre d'esprit analytique et de compétence dans la poursuite de ses objectifs, mais il lui faut trop de temps pour aborder un problème.

Naissance au cours des heures du Chien — 19h à 21h

Un Chien défensif et toujours en alerte. Il est à la recherche constante de causes à défendre et d'infidèles à sauver. Il possède une nature ouverte et honnête, mais c'est un révolutionnaire dans l'âme.

Naissance au cours des heures du Sanglier — 21h à 23h

Ce Chien est corpulent, sensuel et émotif. Fait continuellement des efforts pour censurer les autres bien que, personnellement, il se permette plusieurs petites indulgences.

Comment le Chien traverse les différentes années

Année du Rat

Une année très chanceuse. Le Chien peut réussir en affaires ou recevoir des revenus additionnels provenant d'investissements. Sa santé est bonne mais il a des problèmes chez lui ou avec de jeunes enfants. Il devrait éviter de prêter de l'argent au cours de cette année.

Année du Boeuf

Une année d'incertitude pour la personne née sous le signe du Chien. Elle pourrait souffrir de certaines décisions rapides ou devoir faire des concessions difficiles. Des amis ou des associés ont tendance à se méprendre sur ses intentions et s'offensent facilement. Ses bonnes intentions sont mal interprétées et elle doit éviter la confrontation à tout prix. Une perte de pouvoir ou des dépenses additionnelles pourraient se produire cette année.

Année du Tigre

Une année modérément heureuse. Pas de conflits sérieux à la maison ou au travail. De légères querelles sont à prévoir sur le plan sentimental, mais elles n'auront pas de conséquences permanentes. Le Chien n'obtient cette année que des résultats mitigés et il est indécis devant des rapports contradictoires. Ses amis et sa famille prennent trop de son temps.

Année du Lièvre

Une année favorable aux aspirations du Chien. Il peut lancer sa propre entreprise ou se joindre à des associés. Il peut affirmer ses positions et réorganiser des choses pour le bénéfice d'autrui. Les problèmes se résolvent avec un minimum de complications.

Année du Dragon

Une année difficile s'annonce. Le Chien doit travailler très fort pour maintenir son statut antérieur et il doit sans cesse se défendre contre la concurrence. Les gens tirent profit de sa position de faiblesse et il est sujet aux infections et aux maladies contagieuses. Une période propice à l'anonymat et au cours de laquelle il serait préférable de s'associer afin de pouvoir agir en groupe plutôt qu'individuellement. Il reçoit cependant de bonnes nouvelles au cours de l'hiver.

Année du Serpent

Une très bonne année. Le Chien doit travailler très fort mais ses efforts sont reconnus et récompensés. Il réussit dans ses investissements et obtient le soutien des bonnes personnes. Une année au cours de laquelle il peut prendre un peu de repos et jouir davantage de la vie de famille. Il reçoit plusieurs bons conseils ou des informations privilégiées au cours de cette période.

Année du Cheval

Une année d'essor et de progrès pour le Chien. Des promotions et des gains financiers réels sont à prévoir et il atteint le sommet de son pouvoir et de sa chance. Quelques mauvaises nouvelles concernant sa famille ou la perte d'un bien de peu de valeur. Il a une vie sociale très active au cours de cette année ou voyage beaucoup. C'est une période au cours de laquelle le Chien doit travailler mentalement très fort.

Année du Mouton

Une année modérée pour le Chien. Il est assailli par l'inquiétude. Il peut éviter des pertes et résoudre des conflits s'il retient sa langue et refuse de se fâcher. Une année où il devra se montrer patient et conservateur.

Année du Singe

Une année moyenne, agitée et ne portant pas autant de fruits que le souhaiterait le Chien. Il y aura de bonnes nouvelles ou des célébrations à la maison. Des dépenses supplémentaires, des voyages plus fréquents qu'à l'accoutumée ou un changement de résidence sont également à prévoir. De nouveaux amis et des gens importants font ses louanges.

Année du Coq

Une année mitigée pour la personne née sous le signe du Chien. Des problèmes sont à prévoir côté santé, dans sa vie sentimentale et dans ses relations avec le gouvernement ou ses supérieurs. Ses amis ne l'aident pas ou ne le comprennent pas et il a de la difficulté à se faire rembourser l'argent qui lui est dû. Il subit un recul temporaire de position et de crédibilité.

Année du Chien

Une année protégée. Il n'a que de rares problèmes d'affaires et de santé et le Chien est en mesure d'accroître ses connaissances, de consacrer du temps à l'étude ou à la méditation, ou encore de regagner la crédibilité qu'il avait perdue. Il fait des progrès dans sa carrière mais l'année se solde sans grands profits ou bénéfices sur ses investissements.

Année du Sanglier

Une année calme. Le Chien pourrait réaliser des gains par la spéculation ou des bénéfices imprévus. Les résultats généraux ne seront pas aussi bons qu'il le voudrait du fait de retards et de dépenses additionnelles. Une année toute indiquée pour cultiver de nouvelles amitiés ou des contacts parmi des gens influents.

Tableau de compatibilité du Chien

Personnalités célèbres nées au cours de l'année du Chien

Métal
David Niven
Chiang Ching-Kuo

Eau
Itzhak Rabin
Charles Bronson
Pierre Cardin
Zsa Zsa Gabor
Ava Gardner
Norman Mailer

Bois
Voltaire
Sir Winston Churchill
Herbert Hoover
Elvis Presley
Ralph Nader
Brigitte Bardot
Sophia Loren
Carol Burnett

Feu
Le Roi Carl Gustav
Ilie Nastase
Cher
Liza Minelli

Terre
Golda Meir
Chou En-lai

Chapitre 12

Le Sanglier

Des êtres de la création
J'ai le coeur le plus pur.
Vivant dans la foi et l'innocence
Je chemine sous la protection du ciel.
Me dépensant sans compter
Je suis riche de toutes les bénédictions.
Toujours au service de mes frères
Ma bonne volonté est universelle
Et ne connaît pas de limites.
JE SUIS LE SANGLIER.

Le Sanglier

Nom chinois du Sanglier: ZHU
Ordre hiérarchique: Douzième
Heures gouvernées par le Sanglier: 21h à 23h
Orientation de ce signe: Nord-Nord-Ouest
Saison et mois principal: Automne — novembre
Correspondance avec les signes solaires: Scorpion
Élément fixe: Eau
Souche: Négative

Années lunaires du Sanglier dans le calendrier occidental

Début	Fin	Élément
30 janvier 1911	17 février 1912	Métal
16 février 1923	4 février 1924	Eau
4 février 1935	23 janvier 1936	Bois
22 janvier 1947	9 février 1948	Feu
8 février 1959	27 janvier 1960	Terre
27 janvier 1971	15 janvier 1972	Métal
13 février 1983	1er février 1984	Eau
31 janvier 1995	18 février 1996	Bois

Si vous êtes né la veille du début de l'année lunaire du Sanglier, par exemple le 29 janvier 1911, vous appartenez au signe animal qui vient avant celui du Sanglier, c'est-à-dire au Chien. Si vous êtes né le jour qui suit la fin de cette année lunaire donc le 18 février 1912, vous appartenez alors au signe qui suit celui du Sanglier, soit au Rat.

L'année du Sanglier

Une année qui communique de la bonne volonté à tous. Il y règne un excellent climat pour les affaires et l'industrie en général. Dans l'ensemble, les gens ont un comportement plus libre, plus conciliant et l'attitude complaisante du Sanglier génère un sentiment d'abondance. Cependant, en dépit de toutes ces auspices favorables, nous hésitons, à l'exemple du Sanglier, et nos vacillements nous coupent nos ressources au moment où nous en avons besoin. L'année du Sanglier en est une d'abondance. La sensualité de ce dernier en fait un adepte et un partisan de la dolce vita. Sa devise semble être '' si la vie mérite d'être vécue, il faut aller jusqu'au bout''. Le Sanglier est aussi prodigue de ses cadeaux que de son affection. Il prend plaisir à être magnanime et extravagant. Il serait à déconseiller de trop dépenser au cours de cette année ou de faire des investissements importants sans commencer par une analyse en profondeur. Nous pourrions aussi avoir à regretter certains gestes de générosité faits sous l'impulsion du moment.

Le bienheureux Sanglier apporte avec lui la satisfaction et la sécurité. C'est une année au cours de laquelle vous pourriez très bien être heureux sans avoir beaucoup de succès ou d'argent. Il ne semble pas y avoir beaucoup d'obstacles à surmonter et le placide Sanglier dégage un sentiment de bien-être. Cependant, il faudra manifester beaucoup de prudence pour les questions d'argent, car le Sanglier tolère mal la moindre malhonnêteté.

Cette année, les réceptions mondaines abondent et plus qu'à l'accoutumée, nous nous impliquons dans toutes sortes d'activités charitables ou sociales. Les amitiés se lient plus facilement dans l'atmosphère de tolérance et de communicativité qu'apporte le Sanglier.

Surveillez cependant les excès, car le Sanglier a tendance à l'exagération en tout, dès qu'il en a la possibilité. Ceux et celles qui surveillent leur poids, auront des difficultés à respecter leur régime amaigrissant.

La personnalité du Sanglier

Ce signe est celui de l'honnêteté, de la simplicité et de la force morale. Brave, robuste et courageux, l'individu né au cours de cette année s'attaque de toutes ses forces à une tâche déterminée et on peut compter sur lui pour aller jusqu'au bout. Extérieurement, il peut sembler mal dégrossi et jovial, mais on trouve de l'or dès que l'on gratte la surface.

La personne née sous le signe du Sanglier compte certainement parmi les plus naturelles que l'on puisse rencontrer. C'est le type authentique du "bon diable" et vous n'aurez jamais à vous méfier d'elle. Elle est populaire et recherchée car, comme le Mouton et le Lièvre, elle aspire à l'harmonie universelle. Comme tout le monde, elle a de petites querelles avec les autres, mais elle ne manifeste aucune mauvaise volonté, à moins que vous ne lui laissiez pas le choix. Elle n'envenime jamais une situation et considère généralement que ce qui est passé est passé. Indulgent, le Sanglier fait toujours les premiers pas et établit d'excellents rapports avec les autres. S'il échoue, cela ne sera certainement pas faute d'avoir essayé. Il est doué d'une grande endurance. Il peut travailler sans relâche, à une seule chose à la fois avec une patience incroyable qui en fait un professeur excellent et minutieux.

Cependant, il est également reconnu pour sa poursuite impudique du plaisir. Celle-ci va même jusqu'à la dépravation dans les cas où son côté négatif triomphe.

Dans sa vie le Sanglier, loyal et sérieux, s'assure d'amitiés stables et bénéfiques. Il aime les rencontres de tous genres, donne des réceptions, adhère à des clubs et à toutes sortes d'associations. C'est un organisateur calme qui déteste les querelles et la discussion et qui est capable de réunir des gens de toutes les tendances. Sa crédibilité et sa sincérité sont ses meilleurs atouts. Cependant, il se montre parfois trop affable et condescendant et il s'attend aussi un peu trop à ce que l'on tolère ses faiblesses.

Le Sanglier ne vous éblouiera pas comme le Dragon, il ne vous ensorcellera pas comme le Singe ou le Tigre, il ne vous hypnotisera pas non plus comme le Serpent. Il va tout simplement vous envoûter, petit à petit, jusqu'à ce que vous ne puissiez plus vous passer de lui. Empressé de plaire, le Sanglier est synonyme de courtoisie à l'ancienne. Il se charge sans rien dire du fardeau des autres et ne se rebelle pas, même s'il est condamné à rester dans l'ombre, alors qu'il supporte toute l'équipe avec sa force incroyable. Il est du genre de personne qu'on ne remarque pas jusqu'au jour où elle nous laisse à nous-mêmes et où nous nous retrouvons totalement étonnés de notre dépendance à son égard.

Il est facile de faire confiance au Sanglier car il a rarement des motifs cachés. En réalité, il est beaucoup trop innocent et naïf et, de ce fait, il est la victime favorite des escrocs. Néanmoins, la sincérité du Sanglier lui porte chance car il peut toujours trouver des personnes pour l'aider sans même qu'il le demande. Il préfère être celui qui donne et lorsqu'il a l'occasion de vous aider, vous pouvez compter sur lui à coup sûr. La chance va lui sourire de plusieurs façons, à cause de sa bonté intrinsèque et de sa foi dans l'espèce humaine. Le Sanglier croit aux miracles et beaucoup de choses lui arrivent comme par magie.

Calme et compréhensif, le Sanglier est un individu génial qui tolère beaucoup de déraison de la part de ses amis. Il est également de tempérament vif, mais comme il déteste se quereller, il accorde toujours le bénéfice du doute à ses adversaires. Pour tout dire, c'est une des personnes les plus accommodantes que l'on puisse rencontrer.

La personne née au cours de cette année, réussit bien dans le financement de projets. Elle a un penchant pour les activités sociales et charitables car son altruisme l'y prédispose et parce qu'elle cherche à s'identifier au plus grand nombre possible de personnes.

Lorsque le monde vous paraît cruel et que vous avez été amèrement déçu allez chercher refuge auprès d'un Sanglier. Altruiste par excellence, il vous accueillera à bras ouverts. Il sait écouter et même si vous avez tort, il n'aura pas le coeur de vous le dire. Il va faire tout ce qu'il peut en ayant soin d'éviter d'aviver vos blessures; il va même impliquer d'autres personnes. Avec ses amis il va organiser un dîner-bénéfice pour vous aider à payer vos dettes. Le Sanglier ne craint pas les engagements; il est fait pour eux. Il a le dos solide et le plus grand coeur que l'on puisse trouver. C'est un ensemble de qualités très importantes et qu'on trouve rarement associées de nos jours. La devise du Sanglier, c'est tout simplement "Demandez et vous recevrez".

Cependant, pour être juste, il faut maintenant voir l'autre côté de la médaille. Bien que le Sanglier soit la générosité personnifiée, il est aussi un adepte de la maxime "Ce que je possède est tien, ce que tu as m'appartient".

Lorsque votre ami Sanglier en a besoin, il se sert à même vos aliments, votre vin, vos vêtements. Il va emprunter vos meilleurs bâtons de golf, votre nouvelle caméra, votre automobile, avec une aisance et une simplicité enfantines. Le lui reprocher peut présenter un problème, car il se montre incrédule et blessé. Il ne comprend pas ou n'accepte pas votre mentalité à sens unique.

La femme née sous le signe du Sanglier est ou bien d'une extrême propreté ou d'une grande malpropreté. Tous les Sangliers se situent

243

dans l'une ou l'autre de ces catégories et rares sont les cas qui se classent entre ces deux extrêmes. Elle n'en est pas moins bien de sa personne et modeste. Elle consacre la totalité de son énergie à ceux qu'elle aime et demande très peu en retour. Vous la reconnaîtrez à la remarquable pureté de ses intentions et à ses manières confiantes. Cependant, bien qu'elle aime avec un total abandon, elle manifeste une tendance à l'anonymat ou même au secret. Elle peut adorer quelqu'un à distance durant des années ou le servir avec une dévotion passionnée sans qu'il n'en sache rien. Elle peut jouer un rôle d'hôtesse parfaite auprès des amis intimes de son mari et gâter ses enfants en répondant à tous leurs caprices et en ramassant sans rien dire tout ce qu'ils laissent traîner dans la maison. Mais elle n'en souffre pas et si jamais elle se plaint, ce sera temporaire. En réalité, elle aime avoir soin des membres de sa famille et elle ne les considère pas comme des fardeaux, mais plutôt comme des sujets d'orgueil et de joie. Son labeur est celui de l'amour. Partout où son influence se fait sentir, les gens sont heureux et satisfaits.

Sans défense devant la déception, la personne née sous le signe du Sanglier fait confiance à tout le monde et croit à peu près tout ce que les gens lui disent même s'ils lui sont étrangers ou qu'elle ne les connaît que superficiellement. Inutile de le mentionner, le Sanglier a de la difficulté à conserver son argent. L'ingénu Sanglier devrait éviter d'administrer lui-même ses finances. Avec lui, il semble toujours que l'argent se gagne facilement et doive se dépenser de la même façon. Il est trop sensible et trop sympathique pour tenir les cordons d'une bourse.

Par nature, le Sanglier est un matérialiste qui aime, un peu paradoxalement, partager tout ce qu'il possède. Plus il donne, plus il semble posséder. Altruiste et modeste, il est entouré d'un nombre toujours croissant d'amis à qui il permet d'abuser de lui. En fait, il désire leur présence car à cause de son caractère social, le Sanglier a toujours besoin de se sentir accepté d'un groupe. C'est pourquoi il consent à payer la note, en échange de la considération qu'il reçoit de son entourage.

Par ailleurs, il est relativement insensible et peut recevoir les insultes ou les mauvaises blagues avec un haussement d'épaules. Il n'aime pas planifier plus loin que demain. Ce sont peut-être ces caractéristiques qui l'aident à se remettre rapidement des infortunes qui peuvent s'abattre sur lui. Le grégaire Sanglier ne prend pas les calamités très au sérieux.

La façade de gentillesse et de raison que présente le Sanglier, dissimule une force de volonté remarquable. Il peut obtenir des postes d'autorité autant qu'il en veut, mais le Sanglier n'a de pire ennemi que lui-même. Ses scrupules lui enlèvent toujours ses moyens et plus que toute autre chose ils servent de frein à sa réussite. D'autre part, lorsqu'il est acculé à ses limites, il peut réagir sauvagement et devenir un ennemi redoutable. Il peut faire appel à des énergies impressionnantes et répéter les prouesses d'Hercule.

Bien que le Sanglier puisse paraître facile à duper, il pourrait être plus rusé que vous ne le pensez. Dans les faits, il sait s'occuper de ses intérêts d'une manière inoffensive et en vous permettant de lui tendre un piège, il pourrait tout simplement vous fournir la corde pour vous pendre. Il est un dicton chinois qui s'applique parfaitement à la politique du Sanglier et c'est celui-ci: "Ce qui vous appartient trouve toujours un moyen de vous revenir."

De toute manière, étant scrupuleux de nature, le Sanglier va rarement devenir fraudeur ou voleur. Devant un gain qu'il aurait obtenu malhonnêtement il serait hanté par de profonds sentiments de culpabilité et se sentirait mal à l'aise à la moindre transgression.

Lorsqu'un Sanglier se lance dans une poursuite judiciaire, tout le monde y perd. Il peut être encouragé par une armée d'avocats ou maintenu dans l'isolement par ceux qui connaissent sa clémence. Il ne vous déteste pas et il regrettera personnellement d'être un instrument de rancoeur, mais dès que ses conseillers juridiques auront mis la procédure en marche, il sera forcé de maintenir sa poursuite. S'il gagne, il sera affligé de remords pour le reste de sa vie. Une fois qu'il s'embourbe dans les poursuites légales, le Sanglier risque de périr dans les sables mouvants des tribunaux. Ses implications dans des causes légales sont souvent condamnées à être longues et compliquées.

Étant de nature sensuelle, des passions fortes animent le Sanglier. Doté d'une vigueur et d'une énergie extraordinaires, on l'admire pour le dévouement qu'il manifeste à son travail. Mais là encore, sa force peut devenir sa faiblesse. Possédant une virilité et une vitalité au-dessus de la moyenne, le Sanglier aime à savourer sans restrictions les bonnes choses de la vie. S'il ne réussit pas à contenir son énorme appétit et à développer un contrôle de lui-même, le Sanglier peut être corrompu et avili par des gens qui savent exploiter ses faiblesses. L'honnête Sanglier vous aime de tout son coeur. Il est en général très prévenant et ignore comment dissimuler ses émotions. Le

Sanglier sort souvent blessé des intrigues amoureuses et il ou elle en porte longtemps les marques.

Son principal défaut consiste à ne pas pouvoir refuser fermement quoi que ce soit à lui-même, à sa famille et à ses amis. Dans certains cas, il rend service en faisant des concessions dangereuses et se retrouve avec un tas de problèmes sur les bras. Toutefois, lorsque surviennent les difficultés, il porte le blâme et les responsabilités sans se plaindre. Il fera faillite au moins une fois dans sa vie, mais il s'arrangera toujours pour en sortir plus fort et plus audacieux qu'auparavant. Le secret de sa réussite s'explique par sa bonne foi, sa générosité et sa capacité de recommencer.

Le Sanglier choisit de travailler fort toute sa vie et il emploie la même ardeur au jeu, recherchant en toute occasion la possibilité d'utiliser sa surabondance d'énergie. Cette aptitude et son côté consciencieux l'aideront à réussir et à bien pourvoir aux besoins de ses proches. Il est récompensé par une affluence de biens utiles et il partage l'argent, le pouvoir et le succès qui couronne ses efforts avec tous et chacun. La robustesse et la prodigalité du Sanglier en font un boute-en-train. Il est l'ami parfait, toujours disposé à vous faire une faveur ou à vous prêter de l'argent. Ceci explique peut-être pourquoi il est aussi chanceux! À certains moments, on pourrait croire qu'il est à même de puiser dans la corne d'abondance.

Bien qu'elle soit intelligente et bien informée (tout le monde confie ses secrets au Sanglier), la personne née sous ce signe est sans profondeur. Elle accepte la superficialité des choses et, afin de maintenir la paix préfère dissimuler les griefs qu'elle a à l'égard d'autrui.

Mais on dit également qu'il existe un côté fataliste dans la nature du Sanglier et lorsqu'il n'a rien à perdre, il peut devenir la plus négative et la plus débauchée des créatures et se vautrer dans un abîme de jouissances qui peut mener à sa destruction. La plupart des problèmes du Sanglier proviennent de sa trop grande générosité. S'il peut restreindre sa tendance à trop faire pour les autres et à promettre plus qu'il n'est capable de réaliser, il ne devrait avoir aucun problème majeur.

Le Sanglier peut mener une vie heureuse s'il la partage avec le calme et perspicace Lièvre ou le doux Mouton. Il s'entend également bien avec le Tigre; le Rat, le Boeuf, le Dragon, le Cheval, le Coq et le Chien viennent ensuite et il n'aura pas de conflits sérieux avec un autre Sanglier. Il ne trouvera peut-être pas la compagnie des autres Sangliers très stimulante, mais il s'en accommodera sans difficulté. La plupart de ses problèmes surgissent lors de ses rencontres avec le Serpent et le Singe car il n'est pas de taille à résister à leur malice et à leur intelligence.

Le Sanglier enfant

L'enfant né sous le signe du Sanglier est responsable, sociable et de caractère docile. Fiable et déterminé, il se rend responsable d'activités scolaires et se mérite un certain prestige par sa persévérance et son dévouement. Cette jeune personne est courageuse face à des adversaires plus forts qu'elle et on ne l'entend pas pleurnicher ou se plaindre. En fait, elle est dotée d'un corps remarquablement puissant et peut supporter beaucoup de douleur et de souffrances sans pleurer.

Le Sanglier, tout comme le Rat, possède un robuste appétit et vous n'avez pas à le forcer à manger ni à le dorloter comme le jeune Mouton. Il travaille fort et dans la bonne humeur et n'est pas facilement déprimé ou découragé. Son apparence calme dissimule toutefois une nature passionnée. Lorsqu'il est amoureux, il a de la difficulté à se montrer détaché ou indifférent à l'égard de l'objet de son affection. S'il aime ses parents, il va jusqu'à la vénération; dans le cas contraire, il se punit lui-même de ses remords et de ses sentiments de culpabilité plutôt que de blâmer quelqu'un d'autre. Il n'a pas besoin d'autant d'attention que les autres enfants, mais il doit être assuré qu'il peut compter sur votre soutien chaque fois qu'il en a besoin.

Le Sanglier enfant possède une forme d'individualisme qui lui est personnelle. Il vous permet de le commander tant que vous ne le traiterez pas en esclave. Son esprit d'entraide le rend populaire dans son voisinage. Ses efforts sont davantage motivés par le plaisir de gagner que par les récompenses. Il lui arrive souvent d'être détaché de ses biens et d'en faire cadeau facilement.

Malgré son talent évident pour organiser le travail de groupe, atténuer les difficultés et calmer les natures enflammées, le Sanglier a de la difficulté à prendre parti, se questionnant sur les motifs des autres et est également tiraillé par son désir de s'abandonner au luxe et au confort.

C'est un enfant qui peut recevoir des reproches de façon positive et les échecs peuvent lui communiquer une nouvelle vigueur. Chaque fois qu'il propose un changement, il réussit à convaincre les personnes impliquées de sa nécessité. L'enfant Sanglier met toute sa force, sa conviction et son dévouement dans tout ce qu'il entreprend.

Grâce à la souplesse de son approche et à sa persuasion, le Sanglier motive les autres à le suivre dans ses entreprises. C'est lui qui a le plus besoin de discipline pour valoriser ses talents. Il peut exceller lorsqu'il s'agit de planifier des projets ou les activités de d'autres personnes mais il est paresseux lorsqu'il s'agit d'appliquer les mêmes règles à sa vie quotidienne.

Quoi que vous fassiez pour lui, le Sanglier vous le rend en double. Ceci est valable pour le bien comme pour le mal. Il est totalement aveugle concernant les fautes de ceux qu'il aime et il est plein de loyauté envers ses amis. Sa compréhension instinctive des émotions ou des besoins d'autrui, semblent parfois lui donner une sagesse précoce.

Quelles que soient ses occupations, vous constaterez que votre enfant recherche continuellement de nouvelles façons de dépenser une énergie débordante. Quel que soit son milieu, vous lui découvrirez un sens de la collectivité. Les liens d'amitié qu'il établit ont une qualité qui leur est propre. Vous trouverez chez lui un grand altruisme, doublé d'une passion authentique pour la vie.

Les cinq types de Sanglier

Le Sanglier de Métal — 1911, 1971, 2051

Un Sanglier fier et passionné qui accorde beaucoup d'importance à sa réputation. Vif et plus dominateur que les autres, ce type de Sanglier possède souvent des appétits excessifs et peut manquer de raffinement ou de tact.

Il exerce moins de contrôle sur sa vie personnelle tout en étant très sociable et extraverti. Il manifeste ouvertement son affection et ses intentions pures, il sous-estime ses ennemis et surestime ses amis. Il est rarement cachottier et en général il est direct, confiant et même un peu crédule.

Ambitieux et entreprenant, mais pas toujours objectif, le Sanglier de Métal peut être un opposant dangereux, car il exprime violemment sa colère ou son ressentiment.

Ce type de Sanglier ne concède pas la victoire de bonne grâce. Ce n'est pas un lâcheur et on peut compter sur son immense endurance. Grand travailleur et doué d'une grande force positive, le robuste Sanglier de Métal a de la vigueur à revendre.

Le Sanglier d'Eau — 1863, 1923, 1983

Un Sanglier persévérant et diplomate qui possède toutes les qualités d'un émissaire extraordinaire. Découvrant avec perspicacité les désirs cachés des gens, il peut être d'une grande ressource lorsqu'il s'agit de négocier avec des adversaires. Néanmoins, l'Eau le porte à rechercher le bon côté des autres et il refuse souvent jusqu'au dernier moment de croire à leurs mauvaises intentions. Ce type de Sanglier a des convictions fermes et une foi émouvante dans ses proches. Il croit aux miracles et peut être utilisé par les autres s'il n'est pas suffisamment prudent.

Cordial, paisible et honnête, le Sanglier d'Eau est un assidu des réunions mondaines. Il s'en tient scrupuleusement aux règles du jeu et manifeste sa bonne volonté en faisant plus que sa part.

Fidèle à sa nature de Sanglier, il est passionné et débordant d'amour. Lorsque triomphe son côté négatif, il est préoccupé de sexualité, se montre gourmand, buveur ou encore se permet toutes sortes de luxes aux dépens des autres.

Le Sanglier de Bois — 1875, 1935, 1995

Le Sanglier de Bois peut manipuler les autres avec aisance. Bien qu'il soit intéressé par ses gains personnels, il est aussi porté à consacrer une bonne partie de son temps à des organismes charitables et excelle dans l'animation des organismes ou clubs sociaux. Il aime aider ceux qui recherchent son assistance et il fait de son mieux pour s'entendre avec tout le monde. C'est un splendide promoteur et cette qualité lui permet de trouver sans trop de difficulté le financement nécessaire à ses entreprises.

Généreux à l'extrême, il recommande la clémence même à l'endroit de ceux qui le méritent le moins et il n'est pas très sélectif pour ce qui est des personnes avec qui il s'associe. Conséquemment, ses mauvais amis peuvent le duper ou l'entraîner dans la fange avec eux, s'il se tient trop souvent en leur compagnie.

Néanmoins, il est récompensé pour la confiance qu'il place dans les autres et il assume des postes importants grâce à la facilité avec laquelle il réunit les gens.

Le Bois le rend exubérant mais il est assez scrupuleux pour adapter son comportement aux règles établies. Il cherche à s'associer aux bonnes personnes et se lance dans des entreprises ambitieuses.

Persuasif, le Sanglier de Bois aime à divertir et une atmosphère de sympathie s'établit partout où il va. Ses manières positives et stimulantes incitent les gens à encourager à la fois ses vices et ses vertus.

Le Sanglier de Feu — 1887, 1947, 2007

Le Feu communique des émotions intenses au courageux Sanglier. Il manifeste un héroïsme véritable dans ce qu'il entreprend et il suit ses plans avec une détermination entêtée.

Il peut atteindre les plus hauts niveaux de réussite ou sombrer dans la dégradation la plus abjecte, dépendamment de la voie choisie et du degré de contrôle exercé sur son énergie et sa sensualité qui sont immenses.

Le Sanglier de Feu ne craint jamais l'inconnu. Il est intrépide, optimiste et confiant dans ses ressources personnelles et il va tenter sa chance dans n'importe quoi, même si les probabilités jouent contre lui. Il est motivé par l'amour et va tenter d'accumuler la richesse afin de garantir une vie confortable à sa famille. Il est toujours prêt à rendre service, même aux étrangers, et il est reconnu pour sa générosité envers ses amis.

Lorsqu'il est dans un état négatif, ce Sanglier devient autoritaire, directif et obsédé par la culpabilité. Cependant, il se caractérise généralement par sa largesse et son absence de préjugés. Il a une préférence pour les entreprises manufacturières ou autres car il aime employer beaucoup de monde, s'il en a la possibilité.

Le Sanglier de Terre — 1899, 1959, 2019

Un type de Sanglier paisible, sensible et heureux qui a suffisamment de bon sens pour profiter de la vie. L'élément Terre le rend productif, il planifie son avenir et il aime les activités comportant des responsabilités financières.

Renommé pour sa stabilité et sa patience, il va se consacrer sans répit à un objectif jusqu'à ce qu'il l'atteigne. Sa volonté lui permet de supporter le stress et de porter les fardeaux qui dépassent la capacité coutumière des gens.

Se consacrant à la fois à son travail et à sa famille, le Sanglier de Terre manifeste une diligence et un entrain qui sont difficiles à surpasser. Il n'est pas autoritaire, se fait violence à lui-même mais jamais aux autres.

Bien que cette personne puisse être corpulente du fait de l'attirance qu'elle éprouve pour le boire et le manger, elle a la capacité de ne pas trop s'inquiéter de ses propres problèmes. Ses ambitions sont raisonnables et réalisables ce qui lui assure la sécurité et le succès matériel qu'elle recherche.

Ami compréhensif, associé fiable et employé dévoué, le Sanglier de Terre sait demeurer en dehors des problèmes et recherche la tranquillité et l'harmonie dans sa vie familiale comme dans son travail.

Le Sanglier et ses ascendants

Naissance au cours des heures du Rat — 23h à 1h

Supporté par le Rat, ce Sanglier est mieux équipé pour les investissements et son jugement est plus critique. Il est moins susceptible de se trouver victime d'abus. Les deux signes sont très sociables et savent tirer le maximum d'amitiés soigneusement cultivées.

Naissance au cours des heures du Boeuf — 1h à 3h

Un Sanglier au tempérament puissant, aux habitudes plus précises et possédant des opinions bien arrêtées. Le Boeuf veille à ce qu'il ne cède pas plus qu'il ne faut à sa sensualité. On peut compter qu'il ne se livrera pas à trop d'exagérations.

Naissance au cours des heures du Tigre — 3h à 5h

Un Sanglier téméraire, généreux et athlétique. Bon réalisateur et organisateur. Les deux signes sont fondamentalement conduits par les émotions et ceci le rend facilement influençable.

Naissance au cours des heures du Lièvre — 5h à 7h

Un Sanglier débonnaire mais astucieux qui n'aimera pas le travail plus qu'il ne faut. C'est également un grand mondain et un matérialiste qui n'oublie jamais d'exiger la part qui lui revient dans une transaction. N'aime pas à rendre service autant qu'il l'affirme.

Naissance au cours des heures du Dragon — 7h à 9h

Un Sanglier puissant et fiable ayant une immense dévotion pour ceux qu'il aime. Les deux signes sont forts mais un peu naïfs. Il connaît autant d'échecs que de succès.

Naissance au cours des heures du Serpent — 9h à 11h

Méditatif et plus retors, ce Sanglier poursuit ses buts avec une obstination plus grande. L'influence du Serpent peut relâcher les scrupules du Sanglier et l'amener à écouter ses désirs. Il pourrait avoir un sens un peu biaisé de la justice.

Naissance au cours des heures du Cheval — 11h à 13h

Un Sanglier qui possède une ardeur plus grande. L'influence bénéfique du Cheval rend le Sanglier un peu plus égoïste et spontané et lui permet de penser davantage à son profit personnel et à sa réussite.

Naissance au cours des heures du Mouton — 13h à 15h

Un Sanglier compatissant et sentimental. Trop poli et facilement dupé. Travaille très fort pour les autres ou est généreux à l'excès. Il attire les parasites autant que les amis influents.

Naissance au cours des heures du Singe — 15h à 17h

Ne se laisse pas conduire vers la porte arrière. Un Sanglier qui dissimule son avidité sous des dehors amicaux. Le Singe peut identifier les fraudeurs et protéger le Sanglier contre sa naïveté.

Naissance au cours des heures du Coq — 17h à 19h

Un Sanglier peu orthodoxe et peu pratique mais qui a les meilleures intentions du monde. Accomplit gratuitement des tâches laborieuses et démontre une ténacité absurde dans les projets laborieux. Le Coq est trop Don Quichotte et le Sanglier trop humble face à sa propre valeur.

Naissance au cours des heures du Chien — 19h à 21h

Guidé par le jugement impeccable du Chien, ce Sanglier est direct, logique et moins sensuel. Il ne tolère jamais une supercherie. Si vous le trompez vous serez poursuivi par une véritable horde car il a toujours une foule de puissants amis.

Naissance au cours des heures du Sanglier — 21h à 23h

Un diamant brut. Aurait besoin de mains expertes pour le tailler et le polir. Il a toutes sortes de qualités qu'il faut se donner la peine de découvrir.

Comment le Sanglier traverse les différentes années

Année du Rat

Une année d'incertitude pour le Sanglier. Une grande instabilité règne à son travail et dans sa famille, et il pourrait perdre des choses qu'il croyait avoir acquises. Il réussit à surmonter les difficultés mais les inquiétudes le minent et affectent ses progrès et ses chances de réussir.

Année du Boeuf

Une bonne année pour le Sanglier. De bonnes occasions se présentent au Sanglier et il parvient à tirer profit de ressources cachées ou à lancer sa propre entreprise. Ses paris et ses intuitions pourraient lui apporter des bénéfices importants. Il n'a que des problèmes mineurs mais il pourrait se produire des complications dans sa vie sentimentale ou familiale.

Année du Tigre

Une année difficile et éprouvante. Le Sanglier rencontre des difficultés et il est seul pour y faire face. Une période où il a de la difficulté à emprunter de l'argent et à se faire remettre ce qui lui est dû. Il pourrait avoir plusieurs dépenses inattendues ou se voir forcé de payer des amendes, des frais judiciaires ou des impôts supplémentaires. Il devrait se montrer prudent concernant ses associés et prendre personnellement part aux affaires importantes au cours de cette période.

Année du Lièvre

Une année passable pour le Sanglier et qui apporte des résultats modestes. Il existe toujours des obstacles mais il n'y a pas de bouleversements importants. Il obtient des gains financiers et devient en mesure de consolider assez fortement sa position. Sa vie familiale est calme et heureuse. Beaucoup de rencontres et d'événements sociaux sont à prévoir.

Année du Dragon

Une année facile. Le Sanglier obtient le soutien de personnes influentes et est en mesure de plaire à ses supérieurs. Il gagne l'admiration et le respect de ses collègues de travail. Sa vie familiale est sans histoires mais il pourrait craindre de légers problèmes de santé ou la perte d'effets personnels.

Année du Serpent

Une année agitée et difficile pour le Sanglier, bien qu'il puisse compter sur une réussite relative. Il consacre son temps à des voyages, à des spéculations et à des entreprises conjointes. Il reçoit également de mauvaises nouvelles et connaît des problèmes avec le sexe opposé. Des reculs résultent principalement de dépenses exagérées ou d'extravagances.

Année du Cheval

Une bonne année pour le Sanglier s'il évite de spéculer ou de confier son argent à des amis trop récents. Des bénéfices qu'il n'avait pas retirés l'an passé vont maintenant apparaître de toutes parts et des problèmes antérieurs vont se transformer en bienfaits. Une année heureuse et prospère dans sa famille et sa carrière.

Année du Mouton

Une année passable pour le Sanglier, car sa position financière subit un temps d'arrêt ou un recul. Il n'a pas de problèmes de santé sérieux ou de bouleversements importants. Ses gains sont de l'ordre des connaissances, de la formation professionnelle ou de l'avancement dans sa carrière. Une période où il est souhaitable de penser au futur et de rechercher d'autres possibilités à explorer.

Année du Singe

Une année moyennement satisfaisante pour le Sanglier. Il souffre d'un manque d'argent ou de soutien et divers problèmes personnels et familiaux occupent son esprit. Les résultats ne sont pas entièrement favorables mais il réussit à emprunter de l'argent ou à s'associer avec d'autres personnes pour finalement régler ses problèmes.

Année du Coq

Une année fébrile et moyenne. La vie familiale du Sanglier est calme mais la réussite dans sa carrière est compromise ou subit un temps d'arrêt. Il consacre beaucoup de temps et d'efforts à surmonter des obstacles et doit se montrer patient dans les négociations compliquées.

Tableau de compatibilité du Sanglier

Année du Chien

Une année frustrante spécialement pour les aspirations du Sanglier. Il vit des déceptions car il demande trop. Des difficultés viennent de plusieurs directions et peuvent résulter de négligences passées, d'erreurs de calcul ou de jugement. Il doit se montrer prudent dans ses confidences et accepter la critique avec un esprit positif.

Année du Sanglier

La vie du Sanglier se stabilise au cours de cette année car des gains et des progrès sont à prévoir. Il existe peut-être encore certaines frictions au travail et à la maison mais aucun recul sérieux n'est à craindre. Il pourrait souffrir de problèmes de santé persistants ou d'une infection. De nouveaux amis et des occasions nouvelles dominent les mois d'hiver.

Personnalités célèbres nées au cours de l'année du Sanglier

Métal
Hubert Humphrey
Ronald Reagan
Lucille Ball
Merle Oberon
Rosalind Russell
Le Prince Bernhard

Eau
Le Prince Rainier
Lee Kuan Yew
Maria Callas
Henry Kissinger

Bois
Françoise Sagan
Le Roi Hussein
Julie Andrews
Bibi Anderson
Woody Allen

Feu
Feld-maréchal
Montgomery
Chiang Kai-Shek
Andrew Jackson

Terre
Ernest Hemingway
Humphrey Bogart
Alfred Hitchcock
John D. Rockefeller
Al Capone

Chapitre 13

Les 144 combinaisons de mariage

Homme Rat + femme Rat

Un peu trop de ressemblances. Tous les deux sont trop consciencieux et casaniers. Comme ils sont trop semblables ils risquent de trop se retrouver dans la personnalité de l'autre. Dans cette combinaison l'homme sera moins exigeant que la femme qui pourrait avoir un côté pointilleux et autoritaire. Deux signes terre à terre et calculateurs qui pourraient se surveiller intentionnellement et ne pas apprécier ce qu'ils voient comme dans un miroir.

Homme Rat + femme Boeuf

Une heureuse combinaison. Cet époux affectueux présente beaucoup d'attraits pour la femme Boeuf qui recherche la sécurité. Il est attentif au confort matériel qui est pour elle l'aspect le plus important. De son côté, la femme Boeuf est plus que fiable, compétente et digne de confiance. Elle pourvoit volontiers à tous ses besoins et garde la maison en ordre. Avec un arrangement semblable, il n'y a pas de doutes qu'ils vont admirer réciproquement leurs qualités et que chacun fera plus que sa part. Par son côté ardent et démonstratif l'homme Rat pourrait influencer la femme Boeuf et la rendre plus sensible et moins obstinée.

Homme Rat + femme Tigre

Il est orienté vers la réussite et accorde beaucoup d'importance à la vie familiale. Elle est affectueuse et généreuse mais non conventionnelle. Ils ont beaucoup de choses en commun car tous les deux sont sociables, actifs et s'intéressent à plusieurs domaines. Il recherche le pouvoir et la richesse tandis qu'elle aime le prestige et la notoriété qui les accompagnent. Néanmoins, il pourrait déplorer son comportement imprévisible et elle, ses tendances mesquines. Cependant tous les deux sont foncièrement optimistes et vont tenter de régler leurs mésententes ou de passer l'éponge.

Homme Rat + femme Lièvre

Une alliance qui ne permet pas de rendre justice aux deux parties. Tous les deux sont charmants et plaisants mais ce ne sont pas des individus dévoués et désintéressés. Ils peuvent être amicaux et sincères mais leur cohabitation constante peut constituer un stress pour chacun d'eux. Il est possessif et romantique et elle a tendance à être un peu passive à son égard. Les attentes mutuelles peuvent dépasser les avantages réels de cette union.

Homme Rat + femme Dragon

Ces deux personnes ont en commun du courage et de la détermination et peuvent connaître ensemble une existence brillante et agréable. Ils ne tentent pas de se restreindre inutilement l'un l'autre et le Rat trouve dans la femme Dragon une compagne admirable si celle-ci n'est pas trop inflexible. Tous les deux sont très compétents et ont suffisamment d'assurance pour se faire mutuellement confiance. Ils auront envers la vie une attitude optimiste et vivront une relation très satisfaisante.

Homme Rat + femme Serpent

Association de deux partenaires possessifs mais qui sont suffisamment réalistes pour procéder aux ajustements nécessaires s'ils ont assez d'admiration l'un pour l'autre. L'homme Rat valorise le côté brillant et la ténacité du Serpent tandis que la femme trouve en lui assez d'ambition et d'intelligence pour s'établir avec lui. De ces deux personnes matérialistes et ambitieuses, l'homme sera le plus souple et le plus accommodant. Elle est prudente et il peut se fier sur elle pour le protéger des pièges qu'il pourrait rencontrer. Le Serpent trouve touchante la dévotion du Rat et va y répondre avec passion.

Homme Rat + femme Cheval

Tous les deux ont un esprit indépendant et actif. Cependant le Rat est très contrarié par l'agitation et l'inconstance de la femme Cheval. D'autre part, les manières querelleuses du Rat énerve cette dernière et la rend malheureuse. Ils sont incapables d'apprécier leur façon de penser réciproque et n'essaieront pas beaucoup de se rapprocher.

Homme Rat + femme Mouton

Le Rat ne désire peut-être pas s'établir avec une femme aussi sensible et aussi peu pratique. D'autre part la femme Mouton aime être dorlotée et gâtée. La prudence du Rat peut l'amener à conclure qu'elle a des goûts trop dispendieux, tandis que de son côté elle pourra le trouver trop calculateur et trop avare. Ces deux personnes ne sont pas agressives mais elles pourraient connaître un certain ressentiment causé par leur frustration et leur insatisfaction.

Homme Rat + femme Singe

Fortement compatibles. Il ne pourra résister à son charme et à son ingéniosité, tandis qu'elle trouvera sa détermination admirable. Tous les deux attirent le succès et ils vont s'aider mutuellement à gravir l'échelle de la réussite. Ils n'ont pas une sensibilité très grande et peuvent accepter avec compréhension leurs défauts réciproques. Ils peuvent travailler ensemble ou choisir sans problèmes des voies ou des carrières différentes. Ils ont la même facilité à surmonter les quelques moments pénibles qui pourraient survenir dans leur relation.

Homme Rat + femme Coq

S'harmonisent difficilement. Elle le juge de manière critique et le trouve exigeant. Elle est pleine de bonne volonté et se sent obligée d'attirer son attention sur tous ses manquements. Il la trouve excentrique et trouve très ennuyeuse sa manie de tout analyser. Il en éprouve du ressentiment et se sent blessé. Il est à la recherche d'une femme affectueuse, non pas d'un psychiatre. Elle est surprise de sa rancune et le considère ingrat.

Homme Rat + femme Chien

Tous les deux sont pacifiques et indépendants. Il est généralement travailleur et énergique, alors qu'elle est loyale et subtile. La femme Chien est chaleureuse et communicative et l'homme Rat est charmant et également affectueux. Le danger de cette alliance est qu'ils acceptent tous les deux trop facilement les compromis et que leur relation devienne monotone et les amène à se désintéresser l'un de l'autre.

Homme Rat + femme Sanglier

Tous les deux possèdent une grande joie de vivre. Ils vont éprouver une attirance réciproque autant physique que mentale. Ces deux signes sont trop optimistes et imprudents et ils pourraient prendre des risques inconsidérés. Aucun d'eux n'a suffisamment de volonté pour imposer des limites et stabiliser leur relation. Ils ont besoin de quelque chose de concret pour sceller leur union.

Homme Boeuf + femme Rat

Elle peut toujours compter sur lui pour pourvoir aux besoins domestiques et, en retour, la façon dont elle s'acquitte de ses tâches a tout pour lui plaire. Une union très satisfaisante et gratifiante. Il est fort et silencieux et il apprécie les petites attentions et l'admiration que lui témoigne sa conjointe au caractère communicatif, alors que, de son côté, elle aime la sécurité et la stabilité qu'il apporte. Aucun des deux ne trouve vraiment à se plaindre.

Homme Boeuf + femme Boeuf

Les deux membres de cette équipe sont sérieux et travailleurs à l'excès. Aucun des deux n'est suffisamment imaginatif pour fournir le répit dont ils auraient besoin pour se reposer de tout le travail qu'ils ont planifié. Une union extrêmement réservée et polie de deux personnes préoccupées de sécurité et qui sont toutes les deux pessimistes et volontaires. Ils pourraient en venir à mal supporter leurs défauts réciproques.

Homme Boeuf + femme Tigre

Il est intéressé par le succès personnel et les réalisations alors qu'elle est principalement intéressée par elle-même. Il est pratique, organisé et stable: elle le trouve trop prévisible et austère. La femme Tigre peut se montrer colérique si elle se sent négligée, alors que le Boeuf ne peut pas supporter les sautes d'humeur et ne tolère pas ce qu'il considère comme des tracasseries inutiles. Ils vivent sur des longueurs d'onde différentes. Très réservé, le Boeuf est surpris de la liberté et de la passion avec lesquelles le Tigre manifeste ses émotions. À l'opposé, elle souffre de sa froideur et elle pourrait avoir besoin d'un partenaire plus passionné et démonstratif.

Homme Boeuf + femme Lièvre

Le Lièvre trouve le Boeuf stable, réaliste et responsable tandis que le Boeuf la considère sociable, sympathique et féminine. Néanmoins il peut être très exigeant et va critiquer son manque de discipline, ce à quoi elle va réagir en s'isolant et en se montrant hypersensible. Cependant si tous les deux travaillent un peu à se connaître davantage, de légers ajustements pourraient rendre leur relation satisfaisante.

Homme Boeuf + femme Dragon

Une union qui ne sera pas entièrement harmonieuse. Il est lent et réfléchi et trop méthodique pour plaire entièrement à la femme Dragon qui est ardente, émotive et qui recherche un environnement novateur et dynamique. Il pourrait la rendre plus persévérante, mais elle n'en demeure pas moins imprudente et parfois téméraire. Il est possible que par son optimisme elle le rende plus vivant ou l'amène à aller plus loin. C'est un solitaire froid et insensible, alors qu'elle a besoin de changer, de s'amuser et de voir des amis. Ces deux personnalités très fortes devront se respecter et s'admirer beaucoup pour en venir à des ajustements réciproques.

Homme Boeuf + femme Serpent

Une combinaison durable et heureuse. Le Boeuf possède de grandes ambitions et la femme Serpent est ambitieuse et matérialiste. Elle apprécie le luxe et le confort qu'il peut procurer. Il apprécie ses bonnes manières et son élégance de même que sa perspicacité à l'égard des questions financières. Chacun des deux assume joyeusement sa part de la relation. Il est pour elle une source de force et elle est pour lui source d'orgueil et de joie.

Homme Boeuf + femme Cheval

Peu d'aspects favorables dans cette union. Elle est libre et insouciante alors qu'il est besogneux et terre à terre. Il désire avoir une maison bien organisée et confortable et elle est trop agitée et occupée pour s'assujettir à cette tâche. Elle a besoin de liberté et de divertissement. Il n'est pas en mesure de comprendre son instabilité et son manque de dévouement à son égard. Tous les deux auront de la difficulté à trouver une harmonie complète.

Homme Boeuf + femme Mouton

Elle peut organiser un nid bien décoré et confortable tandis qu'il pourra agir comme défenseur du couple. Mais il est prudent et persévérant alors qu'elle est sentimentale et capricieuse. Il accumule et elle dépense. Le Boeuf est fort et volontaire; elle est faible et inquiète. Elle aime être protégée et rassurée, mais le Boeuf n'est pas très prévenant, étant porté à exiger beaucoup des autres et son épouse Mouton deviendra déprimée s'il exige d'elle trop de discipline et de renoncement. Tous les deux pourraient avoir de sérieux problèmes.

Homme Boeuf + femme Singe

Ils ont confiance en eux-mêmes et savent ce qu'ils veulent, ce qui peut amener un manque d'intérêt naturel. Il est simple, sérieux et pragmatique; elle est attirante, complexe et égocentrique. Tous les deux recherchent la réussite et l'argent mais ils ont des conceptions opposées concernant les façons de réussir et de dépenser l'argent.

La femme Singe possède de nombreux talents, un esprit indépendant et ne recherche pas autant que lui la sécurité. Elle peut avoir la désagréable sensation de vivre avec un tyran s'il réagit au fait qu'elle prend ses ordres à la légère. Lui, de son côté, ne réussit pas à l'amener à lui témoigner le respect et l'admiration dont il a un intense besoin. S'il affiche son autorité, elle va le mettre en colère en lui riant au visage. Aucun des deux ne réussira à réduire l'autre à l'état de subordonné.

Homme Boeuf + femme Coq

Deux personnes pour qui le travail a une grande importance. Il valorise l'amour-propre et l'ardeur au travail et, la femme Coq, qui est compétente et consciencieuse, se mérite certainement son admiration. Ils cherchent tous les deux à réaliser et à organiser et aucun des deux n'est trop sensible à la critique. Ils peuvent se montrer objectifs et méthodiques dans la gestion du bureau comme dans l'entretien de la maison. Tous les deux aiment les plaisirs simples et les démarches intellectuelles; ils excellent dans les domaines spécialisés. La nature minutieuse du Boeuf ne l'énerve pas car elle est elle-même très attentive au détail. De son côté, le Boeuf accepte de façon positive les critiques de la femme Coq et ne les prend pas comme des reproches. Un couple heureux et satisfait.

Homme Boeuf + femme Chien

Il recherche l'argent et le prestige et il a horreur de la dépendance. Elle est généreuse et possède une grande ouverture d'esprit et une grande loyauté. Cependant, il pourrait être trop austère et dominateur pour le caractère amical et communicatif de sa compagne. Elle pourrait devenir intraitable si elle considère qu'il la bouscule un peu trop et le trouver trop rigide et réservé. Lui pourrait avoir de la difficulté à supporter sa curiosité et son esprit cynique. En dehors de cela, ils peuvent s'apprécier réciproquement.

Homme Boeuf + femme Sanglier

Ils tirent le meilleur parti possible de leurs qualités similaires. Il est sérieux, réservé et ambitieux tandis qu'elle est patiente, généreuse et dévouée. Il est travailleur et elle lui fait suffisamment confiance pour le soutenir et l'encourager tout au long de sa carrière. Elle a des goûts plus riches que les siens et elle est plus sensuelle et communicative. Cependant, elle comprend ses besoins et va l'aider à devenir moins réticent et entêté.

Homme Tigre + femme Rat

Très peu d'affinités dans ce mariage. Il est trop emporté et impérieux pour le Rat qui accorde beaucoup d'importance à la vie domestique et sentimentale. Elle ne peut avoir d'égards que pour quelqu'un qui l'apprécie et il est trop impatient et imbu de lui-même. Il la trouve trop capricieuse, possessive et exigeante. Chacun est insatisfait de la performance de l'autre.

Homme Tigre + femme Boeuf

Conflits importants de caractère. Le Tigre est un non-conformiste, un activiste et un rebelle. Elle aime la tradition, respecte l'autorité et a un comportement conservateur. Ce sont deux individus entêtés qui se situent à l'opposé l'un de l'autre. Il leur sera difficile de trouver un terrain commun pour harmoniser leurs points de vue contradictoires sur l'existence.

Homme Tigre + femme Tigre

Tous les deux sont attrayants, passionnés et charmants et peuvent avoir beaucoup en commun. Cependant, tous les deux sont également rebelles, entêtés et réagissent rapidement lorsqu'ils sont mécontents, caractéristiques qui pourraient rendre leur cohabitation difficile. Tous les deux ont besoin d'une grande liberté personnelle. Ils pourraient réussir à pallier leurs différences car ils possèdent un excellent sens de l'humour, mais étant tous les deux dépensiers leur budget familial pourrait accuser un perpétuel déficit.

Homme Tigre + femme Lièvre

Le timide Lapin pourrait être attiré par la virilité et le charme du Tigre mais lorsqu'elle l'aura regardé de plus près, elle risque d'être effrayée par son impulsivité et sa témérité. Lui, de son côté, est incapable d'apprécier sa nature inquiète et changeante. Elle est rationnelle et opportuniste tandis qu'il est porté par ses sentiments et fait peu de cas du tact et de la diplomatie. Elle est polie et sensible. Il est bruyant et spontané. Tous les deux devront faire de sérieux efforts s'ils veulent s'adapter à leur différence de caractère.

Homme Tigre + femme Dragon

Deux personnes qui sont énergiques, courageuses et ambitieuses. Ils pourraient même se stimuler réciproquement jusqu'à l'excès. Étant tous les deux novateurs et téméraires, ils risquent de ne rester personne pour terminer la tâche, une fois que leur enthousiasme initial aura disparu. La femme Dragon aime prendre des décisions et se bagarre avec le Tigre qui aime aussi avoir le leadership. Il va lui pardonner bien des petites choses, en autant qu'elle ne veuille pas restreindre ses actions ou lui demander d'être docile. Ils ne réussiront à coopérer qu'après beaucoup d'ajustements et d'efforts de part et d'autre.

Homme Tigre + femme Serpent

Chacun examine la motivation de l'autre et ne remarque que les côtés négatifs. Étant sage et pratique, la femme Serpent considère que les agissements du Tigre sont en opposition directe avec ses vues réalistes des choses. Il la trouve jalouse, possessive à l'excès et trop philosophe. Elle ne peut pas comprendre son goût pour les risques inutiles. Il arrive qu'elle soit près de ses sous tandis qu'il est plus que généreux et dépensier. Ils ne peuvent pas réaliser une union stable et dont on pourrait attendre de grandes réalisations.

Homme Tigre + femme Cheval

Un couple équilibré et harmonieux. Tous les deux sont communicatifs, téméraires et ardents. Cependant, le Tigre a toujours une cause pour laquelle combattre, alors que la femme Cheval, plus pratique, veut diriger leurs énergies communes vers des poursuites plus rémunératrices. Il apprécie son intelligence et sa vivacité d'esprit et elle peut l'orienter vers des objectifs valables. Aucun des deux n'est suffisamment casanier pour être trop possessif. Il est attentif et affectueux lorsqu'il se sent enjoué et elle est suffisamment souple pour surmonter son côté imprévisible. Ils ont une relation passionnée et un grand besoin de leur compagnie réciproque.

Homme Tigre + femme Mouton

Il est communicatif, engagé et enjoué. Elle est casanière, sensible et affectueuse. Il peut être sociable mais ne peut se consacrer entièrement à ses besoins et il la considère trop dépendante et indécise. Elle est extrêmement compréhensive mais peut sombrer dans l'apitoiement sur elle-même s'il se montre brusque, impatient et indifférent à l'égard de ses griefs sur des points qu'il considère mineurs. Tous les deux devront s'ajuster l'un à l'autre avant de pouvoir rendre cette union satisfaisante.

Homme Tigre + femme Singe

Ils vivent dans des mondes différents. Bien qu'ils soient tous les deux sociables, énergiques et communicatifs, le Tigre impétueux déteste l'esprit de compétition du Singe et trouve cette femme trop intelligente et trop sûre d'elle-même pour être intimidée par ses sorties théâtrales. Il ne devient productif et puissant que lorsqu'il est le pôle d'attraction. Si la femme Singe exige la parité avec lui, il s'en sent frustré et en éprouve du ressentiment. Tous les deux sont portés à la dépense mais le Singe est plus prudent et astucieux concernant les finances. Ce mélange de deux personnalités instables et égoïstes est beaucoup trop difficile à réaliser pour que l'un ou l'autre en retire des avantages.

Homme Tigre + femme Coq

Elle est trop intelligente, bien informée et critique pour supporter l'homme Tigre qui est dynamique, mais emporté. Il a de la difficulté à supporter ses manières querelleuses et son attirance pour les détails. Il est ouvert, généreux et communicatif tandis qu'elle est efficace, économe et méthodique. Il est idéaliste tandis qu'elle est une intellectuelle rigoureuse. Chez l'un, on déteste les conventions et c'est le coeur qui gouverne, chez l'autre c'est l'excentricité, mais c'est la tête qui dirige. Tous les deux sont très imbus d'eux-mêmes et seront malheureux et irrités par leurs comportements réciproques.

Homme Tigre + femme Chien

Une combinaison idéale car les deux signes sont charmants, attirants et humanitaires. Il est passionné et animé. Elle est loyale, compréhensive et serviable. Le Tigre est impulsif et impatient, le Chien est logique et suffisamment clairvoyant pour le conseiller sans s'imposer. L'homme admire et respecte la loyauté et le bon sens de la femme et elle tente de ne pas monopoliser son affection. Tous les deux sont chaleureux et attentifs aux besoins de l'autre sans trop s'impliquer dans son intimité. Un arrangement très satisfaisant pour les deux partenaires.

Homme Tigre + femme Sanglier

Ces deux personnes engagées et inspirées vont dépenser plus d'énergie à poursuivre les objectifs des autres que leurs propres buts. Ensemble, ils formeront une équipe heureuse; le Sanglier manifeste un dévouement infatigable envers les entreprises idéalistes du Tigre qui, de son côté, admire le courage et l'énergie de sa partenaire. Bien qu'elle soit confiante et sympathique, elle va le rendre plus matérialiste du fait de son goût pour le luxe. Tous les deux sont sensuels, libérés et passionnés en amour. Tous les deux sont capables de mettre de côté leurs petites différences et connaissent ensemble une existence heureuse.

Homme Lièvre + femme Rat

Le Rat est sociable, actif et ingénieux. Le Lièvre a un tempérament doux et n'est pas porté vers les activités épuisantes ou l'engagement, comme c'est le cas de la femme qui est grégaire et attirée par les activités sociales. Cependant, tous les deux aiment la vie familiale et sont réalistes concernant leurs objectifs. Elle est suffisamment dévouée et communicative pour illuminer son tempérament triste. Une union bonne et responsable.

Homme Lièvre + femme Boeuf

Le Lièvre est gentil, fin, réceptif aux idées et aux sentiments des autres. La femme Boeuf pourrait ne pas avoir l'émotivité et la sensibilité qui lui permettent de comprendre les raffinements de sa personnalité. Il peut être accumulateur, indulgent et égoïste. Elle est généralement pragmatique, mais aussi vertueuse et disciplinée. Tous les deux pourraient s'échanger les qualités qui leur manquent s'ils s'aiment suffisamment pour coopérer.

Homme Lièvre + femme Tigre

Le Lièvre est imaginatif et docile, il est porté vers les activités mentales et créatrices. La femme Tigre est dramatique, sensuelle et électrisante. Elle pourrait être trop puissante et flamboyante pour le calme et impeccable Lièvre. D'autre part, elle le trouve trop impersonnel et dénué d'émotions. Il pourrait l'aider à régler ses problèmes mais elle n'est pas suffisamment attentive pour l'écouter. Elle pourrait l'aider à prendre confiance en lui et à s'affirmer mais il ne prise pas sa méthode d'enseignement. Ils ont tendance à ne pas bien s'harmoniser et en dernière analyse, l'un des deux aime ce que l'autre fuit.

Homme Lièvre + femme Lièvre

Cohabitent dans la paix et la tranquillité. Tous les deux sont suffisamment calmes et intelligents pour faire ce qui est utile et nécessaire. Cependant, ils ne peuvent être bénéfiques l'un pour l'autre que, jusqu'à un certain point, car ils ont tendance à ne faire que l'essentiel et pas beaucoup plus. Ceci est principalement dû au fait que le Lièvre est centré sur lui-même et qu'il n'est pas très serviable. Dans leur cas, le mariage doit être une affaire bien planifiée et comportant un partage égal des responsabilités. Autrement, des querelles surviennent dès que l'un des deux a l'impression d'avoir à faire plus que sa part. Tous les deux sont doués et intuitifs mais ils ont peut-être tendance à négliger de s'encourager mutuellement.

Homme Lièvre + femme Dragon

Elle est indépendante, enjouée et chaleureuse. Il est compétent mais introverti et calculateur. Elle pourrait le stimuler et l'amener à des objectifs plus ambitieux. Il pourrait lui montrer certaines choses concernant la diplomatie et les bonnes manières. Il ne craint pas de lui voir assumer le rôle dominant car il sait qu'en définitive, il aura recours à ses bons conseils. Il est capable et gentil et elle a suffisamment de volonté pour les deux. Une combinaison réaliste et prometteuse pour le mariage.

Homme Lièvre + femme Serpent

Leur compatibilité est bonne jusqu'à un certain point mais il leur faut réussir à améliorer leurs points forts. Il a un grand potentiel, de la vision et du tact. Elle est toujours déterminée à réussir et elle approuve ses tendances matérialistes. Bien qu'ils partagent les mêmes goûts raffinés et un amour du confort et de la beauté, le Serpent pourrait être trop ardent et exigeant pour la superficialité des engagements du Lièvre. Côté négatif, tous les deux sont portés vers la philosophie et la méditation et si les choses vont mal entre eux, ils pourraient en arriver à ne plus pouvoir communiquer.

Homme Lièvre + femme Cheval

Ils pourraient avoir de la difficulté à s'entendre et décider d'être très prudents avant de s'engager sérieusement. Elle est gouvernée par ses émotions et ses impulsions. Tous les deux sont trop pratiques et trop imbus d'eux-mêmes pour faire un effort sérieux pour s'ajuster l'un à l'autre. Elle est irritée par ses hésitations et sa sensibilité; il la trouve écervelée, inconstante et sans principes. L'un préfère le repos et la solitude: l'autre est continuellement en mouvement. Avec des rythmes aussi différents, c'est une union qui ne fonctionnera jamais.

Homme Lièvre + femme Mouton

Chaque partenaire est réceptif aux vibrations de l'autre. Le Lièvre apprécie ses manières compatissantes et sensibles, et elle le trouve gentil, astucieux et suffisamment rusé pour prendre leurs décisions. Dans ce couple, la dépendance de la femme pourrait rendre l'homme plus volontaire et plus responsable. Il a le don d'écouter et elle a plus besoin de sympathie et de conseils que d'action. Tous les deux sont romantiques et affectueux et ils apprécient la vie en commun.

Homme Lièvre + femme Singe

Des hostilités pourraient résulter de cette sorte de mariage. Elle est gaie, confiante et fière de sa vivacité d'esprit. Il pourrait se sentir humilié par elle et elle détestera son inquiétude et ses hésitations. Tous les deux possèdent le don de voir à travers les autres et, lorsqu'ils se contemplent l'un l'autre, ils ne voient rien de bien fascinant. Ce sont deux individus réalistes qui ne vont accepter de coopérer que s'ils ont quelque chose à retirer d'un tel engagement.

Homme Lièvre + femme Coq

Il préfère que l'on ait soin de lui et qu'on le serve plutôt que d'avoir lui-même à servir. Elle est trop directe, méticuleuse et efficace pour accepter ses exigences capricieuses. Tous les deux ont de grandes connaissances mais sont excentriques. Il boude dans un silence complet tandis que, de son côté, elle prépare une longue liste de ses défauts et la rend publique. Ils pourraient mutuellement se rendre la vie très difficile.

Homme Lièvre + femme Chien

Une combinaison bénéfique très agréable. Des deux côtés, on n'a que des demandes raisonnables vis-à-vis de l'autre et l'on est satisfait et comblé. Le Chien est loyal et affectueux pour le Lièvre même lorsque celui-ci est indifférent et maussade. Elle admire ses manières suaves et diplomatiques et il peut avoir confiance en elle pour lui apporter son soutien et son analyse logique des situations. Elle est la plus positive des deux et va l'encourager et le stimuler lorsqu'il est déprimé. Par ailleurs, il est toujours prévenant et suffisamment sensible pour savoir ce qui la préoccupe.

Homme Lièvre + femme Sanglier

Ces deux personnes ont de l'intérêt et de la sympathie l'une pour l'autre. Il est talentueux et rusé et peut régler ses problèmes par la négociation. Elle l'admire pour son aplomb et son raffinement et va aller au-devant de lui. Elle est responsable, généreuse et conciliante et elle va trouver son dévouement très touchant et être attirée par son altruisme. Aucun des deux n'est querelleur. Ils vont plutôt se féliciter de la chance qu'ils ont d'être ensemble.

Homme Dragon + femme Rat

Le Dragon va trouver cette femme aimable du fait de sa loyauté et de son optimisme. La femme Rat va suivre son idole jusqu'au bout du monde. Il est magnanime alors qu'elle est économe et pleine de ressources. Il pourrait faire beaucoup d'argent et le gaspiller mais il est probable qu'elle en aura mis de côté pour les mauvais jours. Elle est bavarde et vive mais consent toujours à lui laisser jouer le rôle du maître. Une union fructueuse et durable.

Homme Dragon + femme Boeuf

Tous les deux sont dévoués mais entêtés. Ce facteur peut faire la réussite ou l'échec du mariage. Il travaille pour la gloire et la notoriété tandis qu'elle doit se préoccuper du côté matériel. Si ses entreprises ne rapportent pas d'argent sonnant, elle peut devenir rigide et antipathique. Il est stimulant et extraverti tandis qu'elle est souvent trop conformiste et conservatrice. Il a besoin d'amour et d'admiration; elle peut se montrer froide et réservée. Des compromis importants sont nécessaires. Cependant, s'ils font de sérieux efforts des deux côtés et qu'ils réussissent, ils sont extrêmement fiers l'un de l'autre et se manifestent un dévouement réciproque.

Homme Dragon + femme Tigre

Ce mariage n'a rien de calme, de conventionnel et ou de paisible. Les deux partenaires sont progressistes, novateurs et actifs. Ils pourraient être d'agréable compagnie l'un pour l'autre s'ils parviennent à comprendre leurs besoins fondamentaux de liberté et d'expression. La femme Tigre peut respecter et adorer son mari mais elle ne renonce jamais à sa propre identité. Il s'attire des problèmes si jamais il adopte une attitude autoritaire et tente de se faire obéir. Tous deux ont un tempérament vif et résistent à la domination. Un mariage plein d'aventures s'ils réussissent à maintenir un certain équilibre.

Homme Dragon + femme Lièvre

Elle a besoin de sa force et de sa témérité tandis qu'il s'appuie sur sa compétence et sa camaraderie. Il est vigoureux et ouvert; elle est indulgente mais pleine de tact. Elle va aménager un intérieur artistique et paisible à son intention. Elle est souple mais de caractère changeant et sans défense; il lui sert de guerrier et de protecteur. C'est un bon mariage si les deux partenaires se consacrent au bien-être commun et n'accordent pas trop d'importance aux petites préoccupations mesquines.

Homme Dragon + femme Dragon

Ce ne sera pas une union paisible à moins qu'ils ne s'entendent d'abord sur leurs objectifs. Tous les deux sont individualistes, volontaires et agressifs. La femme Dragon n'aime pas être reléguée au second plan, en fait, elle est peut-être la plus autoritaire des deux. L'homme Dragon est dominateur et entend bien avoir le contrôle mais, dans ce cas-ci, il pourrait bien avoir à céder certains de ses droits. Les deux partenaires feraient bien de poursuivre chacun leur carrière, afin d'éviter de s'aliéner mutuellement.

Homme Dragon + femme Serpent

Une relation enrichissante et stimulante si ces deux personnalités contrastantes peuvent s'ajuster l'une à l'autre. Il est actif, impulsif et dominateur. Elle est sensuelle, lente et recherche le confort. Comme il est toujours orienté vers le travail et la réussite, elle peut lui communiquer une partie de sa ténacité et de son bon sens. Elle pourrait avoir un sens des affaires supérieur au sien et, à coup sûr, elle peut gérer admirablement les finances familiales. Ensemble, ils peuvent construire un ménage au fondement solide.

Homme Dragon + femme Cheval

La femme Cheval est suffisamment intelligente et ingénieuse pour tirer parti du revenu que l'homme Dragon apporte à la maison. Cependant, celui-ci est sérieux et pourrait la trouver agitée et sans grand talent pour les tâches domestiques. Ils ont une vie fructueuse et agréable s'ils vivent en milieu urbain et si la femme Cheval occupe un emploi en même temps qu'elle a soin de la maison. En réalité, ces deux personnes ont un meilleur rendement lorsque leur travail est varié et libre. Toujours ambitieux, l'homme Dragon considère profitable le côté pratique de son épouse, tandis qu'elle aime sa force et son caractère responsable.

Homme Dragon + femme Mouton

Il se pourrait que ce couple soit assez mal assorti. Ils ne vivent harmonieusement qu'après beaucoup d'efforts. Il a un caractère aventureux et indépendant alors qu'elle est gouvernée par ses émotions et ses états d'âme. Elle aime son foyer et sa vie familiale mais ceci n'a pas le même attrait pour lui. Elle pleure facilement et il a de la difficulté à exprimer la sympathie et la gentillesse dont elle aurait besoin. Il est ambitieux et volontaire alors qu'elle est artiste et intuitive. Il est du genre chevalier sans peur et sans reproche qui aime se porter au secours de sa dame, à condition qu'elle n'en prenne pas l'habitude.

Homme Dragon + femme Singe

Une union idéale tant au plan romantique qu'intellectuel. Il est attiré par son magnétisme et elle admire ses qualités de leader. Tous les deux sont ambitieux et ont un rendement au-dessus de la moyenne. Ils forment un couple remarqué. Ensemble, ils recherchent de nouveaux domaines à conquérir et à explorer. Tous les deux aiment les activités sociales et ils vont probablement entretenir une magnifique résidence et recevoir beaucoup d'amis.

Homme Dragon + femme Coq

Pourraient atteindre un fort degré de compatibilité mais ils doivent commencer par adoucir certains aspects de leur personnalité. Les remarques perspicaces et parfois un peu sèches de la femme, pourraient souvent dégonfler le super-ego du mâle. Il est dynamique et déborde d'énergie alors qu'elle est efficace, économe et critique. Ils s'entendent mieux s'ils établissent au préalable les secteurs que chacun veut contrôler. Mentalement, ils sont au même niveau intellectuel mais ils ne devraient pas tenter de s'éblouir l'un l'autre par leurs réalisations.

Homme Dragon + femme Chien

Beaucoup de querelles sont à prévoir à cause de l'énorme fossé qui sépare ces deux tempéraments. Tous les deux sont agressifs et puissants mais de manière différente. Il aime la liberté et un comportement indépendant alors qu'elle demande la coopération et une loyauté complète. Inconsciemment, chacun pourrait essayer de développer les qualités que l'autre possède mais qu'il ou elle n'a pas. Cependant, ils ignorent tout sur la façon dont cela pourrait se produire. Les deux signes sont fiers et courageux lorsqu'on les met au défi. Aucun des deux ne veut céder facilement ou perdre la face. Il y a beaucoup d'adaptations à faire pour que ce mariage fonctionne; en fait, peut-être un peu trop.

Homme Dragon + femme Sanglier

Une union réussie et stable. La femme Sanglier encourage et soutient toujours son ambitieux partenaire. Il est impulsif alors qu'elle est patiente et stable. Il est batailleur et elle aime à faire la paix. Ils n'ont pas de difficulté à coopérer s'ils ont les mêmes objectifs. Elle consacre toute son énergie à toutes les tâches qu'il veut entreprendre. Il peut jouer le premier rôle en autant qu'il lui fait sentir qu'il a besoin d'elle. Il est casse-tout et elle l'aide patiemment à se relever à chacune de ses chutes. Tous les deux sont extrêmement romantiques.

Homme Serpent + femme Rat

Un couple ambitieux dont l'ascension n'a pas de fin. Ce pourrait être une union profitable s'ils adoptent la bonne attitude et qu'ils s'entendent sur des priorités déterminées. La femme Rat est sociable et charmante et adore son partenaire ambitieux mais introverti, mais ce dernier n'est pas disposé à lui témoigner toute l'affection dont elle a besoin. Tous les deux sont suffisamment ingénieux et rusés pour faire de leur union une grande réussite, à condition toutefois de ne pas accorder de place aux petites jalousies. Ils ne devraient rien se cacher.

Homme Serpent + femme Boeuf

Tous les deux sont prudents et sélectifs et ils considèrent qu'ils ont réciproquement fait un bon choix. Ils sont tous les deux pragmatiques et fiers et ils partagent les mêmes croyances et la même ambition. Il est tenace et calculateur; elle est disciplinée, ordonnée et animée d'un grand attachement à sa famille et à son foyer. Ils peuvent compter l'un sur l'autre en cas de crise. Dans une union comme celle-ci, le Serpent apprend à faire confiance à sa partenaire silencieuse et celle-ci lui reste fidèle, même dans l'adversité. Ils peuvent espérer vivre heureux ensemble.

Homme Serpent + femme Tigre

Une relation difficile et éprouvante pour les deux parties. Ils ne peuvent pas comprendre ou ignorer leurs faiblesses mutuelles. Les deux signes sont passionnés et profondément soupçonneux. Ils ne se font jamais totalement confiance. Le Serpent est raffiné, intellectuel et constant. La femme Tigre est altruiste, vive et idéaliste. Comparativement au caractère réservé du Serpent, elle n'est pas assez conventionnelle, trop stimulante et trop communicative. Elle, de son côté, tolère mal son côté hermétique, son comportement distant de même que son ambition. Ils parlent des langages totalement différents et ne peuvent pas communiquer.

Homme Serpent + femme Lièvre

Le Serpent est énergique et dominateur et trouve chez le raffiné Lièvre une oreille attentive. Tous les deux partagent le goût de la qualité et de l'exclusivité et ils peuvent se trouver en harmonie tant mentale que sentimentale. Cependant, ces deux signes ne sont pas fondamentalement conciliants. Ils pourraient se négliger mutuellement dans leur recherche de leur épanouissement et dans la satisfaction de leurs désirs personnels. Néanmoins, le Lièvre n'est pas aussi possessif que le Serpent et la femme ne souffre pas trop si l'homme est absorbé par son travail et ne peut pas lui accorder beaucoup d'attention. Elle est satisfaite en autant qu'il lui procure un foyer confortable et qu'il acquitte toutes les factures. Une combinaison relativement paisible.

Homme Serpent + femme Dragon

Il est affectueux mais possessif et compliqué. Elle est généreuse, communicative et irritable. Il est prudent et ne pose que des gestes réfléchis. Elle pourrait devoir s'opposer à lui si elle désire faire valoir son point de vue. Un tel mariage comporte nécessairement des frictions mais la femme Dragon désire secrètement la compagnie de quelqu'un qui est plus sage et dominateur qu'elle. Le Serpent fournit non seulement l'élément stabilisateur de ce couple mais il admire l'ambition et l'enthousiasme de la femme Dragon. Ensemble, ils peuvent foncer avec une détermination plus grande. Une alliance faite d'entraide et d'esprit positif.

Homme Serpent + femme Serpent

Ils sont sur la même longueur d'onde et communiquent très bien surtout lorsqu'ils sont impliqués dans un même projet. Ils ne s'accrochent pas trop l'un à l'autre, car ce sont deux penseurs indépendants. Ensemble, ils recherchent le pouvoir et la réussite de façon constante. Habituellement, leur ambition réciproque les garde unis. Si la jalousie ne s'en mêle pas, ils pourraient parvenir à de grandes réalisations.

Homme Serpent + femme Cheval

Tous les deux ont une approche différente de la vie. Il est prudent, tenace et volontaire. Il poursuit des buts à long terme. Elle est aventureuse, changeante et impatiente. Elle recherche davantage les plaisirs du moment présent. Il est constant dans ses engagements; elle est impulsive, vive d'esprit mais instable. Il la considère irresponsable et difficile à vivre, tandis qu'elle lui reproche son sérieux, son calme et ses froides déductions. Une union qui n'est vraiment satisfaisante pour aucun des partenaires.

Homme Serpent + femme Mouton

Peuvent s'entendre jusqu'à un certain point. S'il est vrai que le Serpent aime à s'enrouler autour de l'objet de son affection, il n'aime pas que le Mouton s'accroche indéfiniment à lui. Il va se sentir prisonnier. Réaliste et efficace, le Serpent est fortement orienté vers la performance. Le Mouton est sensible, sentimental et docile. Il est prêt à de grands sacrifices pour réaliser ses ambitions difficiles. Il est surtout intelligent; elle est surtout émotive. Il pourrait avoir de la difficulté à maintenir la relation dans les moments de crise.

Homme Serpent + femme Singe

Ne s'entendent pas du tout. C'est un combat continuel entre volonté et astuce. Tous les deux sont calculateurs et possèdent un esprit compétitif. Le Singe pourrait très bien pousser le Serpent à la colère et se montrer rancunier par la suite. Elle est optimiste et suffisamment sûre d'elle-même et compétente pour le défier. Il est également ambitieux, tolérant et opiniâtre lorsqu'il pense avoir raison. Il pourrait s'ensuivre une lutte pour déterminer lequel est le plus intelligent. Ces deux partenaires semblent faire ressortir les pires aspects de leur caractère et il serait surprenant qu'il en ressorte quoi que ce soit de valable.

Homme Serpent + femme Coq

Voici deux signes qui donnent des personnes intelligentes, calculatrices, axées sur la performance et qui préfèrent le pouvoir et un compte en banque bien garni à une union romantique vécue dans la pauvreté. Elle est efficace et entretient la maison à la perfection. Il est le cerveau caché derrière chaque transaction financière. Ils vont partager les mêmes aspirations par rapport au prestige et à la sécurité matérielle. Le Serpent est suffisamment philosophe pour fermer les yeux sur les manières incohérentes et excentriques du Coq. En définitive, c'est lui qui, se fiant à son propre jugement, prend les décisions. Par ailleurs, elle est heureuse qu'il la comprenne et lui permette une certaine liberté dans l'orientation de sa vie. Une telle combinaison permet à chacun de dépenser son énergie de façon positive. Ces partenaires ressentent tous les deux une forte affinité spirituelle et intellectuelle.

Homme Serpent + femme Chien

Le Serpent est ambitieux, froid et n'agit que de façon réfléchie. Le Chien est affectueux, loyal et honnête. Ils pourraient avoir de l'admiration l'un pour l'autre. Cependant, elle ne le supporte que dans la mesure où ses principes le lui permettent. Il exige un engagement total et reste fortement convaincu que la fin justifie les moyens. De part et d'autre, les convictions sont bien ancrées. Il pourrait se produire des conflits si elle découvre qu'il s'éloigne du droit chemin. Il a l'intention de profiter des occasions qui s'offrent à lui et il ne peut pas comprendre pourquoi la conscience de sa partenaire est aussi facilement offensée. Elle n'est pas matérialiste et elle reste étrangère à sa fascination pour la richesse et le pouvoir. Leur désapprobation mutuelle peut empêcher une relation vraiment satisfaisante de s'établir.

Homme Serpent + femme Sanglier

Le Serpent est animé par une détermination indéfectible. Le Sanglier est conciliant et possède un fort esprit communautaire. Il a le sentiment qu'elle ne peut pas le comprendre ou l'aider dans sa carrière du fait de son attitude indulgente envers les autres. Il est mystique, raffiné et profond. Elle est simple, confiante et naïve. Elle a des scrupules qui lui déplaisent et il n'a que faire de sa bonne volonté à moins qu'il ne s'en serve pour des motifs connus de lui seul. Elle est incapable de comprendre sa complexité et son esprit sceptique. Le Serpent pourrait être distant et ingrat malgré la gentillesse et la sincérité du Sanglier qui en souffre. Leurs personnalités diamétralement opposées les empêchent d'être heureux ensemble.

Homme Cheval + femme Rat

Il a besoin de liberté physique autant que mentale. Elle est équilibrée, travailleuse et affectueuse. Elle apprécie le climat chaleureux d'une famille unie; il a constamment besoin d'explorer des terres nouvelles. Elle est ingénieuse et économe. Il est aventurier, volage et changeant. Ils ne réussissent jamais à s'entendre sur une façon de procéder à cause de leur différence de caractère. Le Rat considère le Cheval égoïste et irresponsable. Celui-ci la trouve autoritaire et possessive. Après avoir bien étudié la situation, il est probable qu'aucun des deux ne trouvera l'autre suffisamment attirant pour former une union permanente.

Homme Cheval + femme Boeuf

Un rapprochement qui n'offre pas beaucoup de chances de réussite. Il est trop changeant, nerveux et communicatif pour la femme Boeuf qui est organisée, propre et sérieuse. Il est toujours émotif et elle est trop réservée pour partager son enthousiasme. Il la trouve très respectable mais aussi trop impassible et rigide. Elle a l'impression de ne pas pouvoir compter sur lui à cause de son inconstance et de son humeur imprévisible. Il la trouve trop sérieuse pour pouvoir facilement travailler ou s'amuser avec elle. Elle préfère un type d'homme plus discipliné et plus responsable. Finalement, ils ont très peu de choses en commun.

Homme Cheval + femme Tigre

Il existe beaucoup de communion d'esprit entre ces deux signes. Ils sont attirés l'un vers l'autre par la même vision animée et passionnée de la vie. Il est captivé par sa personnalité vive et elle est grandement attirée par ses manières flamboyantes, énergiques et confiantes. Tous les deux sont actifs, affables et attirants. Le Cheval peut assurer un bon revenu et la femme Tigre est à son mieux, dans son rôle d'hôtesse séduisante. Comme ils partagent la même philosophie, ils vont s'orienter vers les mêmes objectifs. Voilà un couple où les deux partenaires auront beaucoup de plaisir à être ensemble.

Homme Cheval + femme Lièvre

Les deux parties formant cette relation pourraient ne pas s'entendre à cause de différences importantes de personnalité. Il est agacé par ses manières détachées, prudentes et impeccables. Elle peut se montrer affectueuse, inspirée et coquette mais elle a besoin qu'il la rassure quant à son attachement envers elle et sa capacité de faire vivre une famille. Mais il ne tient pas du tout à ce qu'elle, ou toute autre personne, place ses espoirs en lui, ce qui l'amène rapidement à fuir. Les capacités du Cheval ne font aucun doute, mais le fragile Lièvre ne peut pas supporter l'incertitude ou l'insécurité. De cette union ne peut résulter que du mécontentement.

Homme Cheval + femme Dragon

Une union modérément satisfaisante. Il est polyvalent et ingénieux tandis qu'elle est toujours intéressée par des projets nouveaux et excitants. Si elle n'est pas déjà absorbée par sa propre profession, la femme Dragon pourrait vouloir transmettre une partie de ses vues et de ses objectifs idéalistes à son conjoint intrépide, aventureux et également communicatif. Il est suffisamment perspicace pour évaluer les chances de succès de leurs entreprises, tandis qu'elle est suffisamment persuasive et forte pour pallier ses contradictions. Ils vont avoir une vie alerte et mouvementée car ni l'un ni l'autre n'est assez casanier pour apprécier la douceur du foyer.

Homme Cheval + femme Serpent

Une union improbable. Tous les deux sont mentalement agiles et réalistes. Cependant, il est changeant et a besoin de liberté et de variété alors qu'elle résiste au changement et accepte mal sa témérité et son égocentrisme. Il arrive qu'elle soit trop déterminée, secrète et raffinée pour les préférences marquées du Cheval et, à son tour, la femme Serpent pourrait considérer les appétits de ce dernier insuffisamment stables pour mériter son attention. Tous les deux devraient faire des efforts sérieux d'altruisme s'ils veulent faire durer une telle union.

Homme Cheval + femme Cheval

Le travail d'équipe et la coopération leur sont possibles car ils agissent au même rythme. Il serait préférable qu'ils soient nés au cours de saisons différentes de manière à apporter plus de variété dans leur relation. Tous les deux sont passionnés mais indépendants et agités. Ils ont une personnalité vive, ingénieuse, matérialiste et aventureuse et ils mènent une vie turbulente mais cela ne veut pas dire qu'ils vont aller loin à moins que l'un des deux ne soit suffisamment habile pour contrôler l'autre. Ils pourraient avoir de la difficulté à établir solidement leur ménage, car tous deux détestent les contraintes et la routine.

Homme Cheval + Femme Mouton

Elle est délicate, sensible et bienveillante. Il est énergique et assez alerte pour lui apporter de la joie de vivre et de la motivation. Il se montre accommodant à cause de la gentillesse du Mouton. Celle-ci, d'autre part, est suffisamment indulgente pour tolérer l'égoïsme du Cheval, à condition qu'il égaie son humeur maussade et lui enseigne à contourner les problèmes dont elle s'exagère l'importance. Il apprécie un foyer chaleureux et confortable et la femme Mouton est suffisamment soucieuse de lui plaire pour ajuster son mode de vie à ses besoins fondamentaux. Chacun complète l'autre et cette union pourrait être des plus heureuses.

Homme Cheval + femme Singe

Tous deux sont assez souples et intelligents pour franchir les obstacles qui se dressent sur leur route. Cependant, leur grande similitude de caractère pourrait mécontenter les deux, car, autant il est pratique et opportuniste, autant elle peut se montrer peu scrupuleuse. Elle est polyvalente et adroite et elle pourrait l'irriter par ses ruses et ses mouvements brusques. Le Singe est astucieux et enjôleur tandis que le Cheval est intelligent et persuasif. Ils pourraient tenter de se duper mutuellement dans le but de se dominer.

Homme Cheval + femme Coq

Rapprochement incongru mais qui fonctionne à l'occasion. Il est habile et perspicace tandis qu'elle est franche, intelligente et enthousiaste. Il arrive qu'il se lance dans un grand projet et qu'il le laisse tomber lorsqu'il s'en fatigue. Préoccupée d'efficacité, la femme Coq s'en plaint et critique son manque de constance, mais elle rassemble tous les détails et termine le travail à sa place. Il est plein d'ardeur, détaché et agacé par ses manières directes et querelleuses. Il lui arrive de ne pas rester suffisamment longtemps à la maison pour permettre à sa femme d'énoncer ses griefs. Il est un réalisateur coloré et vigoureux et elle est la plus compétente des administratrices. Aucun des deux n'est assez sensible pour être grandement perturbé par les défauts de l'autre si leur union est suffisamment productive.

Homme Cheval + femme Chien

Une association durable et coopérative. Ce sont deux personnes animées et démonstratives qui ont beaucoup de plaisir à être ensemble. Le Chien est loyal, honnête et sincère ce qui lui permet de suivre ses excellentes vibrations. Elle est impressionnée par son intelligence, son enthousiasme et sa perspicacité, tandis qu'il adore son sens de l'humour, son raisonnement et sa logique. Le Chien est suffisamment réaliste pour comprendre et accepter les manquements du Cheval, tandis qu'il ne s'offense pas de ses manières brusques, pénétrantes et directes.

Homme Cheval + femme Sanglier

Il a de la persuasion, du magnétisme et du charme et il réussit à convaincre le conciliant et bonasse Sanglier de se rendre à ses désirs. Elle est suffisamment obligeante et sociable pour prendre plaisir aux activités du turbulent Cheval, mais là encore, elle a une âme sensible et aurait besoin de plus d'intimité et d'affection que ne peut lui en offrir cet égocentrique. Par ailleurs, le Cheval n'apprécie pas du tout qu'elle soit conformiste et assez obligeante pour tenter de plaire à tout le monde à son détriment. Tous les deux pourraient avoir des difficultés à accepter réellement les points faibles de l'autre.

Homme Mouton + femme Rat

Tous les deux sont charmants et capables de beaucoup de chaleur et de tendresse mais là s'arrêtent leurs similitudes. Le Rat est habile, curieux et travailleur. Il est probable que l'homme Mouton ait une attitude trop détendue face à la vie pour ne pas heurter la besogneuse femme Rat. Elle économise et conserve précieusement son argent tandis qu'il cherche à épater et a tendance à suivre ses caprices. Elle est vive, pratique et équilibrée. Il est créateur mais émotif et parfois indolent. Elle peut être autoritaire et querelleuse lorsqu'elle s'impatiente. Il la trouve trop sagace et clairvoyante pour pouvoir communiquer avec elle. En définitive, c'est une relation qui pourrait difficilement s'améliorer, car les deux partenaires éprouvent des difficultés de compréhension.

Homme Mouton + femme Boeuf

Le Mouton est artistique et oisif. Il a besoin de savourer la vie comme il l'entend. La femme Boeuf a un caractère responsable et prend bien soin de sa maison et de sa famille, mais elle n'apprécie pas du tout l'insouciance et les exigences déraisonnables de son compagnon. Il a besoin d'être aimé et apprécié pour pouvoir donner le meilleur de lui-même. Elle recherche l'ordre et la discipline et s'avère trop autoritaire pour le Mouton. Elle est volontaire et inflexible et désire utiliser au mieux son temps et son énergie. Il a un tempérament artistique et doit attendre d'être dans un état d'esprit favorable. Elle est impatiente et méprise sa douceur alors qu'il déteste au plus haut point toutes formes d'enrégimentation et de contrainte. Tous les deux auraient à transformer radicalement leurs caractères s'il veulent cohabiter paisiblement.

Homme Mouton + femme Tigre

Le Mouton possède une âme sensible et il a besoin d'affection et de compréhension. La femme Tigre est inconstante et non conventionnelle. Il est facilement blessé par ses sautes d'humeur soudaines et c'est alors dramatique. Il est courtois et désire un foyer paisible et confortable, tandis qu'elle aime vivre rapidement et ne peut pas tolérer ses manières lentes et son inquiétude. Elle est trop forte pour lui et il est trop faible pour traiter efficacement avec elle. Une association qui pourrait les frustrer tous les deux.

Homme Mouton + femme Lièvre

Ces deux personnalités possèdent un très haut degré de compatibilité. Si l'astucieuse et impénétrable femme Lièvre mène le couple, elle peut aider le Mouton à mettre ses talents à profit et à réaliser de grandes choses. Le Lièvre est suffisamment doux pour le caractère sentimental et parfois passif du Mouton, mais elle est ferme et rusée alors qu'il a tendance à être trop généreux ou obligeant. Elle va lui procurer un environnement propice au travail et il va lui témoigner de la gratitude pour ses conseils et pour la façon subtile dont elle l'oriente sur une voie productive. Tous les deux sont sensibles et compréhensifs à l'égard de leur état d'esprit réciproque. Par cette union, ils pourraient accumuler davantage que de l'amour et du bonheur.

Homme Mouton + femme Dragon

Un arrangement modérément satisfaisant. Le Mouton pourrait être fasciné par les manières brillantes et dominatrices du Dragon. Elle, de son côté, pourrait être attirée par sa gentillesse, son dévouement et sa sincérité. Dans les pires cas, le Mouton est trop timide pour pouvoir mettre à exécution les plans ambitieux du Dragon et elle pourrait le trouver trop réservé et casanier pour elle. Il peut compter sur son encouragement, mais elle pourrait le pousser à affronter des défis qui dépassent ses forces. Une union éprouvante pour les deux partenaires.

Homme Mouton + femme Serpent

Cette rencontre n'est pas vraiment idyllique mais elle pourrait être satisfaisante si on consent des efforts des deux côtés. Les deux partenaires sont matérialistes et sensibles à la beauté et au raffinement ce qui pourrait beaucoup contribuer à les rapprocher. Néanmoins, le Mouton n'a pas la persévérance du Serpent. Elle, de son côté, peut se montrer secrète et méfiante envers la nature sensible du Mouton. Elle est calculatrice et possède une certaine sagesse alors qu'il est émotif et guidé par ses tendances artistiques. Dans certains secteurs, une désapprobation mutuelle est possible alors que dans d'autres, leur entente est envisageable. L'inflexible détermination du Serpent pourrait s'avérer un atout important et devenir un appui pour le Mouton.

Homme Mouton + femme Cheval

Il aime suffisamment la vie domestique pour offrir de la sécurité à l'impétueuse femme Cheval. Par ailleurs, elle est joyeuse et affable et peut compenser pour son humeur déprimée. Il lui arrive d'être jaloux et possessif alors qu'elle est indépendante et impulsive. Cependant, le Cheval n'est pas assez sensible pour prendre au sérieux l'apitoiement sur lui-même habituel au Mouton. Elle est habile, vive et comprend rapidement les nuances. Il pourrait limiter son besoin de liberté en lui offrant des options suffisamment variées et attrayantes pour qu'elle consente à demeurer avec lui et à égayer son existence. Une union forte et probablement durable.

Homme Mouton + femme Mouton

Le Mouton est profondément soucieux du bien-être de sa famille, mais dans cette combinaison c'est la femme qui peut s'avérer la plus forte des deux. Ils aiment trop le luxe et la dépendance mais leur association n'est pas impossible s'ils réussissent à combiner leurs forces. Il assume les responsabilités car il n'y a personne d'autre pour le faire; elle, par contre, détient le pouvoir en coulisse. Ils partagent l'entretien de la maison et sont suffisamment compréhensifs pour se pardonner leurs faiblesses mutuelles. Ils doivent, par ailleurs, faire attention à ne pas se montrer trop protecteurs ou indulgents envers leurs enfants.

Homme Mouton + femme Singe

L'attirance qu'ils éprouvent sera superficielle et de courte durée car le Singe est trop complexe et égoïste pour le Mouton. Il a des gestes et des goûts plus subtils et il pourrait être bouleversé et inquiété par l'habileté et la compétence de sa partenaire. Il n'est pas en mesure de remplir les demandes exagérées de celle-ci et cela malgré toute sa bonne volonté. Elle est intelligente et séduisante et elle le mène à sa guise une fois qu'elle a découvert ses points faibles. Il est créatif et possède une grande pureté d'âme et beaucoup de compassion mais ces qualités ne sont pas appréciées par le Singe qui préfère quelqu'un de plus malicieux et de plus rusé.

Homme Mouton + femme Coq

Il est suffisamment réceptif et obligeant pour faire un effort sérieux en toutes circonstances. Elle aime enquêter, analyser et gérer la vie des autres. Il est pessimiste et subjectif; elle est optimiste et objective. Elle a une attitude énergique et téméraire qui pourrait effrayer le sensible et discret Mouton. Il la trouve trop méticuleuse, querelleuse et tranchante pour son goût. Elle, de son côté, dit qu'il est difficile de traiter avec quelqu'un d'aussi sentimental et plaignard que lui. Leurs options fondamentales à tous les deux, comportent des différences appréciables qui pourraient les empêcher de surmonter facilement leurs problèmes.

Homme Mouton + femme Chien

Cette relation ne fonctionnera probablement pas car le Chien est trop réaliste et ne peut pas s'empêcher de critiquer l'indulgence du Mouton et de lui rappeler sans cesse ses faiblesses, le rendant ainsi plus pessimiste que jamais. Elle est suffisamment raisonnable et affectueuse mais elle n'est pas prête à utiliser constamment de pieux mensonges afin d'épargner sa sensibilité. Il a besoin de beaucoup de compassion et de soutien afin de donner son rendement. Elle est un peu austère mais courageuse, et elle peut s'irriter de ses jérémiades et de l'indulgence qu'il a pour lui-même. Il existe très peu de sympathie entre les deux car chacun tente de faire ressortir les traits négatifs de l'autre.

Homme Mouton + femme Sanglier

Une union sensée du fait d'une évidente absence de friction. Tous les deux acceptent facilement les concessions et cherchent à centrer leurs activités autour de la vie familiale. Le Sanglier est grégaire et n'est pas aussi sensible que le Mouton à qui il arrive de s'offenser facilement à cause de sa nature timide. Elle est moins extravagante que lui et pourrait être plus sociable et communicative, ce qui pourrait aider à atténuer sa timidité. Par ailleurs, le Mouton peut suppléer au manque de raffinement du Sanglier et lui fournir la chaleur et la coopération dont elle a grandement besoin.

Homme Singe + femme Rat

Ces deux partenaires travaillent ensemble d'une manière extrêmement positive. Elle est généralement ménagère, heureuse et compétente tandis qu'il est le grand stratège dont elle est fière. Le Rat pourrait amener le ravissant Singe à s'établir gentiment et il pourrait raffoler de son caractère travailleur et parcimonieux. Ils se découvrent constamment des qualités et leur union est remplie de satisfactions tout en étant placée sous de bonnes augures financièrement.

Homme Singe + femme Boeuf

Tous les deux sont trop égoïstes et volontaires pour être heureux ensemble. Il est extraverti et il a un naturel de comédien. Elle est introvertie et réservée. Tous les deux présentent des aspects positifs certains mais ils n'ont pas la chance de les laisser paraître. Il a un complexe de supériorité inné et il la trouve ennuyeuse et sans imagination. Elle est capable de fierté et de brusquerie et ne ménage pas ses mots pour lui rappeler ses bévues. Tous les deux doivent exercer un grand contrôle sur leurs tendances naturelles s'ils désirent entretenir des rapports durables.

Homme Singe + femme Tigre

Une combinaison pas très harmonieuse et qui pourrait ne pas apporter beaucoup de satisfaction aux partenaires. Tous les deux sont allergiques aux restrictions de toutes sortes et n'aiment pas être subordonnés à quiconque. Ils sont fortement égocentriques et dotés d'une grande ambition ainsi que d'une confiance importante en eux-mêmes. Le Tigre peut devenir arrogant lorsqu'il n'obtient pas raison et le Singe a naturellement recours à la ruse et à la séduction dans ses entreprises. Ils pourraient se méfier réciproquement et éprouver en secret des réserves. Il faut que l'un des deux soit très adroit pour pouvoir contrôler l'autre. Cette union est une incessante compétition pour déterminer celui ou celle qui peut le mieux réussir.

Homme Singe + femme Lièvre

Le Singe est un penseur positif et novateur et un exécutant d'une extrême habileté. La femme Lièvre possède une personnalité exquise et des bonnes manières bien qu'elle soit un peu superficielle. Tous les deux peuvent se montrer diplomates et impénétrables lorsqu'il s'agit d'atteindre leurs objectifs. Le Singe a besoin de beaucoup d'attention et de compliments pour pouvoir demeurer charmant et de compagnie agréable. Le Lièvre préfère un environnement calme à une vie trop active. Il adore la controverse; elle a horreur de la discorde. Ils ont des approches totalement différentes de la vie. En définitive, tous les deux sont réalistes au sujet de leur situation et ils vont, soit s'ajuster en conséquence, soit rechercher une meilleure solution.

Homme Singe + femme Dragon

Une des meilleures alliances car tous les deux sont en mesure de mettre leurs forces positives à contribution et ainsi d'atteindre une unité et une réussite durables. Tous les deux sont éveillés, agressifs et très ambitieux. Le Singe est pratique et ingénieux tandis que le Dragon a plus de volonté et d'énergie qu'il n'en faut. Il va faire des plans tandis qu'elle se fixe constamment des objectifs plus élevés. Il aime les défis et elle lui confère une grande assurance par son soutien indéfectible. Ils se permettent mutuellement des caprices, échangent des idées et travaillent dans ce qu'ils aiment.

Homme Singe + femme Serpent

Tous les deux pourraient avoir tendance à exagérer les faiblesses de l'autre. Il est vif, communicatif et entreprenant tandis qu'elle est persévérante, ambitieuse et capricieuse. Ils sont sans doute de force égale mais ils ne peuvent pas s'empêcher de se défier mutuellement et parfois de se confronter du fait de leur jalousie mutuelle et de leur esprit soupçonneux. Il leur faudrait devenir plus sincères et plus directs avant de pouvoir se sentir à l'aise l'un avec l'autre.

Homme Singe + femme Cheval

Les deux partenaires de cette union sont polyvalents, souples et communicatifs. Qu'ils puissent ou non cohabiter dans un esprit de bonne entente dépend principalement de leurs efforts pour contrôler leur personnalité égocentrique. Ce sont deux individus indépendants et pratiques qui peuvent très bien réussir à coopérer s'ils en ont la volonté et qui possèdent la même rapidité d'esprit et la même intelligence.

Homme Singe + femme Mouton

La femme Mouton aime la vie domestique mais elle aura peut-être trop d'exigences face au Singe. Il peut se sentir flatté de ses attentions mais il considère quand même qu'elle a plus de défauts que de qualités. Elle, de son côté, n'est pas de taille à s'affronter au Singe rusé et calculateur qui a de la difficulté à la prendre au sérieux. Le Mouton sort perdant de cette association car le Singe ne manque pas d'exploiter sa nature aimable et généreuse. Ces deux partenaires sont sur des longueurs d'ondes différentes.

Homme Singe + femme Singe

Une combinaison qui pourrait aller loin si l'envie ne se met pas de la partie. S'ils réussissent à penser en termes de couple plutôt que d'individus, ils pourraient accomplir beaucoup de choses ensemble. Ils peuvent affronter n'importe quel problème à condition d'adopter un véritable esprit de coopération. Les Singes peuvent s'élever au-dessus de la mesquinerie et de la jalousie lorsqu'ils apprennent à partager le meilleur comme le pire. Ils peuvent vivre en harmonie mais ils doivent consentir à être solidaires et à ne pas se blâmer réciproquement en cas d'adversité.

Homme Singe + femme Coq

Tous les deux sont ambitieux et recherchent popularité et notoriété. Ces deux personnalités également matérialistes et puissantes peuvent vivre davantage en confrontation qu'en coopération si elles insistent pour conserver leurs habitudes. L'homme Singe aime travailler avec un minimum de tracasseries et de supervision. Il est fier de son ingéniosité et de ses nombreux talents. La femme Coq est efficace et pointilleuse. Elle est portée à le surveiller de près et à relever ses imperfections. Ils mettent mutuellement leur patience et leur endurance à l'épreuve. Elle le trouve trop sûr de lui et trop suffisant pour vraiment lui accorder de l'attention et encore moins suivre les conseils qu'elle lui prodigue sans arrêt. Tous les deux trouvent leur relation extrêmement pénible à moins qu'ils ne soient prêts à admettre leurs manquements réciproques et à faire des concessions importantes.

Homme Singe + femme Chien

Une bonne association dont les partenaires sont habituellement bien disposés l'un envers l'autre. Le Singe est suffisamment productif et généralement rusé et sociable. La femme Chien est coopérative et sympathique s'il exprime un véritable désir de travailler avec elle. Il peut se montrer davantage matérialiste et ambitieux qu'elle et il est flatté qu'elle n'essaie pas de prendre sa place ou de le surpasser par ses réalisations. Par ailleurs, elle est captivée par les multiples facettes de la personnalité du Singe. Il trouve en elle une personne forte de même qu'une alliée et une conseillère d'une simplicité rafraîchissante. Elle admire ses talents mais peut avoir un certain mépris pour son caractère envieux et retors; il considère que son honnêteté et sa fidélité sont parfois un peu contraignantes. Autrement, tous les deux sont suffisamment équilibrés et intelligents pour faire les concessions nécessaires.

Homme Singe + femme Sanglier

Ces deux partenaires pourraient éprouver une grande attirance l'un pour l'autre, mais les épreuves quotidiennes de la vie conjugale pourraient la voiler considérablement. La femme Sanglier est hésitante, énergique, fermement dévouée à ses proches et fidèle à ses objectifs. Cependant, elle agit avec une foi aveugle, caractéristique qui amène le Singe à abuser de sa nature innocente. Elle, de son côté, bénéficie de sa facilité à se procurer de l'argent et de son astuce mais elle n'est pas impressionnée par ses manières opportunistes et peu scrupuleuses. Il considère exagéré la tendance qu'elle a de créer partout un climat de bonne volonté. Il pourrait aussi ne pas apprécier qu'elle exerce son extravagante générosité à ses dépens. Tous les deux ont à faire des efforts pour compenser les lacunes de l'autre.

Homme Coq + femme Rat

Il a un caractère perfectionniste et analytique; elle est stimulante, pratique et possède une intelligence qui lui est propre. Il est autoritaire et pragmatique, porté à faire la leçon. Elle est contrariée par la critique et peut devenir brusque et mesquine lorsqu'elle est offensée. Il n'a ni la sensibilité ni le côté chaleureux qu'elle attend d'un partenaire. Du fait de ses divers talents et de sa compétence elle est réticente à suivre aveuglement ses ordres. Une union qui n'est prometteuse pour aucun des deux. Ils ont tendance à se secouer mutuellement sans nécessité.

Homme Coq + femme Boeuf

Une union durable et excellente pour les deux. Il est ouvert, franc, courageux et compense pour le côté réservé et modeste de sa partenaire. Il est également suffisamment travailleur et sérieux pour satisfaire le désir de dignité et de prestige du Boeuf. Son souci de sécurité va certainement plaire au caractère stable et résolu de la femme Boeuf. Réagissant au côté enjoué et optimiste du Coq, le Boeuf peut devenir moins taciturne et pourrait être encouragé à entreprendre davantage. Il est probable qu'elle soit la plus prudente et la plus réaliste des deux et, en dépit de son discours bruyant et rigoureux, le Coq aime s'appuyer sur cette femme forte et noble. Ils se trouvent tous les deux fiables et dévoués.

Homme Coq + femme Tigre

Une association turbulente et qui ne manque pas de piquant. Ce sont deux individus actifs et progressistes mais dont les personnalités comportent des différences importantes. Il est trop égoïste et excentrique pour l'impétueuse femme Tigre et elle est trop bagarreuse pour concéder la victoire face à ses critiques répétées. Dans des circonstances différentes, tous les deux pourraient être énergiques et diligents mais, dans cette combinaison, ils risquent de s'avérer entêtés et mesquins.

Homme Coq + femme Lièvre

Il est peu probable qu'ils correspondent mutuellement à l'idéal qu'ils recherchent. Leurs personnalités pourraient produire des affrontements car ils ont tous les deux de la difficulté à supporter les aspects négatifs de l'autre. Il est communicatif, exigeant et extrêmement persistant dans ses critiques acerbes. C'est une artiste et une intellectuelle au caractère réservé, qui s'apitoie parfois sur elle-même et qui n'aime pas le travail difficile. Lorsqu'elle est confrontée au Coq et à son caractère travailleur et implacablement efficace, elle peut se sentir comme une victime de l'Inquisition. Inutile de le préciser, le Lièvre est méfiant et peu communicatif. Le manque de tact et les manières grossières du Coq ne sont pas intentionnels mais il ne peut pas faire autrement que de lasser le Lièvre qui a un constant besoin de sympathie et de considération.

Homme Coq + femme Dragon

Une combinaison excellente et productive. Le Coq possède un esprit analytique et beaucoup d'intelligence et est attiré par la personnalité fière et brillante de la femme Dragon. Elle reconnaît immédiatement sa valeur intrinsèque et ses prouesses intellectuelles. Ensemble, ils ont la possibilité de réaliser leurs aspirations. Elle sait ce qu'elle veut et ne se laisse pas facilement dominer ou effrayer par l'autoritarisme agressif du Coq. Elle est capable de mettre fin à son bavardage d'un haussement d'épaules et il est probable qu'elle a elle-même quelques petits travers qu'il doit supporter. Il apprécie au plus haut point son enthousiasme et son énergie. Elle accepte que ce soit lui qui commande à condition qu'il la considère son égale et respecte ses opinions.

Homme Coq + femme Serpent

Cet homme exubérant et intrépide pourrait ensoleiller quelque peu la vision sérieuse du monde que se fait le Serpent de même que son caractère. C'est une union prospère pour les deux. Ce sont deux intellectuels mais à des niveaux différents. Elle est sereine et réfléchie; il est doté d'un zèle et d'un optimisme indomptables. Cette union leur fournit la possibilité de s'équilibrer mutuellement et d'atténuer leurs excès réciproques.

Homme Coq + femme Cheval

Une union paisible n'est pas à prévoir car ces deux individus volontaires s'irritent facilement l'un l'autre. Il peut se montrer provocant et maladroit et il la critique pour son côté dépensier et son instabilité. Elle est trop raffinée, intelligente et polyvalente pour consentir au type de vie simple et laborieuse qu'il s'est planifiée. Le Coq peut avoir des idées grandioses mais ses méthodes sont fiables et précises. À l'opposé, le Cheval peut être plus pratique et réaliste concernant ses objectifs mais il est imprévisible et inconstant dans ses efforts pour y parvenir. Il ne peut pas comprendre son caractère changeant et elle ne peut pas supporter ses habitudes routinières et son obsession de la précision.

Homme Coq + femme Mouton

Personnage tenace, le Coq possède une énergie qui convient admirablement à son goût du travail et de la perfection. Le Mouton est sensible, émotif et dépendant. Il pourrait lui procurer le soutien qu'elle recherche, mais il n'est pas certain qu'il puisse supporter son caractère morose et son apitoiement sur elle-même. Elle peut comprendre ses bouffées d'optimisme et son ambition mais elle le trouve trop froid, calculateur et méticuleux. Elle est gentille et facilement blessée et il se pourrait qu'elle veuille retourner dans sa famille s'il la brusque trop souvent. Le facteur de tolérance est presque inexistant chez ce couple.

Homme Coq + femme Singe

Les deux partenaires risquent de se retrancher dans des positions défensives à moins qu'ils n'en viennent à modifier leurs comportements de façon adéquate. La femme Singe risque d'avoir la détestable habitude de s'emparer de ce qu'elle veut et ne plus le lâcher, ceci sans se soucier des sentiments d'autrui. Il est trop rigoureux et strict pour la laisser faire sans rien dire. Par ailleurs, elle n'est pas très impressionnée par ses manières habiles et parcimonieuses ni par son talent oratoire et ses débats. Elle aussi peut être éloquente et cela provoque la colère du Coq. Ils ont davantage tendance à se confronter qu'à se comprendre. Ils n'acceptent de coopérer que dans les cas où les enjeux sont pour eux irrésistibles.

Homme Coq + femme Coq

Ce sont deux personnalités qui recherchent la vertu mais cette union peut provoquer chez chacune une attitude compétitive. Tous les deux sont irritables et souvent obsédés par leurs perceptions et n'ont pas beaucoup de considération pour l'opinion des autres. Cependant, ils ont le sens du devoir et possèdent une nature consciencieuse et responsable. Ils parviennent peut-être à atténuer un peu leurs exigences réciproques lorsqu'il s'agit de parvenir à des objectifs communs. Toutefois, tous les deux sont querelleurs et entêtés et ils pourraient se livrer à d'interminables discussions avant de faire une trève ou de parvenir à une entente.

Homme Coq + femme Chien

Ces deux partenaires sont très intelligents et valorisent l'intégrité tout en étant fiers d'eux-mêmes. Cependant, en dépit de leur assurance et de leur équilibre, ils ont également leur franc-parler. Si le Coq commence à critiquer et à murmurer contre les défauts du Chien, celle-ci pourrait bien réagir en lui servant une bouillante remontrance de son cru. Des deux côtés, on a une langue bien aiguisée et on est capable de blesser l'autre profondément. Cette relation n'est satisfaisante que si l'un des deux est suffisamment altruiste et sensible pour amener l'autre à déposer les armes.

Homme Coq + femme Sanglier

Le Sanglier est confiant et accommodant. Elle accepte les choses telles qu'elles apparaissent et ne tente pas d'approfondir par peur d'offenser. Le Coq porte souvent des accusations pénétrantes; il est un peu comme un détective qui cherche toujours à aller au fond des choses, même si cela signifie qu'il faut bousculer tout le monde pour ce faire. Le Sanglier est un esprit indépendant mais toujours réceptif à l'égard des suggestions tout en faisant attention aux moindres détails. Elle pourrait accepter de suivre ses conseils si seulement il adoptait un style plus délicat. Elle a tendance à être naïve et à s'en laisser imposer par les autres. Elle peut avoir besoin de la perspicacité du Coq et ce besoin peut devenir le commun dénominateur de cette union.

Homme Chien + femme Rat

Une union qui pourrait évoluer favorablement s'il existe un intérêt mutuel suffisant. Tous les deux sont sensibles et communicatifs et pourraient se réjouir de l'absence de friction dans leur ménage. Elle pourrait être la plus affectueuse et la plus économe des deux mais le Chien est assez accommodant et prévenant pour éviter de se chamailler sur des points sans importance. Chacun des deux tente de laisser à l'autre assez de latitude pour lui assurer une liberté de mouvement et d'expression.

Homme Chien + Femme Boeuf

Tous les deux sont fidèles et loyaux et vont considérer sérieusement leurs obligations de couple. Leurs difficultés pourraient provenir de l'attitude arrogante et des opinions rigides du Boeuf. Le Chien a une préférence pour la liberté de parole et l'égalité et pourrait ne pas tolérer très longtemps l'étroitesse d'esprit du Boeuf. Ce dernier, à son tour, pourrait se sentir offensé par les manières brusques et directes du Chien et lui garder rancune pour des périodes indéfinies. Tous les deux détestent la mesquinerie et l'injustice, mais il leur arrive parfois de s'en rendre eux-mêmes coupables. Une relation qui demande beaucoup de compréhension et de compromis.

Homme Chien + femme Tigre

Ils sont tous les deux de nature idéaliste et partagent les mêmes intérêts humanitaires. Le Chien peut être plus objectif et logique que l'impétueux et emporté Tigre. Ceci lui permet de la conseiller dans les moments où elle devient trop émotive ou impulsive. Il est diplomate et sans préjugés et sait la persuader sans brusquer sa sensibilité. Par ailleurs, le Tigre est démonstratif, affectueux et honnête au sujet de ses sentiments ce qui plaît au Chien et ses dispositions optimistes peuvent animer n'importe quelle relation. Ils se sentent totalement à l'aise l'un avec l'autre. C'est une association très bien assortie et qui devrait permettre l'épanouissement de ces deux personnalités sans prétention et généreuses. Une combinaison qui permet aux deux partenaires de donner le meilleur d'eux-mêmes.

Homme Chien + femme Lièvre

Une association bonne et durable. Le Lièvre est imaginatif, charmant et diplomate. Le Chien est direct mais possède d'agréables manières. Ils ont énormément de plaisir ensemble, mais leurs préférences vont à des activités utiles. Ils ont tous les deux un esprit coopératif et vont s'accorder réciproquement un bon degré d'indépendance et d'affirmation de soi. Elle a un besoin prononcé de confort et de luxe, tandis qu'il est moins matérialiste et plus compréhensif. Ils ont certaines difficultés à surmonter leurs lacunes mutuelles. Cependant c'est une union qui permet à chacun d'eux de valoriser ses côtés positifs.

Homme Chien + femme Dragon

Ils semblent posséder des chimies qui ne se conviennent pas. Leurs dispositions fondamentales diffèrent et ils pourraient choisir de disperser leurs énergies dans des directions différentes. Tous deux sont des leaders potentiels mais pour des raisons différentes. Le Chien aime la coopération et pourrait désapprouver les tactiques audacieuses, arbitraires et dominatrices du Dragon. Elle pourrait le trouver taciturne et capricieux si elle le bouscule un peu trop et le Chien a la réputation d'être querelleur et extrêmement vif lorsqu'il est blessé. Aucun des deux ne peut se conformer facilement au désir de l'autre et ceci, pourrait donner au mieux une relation basée sur le phénomène attraction-répulsion.

Homme Chien + femme Serpent

Il est équilibré et possède une bonne ouverture d'esprit mais il pourrait être intrigué par son côté mystique. Elle respecte son intelligence mais elle recherche plus de raffinement et de luxe que n'en peut supporter le caractère austère du Chien. Il manque à chacun la compréhension profonde qui pourrait lui faire apprécier la personnalité de l'autre mais tous deux sont suffisamment réalistes pour mener une existence amicale à la condition qu'ils s'acceptent tels qu'ils sont.

Homme Chien + femme Cheval

Cette union est heureuse et fructueuse car ces deux personnes ont une bonne compréhension de leurs besoins et de leurs faiblesses réciproques. Le Chien est suffisamment honnête et intelligent pour pouvoir travailler avec le talentueux Cheval. Il admire également son judicieux sens de la stratégie tandis qu'elle le trouve assez raisonnable et pratique pour se fier à lui. Ils vont tous les deux trouver la coopération qu'ils recherchent tout en pouvant jouir du degré d'individualisme et d'indépendance dont ils ont besoin.

Homme Chien + femme Mouton

Ils pourraient avoir des conflits d'intérêt mineurs ou importants, mais ce type d'union pourrait leur faire perdre à tous les deux une partie de leur amabilité habituelle. Elle est trop sentimentale et ses manières désenchantées vont irriter la logique du Chien qui, à son tour, se montrera plus brusque et impatient que sympathisant. Elle est tolérante et altruiste lorsqu'on la traite correctement mais, autrement, elle pourrait devenir réservée et déprimée du fait des manières audacieuses et directes du Chien. En dernière analyse, tous les deux pourraient conclure qu'ils ont trop peu de choses en commun pour pouvoir supporter les tensions qu'entraînent leurs différences de personnalité.

Homme Chien + femme Singe

Une union convenable et relativement positive si tous les deux sont suffisamment généreux et indulgents envers les faiblesses de l'autre. La femme Singe admire le Chien pour son approche sensible et son comportement logique car personne n'accorde autant de valeur à l'intelligence qu'elle ne le fait. Il la considère de son côté comme une femme d'action compétente et il apprécie aussi son charme et son intelligence. Elle est la plus matérialiste des deux et il est le plus idéaliste. Alors qu'elle valorise la richesse tangible, il fait passer les principes en premier. Il leur est possible d'arriver ensemble à une solution satisfaisante pour les deux.

Homme Chien + femme Coq

Ce couple peut connaître une coexistence un peu neutre et au mieux modérément agréable. Ce sont deux esprits avisés et directs qui pourraient facilement être froissés par leurs défauts réciproques. Normalement, ils pourraient être tentés de faire des efforts pour se montrer plus agréables mais leur association contribue à souligner leurs traits les plus agaçants, ce qui durcit leur position et empêche les compromis. Tous les deux réagissent rapidement au défi et ne reculent pas devant la bagarre. Le Chien n'est gentil et tolérant qu'en autant qu'on le laisse tranquille. Le Coq est vertueux et également sincère dans ses efforts, mais cette femme a des dehors trop rigides pour convenir au Chien.

Elle lui donne l'impression de chercher à le transformer et il ne peut pas le supporter.

Homme Chien + femme Chien

Ils sont raisonnablement compatibles. Tous les deux possèdent la même nature chaleureuse et stable bien que la femme puisse avoir une attitude plus directe et critique. La vie de couple des Chiens est relativement conformiste et ils s'entendent bien lorsqu'ils ont décidé de rechercher l'harmonie. Cette union ne comporte pas de problème important s'ils se consultent et se respectent mutuellement. Ils devraient toujours prendre leurs décisions conjointement car aucun des deux ne peut tolérer d'être ignoré.

Homme Chien + femme Sanglier

Ce couple est composé de deux personnalités disparates mais il a quand même des chances de vivre une relation agréable. Il est suffisamment fiable et direct pour inspirer confiance au Sanglier, alors qu'elle est assez tolérante et affectueuse pour rendre leur intimité agréable. Ils ne sont pas opposés aux concessions mutuelles et ils vont accepter de mettre en commun tout ce qu'ils possèdent. Une union heureuse car aucun des deux ne sent le besoin de relever les faiblesses de l'autre.

Homme Sanglier + femme Rat

Il existe une grande attirance entre ces deux personnes et elles cherchent à développer une relation agréable et paisible. Toutes les deux sont communicatives, sociables et énergiques et centrent leurs activités autour de leur foyer, de leurs amis et de leurs intérêts mutuels, ce qui comporte un bon nombre de sorties et de divertissements. Ce couple est attiré par l'action et il a des idées précises concernant ses entreprises communes. Elle est la plus sensible et la plus prudente des deux, tandis qu'à cause de son caractère positif il est parfois inutilement conciliant. Il est bien possible que les judicieux conseils de sa partenaire lui soient utiles.

Homme Sanglier + femme Boeuf

Une union acceptable mais qui ne sera probablement pas solide. Leurs différences de vision et de comportement risquent d'engendrer d'incessants conflits. Le Sanglier est généralement chaleureux, généreux et compréhensif, mais la femme Boeuf peut ne remarquer que sa sensualité et son côté extravagant pour conclure qu'il est trop déraisonnable à son goût. Par ailleurs, la prédilection du Boeuf pour le travail, sa recherche de la sécurité de même que son caractère discipliné peuvent exaspérer le Sanglier. Il est jovial, grégaire et disponible et il ne travaille que pour s'assurer des loisirs. Elle est sérieuse, systématique et rigide et trouve la gratification dans le travail.

Homme Sanglier + femme Tigre

Une union chaleureuse et très satisfaisante, car les deux partenaires sont animés d'un intense désir de plaire à l'autre. Ils sont tous les deux affectueux, dynamiques et possèdent une attitude progressiste tout en se complétant admirablement. Il est suffisamment doux et compréhensif pour accepter son côté emporté et imprévisible tandis qu'elle apprécie son dévouement, son courage et son altruisme. Le Tigre regrette généralement ses colères lorsqu'il ne rencontre pas d'oppositions tandis que la bonne humeur et la compassion du Sanglier font ressortir les aspects positifs de son caractère et la rendent plus réceptive aux désirs de ce dernier.

Homme Sanglier + femme Lièvre

Le Sanglier est assez courageux et dévoué pour plaire au Lièvre dont on connaît le caractère paisible et délicat. Elle est suffisamment astucieuse, souple et subtile pour pouvoir lui communiquer une partie de sa finesse sans qu'il s'en aperçoive. Il la trouve à la fois gentille et prudente et il va lui offrir son affection de même que le luxe dont elle raffole. Le Sanglier est assez altruiste pour ne pas demander plus que le Lièvre ne peut lui offrir et elle est heureuse d'être l'objet de ses attentions et de sa générosité. Cette union pourrait être enrichissante pour tous les deux.

Homme Sanglier + femme Dragon

Une relation relativement réussie qui donne malgré certaines difficultés des résultats positifs. Tous les deux sont ardents et autoritaires, bien que de manière différente. La force de la femme Dragon pourrait inciter n'importe quel partenaire à l'action ou l'amener à sa perte. Le Sanglier n'est pas réticent à se conformer aux désirs de sa bien-aimée et il consent à faire des efforts soutenus dans le but de réussir et de se mériter son approbation. Ils sont tous les deux d'une énergie égale et partagent un même penchant pour l'exercice physique. Leurs principaux défauts sont également partagés car tous les deux réagissent trop facilement aux stimuli et peuvent facilement s'emballer pour des projets. Il risque de n'y avoir personne pour mettre un frein à leurs excès.

Homme Sanglier + femme Serpent

Le raffiné Serpent ne peut pas supporter les manières sincères mais grégaires et simplistes du Sanglier. Il la trouve trop complexe et secrète. Le Serpent est trop évolué, ambitieux et profond pour l'indulgent et confiant Sanglier. Elle désapprouve ses manières directes et conciliantes et elle se montre distante et antipathique à son égard. De son côté, le Sanglier est déconcerté par l'attitude peu communicative et froidement calculatrice du Serpent. Cette union ne comble pas leurs attentes et ils sont incapables d'apprécier les aspects positifs de leurs caractères réciproques.

Homme Sanglier + femme Cheval

Tous les deux recherchent le plaisir, ont des personnalités sociables et pourraient s'aider mutuellement jusqu'à un certain point. Elle est imaginative et habile tandis qu'il est fiable et accommodant. Le Sanglier admire le comportement vif et animé du Cheval tandis qu'elle trouve son dévouement et son honnêteté très agréables. Ils connaissent tous les deux la valeur des compromis et ils ont une vie commune active et engagée sans empiéter sur leurs territoires respectifs. Ils choisissent de tirer le meilleur parti possible de leur vie. Seul aspect négatif, aucun des deux n'est sérieusement soucieux du lendemain.

Homme Sanglier + femme Mouton

Ce couple vit une union chaleureuse et intime. Tous deux se consacrent entièrement à leur relation et éprouvent un amour profond et une préoccupation véritable l'un pour l'autre. Le Sanglier est assez robuste, attentif et délicat pour plaire à la femme Mouton qui est douce et compatissante. Elle, de son côté, l'entoure de ses soins et en fait l'objet d'un véritable culte. Il est sensuel et simple et interprète sa possessivité comme étant de l'amour et du dévouement. Le Sanglier est généreux et protecteur et le Mouton se porte bien lorsqu'elle se sait aimée et appréciée comme c'est le cas dans cette union.

Homme Sanglier + femme Singe

Une union convenablement polie mais dont les partenaires ne sont pas fascinés l'un par l'autre. Le Sanglier est trop direct et scrupuleux pour la nature compliquée du Singe. Elle a des goûts qui la portent vers le côté pétillant de l'existence et le Sanglier s'avère beaucoup trop calme. Par ailleurs, bien que le Singe soit indéniablement charmant, la nature intrigante et prétentieuse de cette femme lui paraîtra inacceptable. Tous les deux sont irrités et blessés par les faiblesses de l'autre. Cependant, ils pourraient rendre cette union satisfaisante s'ils réussissent à s'analyser mutuellement et à se concentrer sur leurs aspects positifs.

Homme Sanglier + femme Coq

Une association qui peut devenir convenable si les deux partenaires acceptent de faire les concessions qui s'imposent. Ils sont en désaccord sur certains sujets, mais ils possèdent tous les deux une capacité de parvenir à des compromis, à condition d'éprouver mutuellement suffisamment d'admiration. Le Sanglier pourrait être trop passionné et chaleureux pour le Coq qui est analytique et orienté vers l'activité mentale, alors qu'elle est trop querelleuse et renseignée pour le suivre ou l'aimer aveuglément. Néanmoins, aucun des deux n'est sensible à l'excès et la critique ne les blesse pas. Il est honnête et accommodant et il a véritablement besoin de son esprit diligent et critique alors que, de son côté, même si elle est habile et confiante, elle a besoin de la diplomatie et de la disponibilité du Sanglier.

Homme Sanglier + femme Chien

Une relation heureuse et agréable en dépit du fait que les deux partenaires diffèrent dans leur attitude face à la vie. Tous les deux sont robustes, directs et honnêtes et cherchent à faire de leur mieux chaque fois que cela est possible. Toutefois, le Chien peut être agressif et il ne retient pas ses critiques si le Sanglier se montre paresseux ou néglige ses responsabilités. Elle n'est pas aussi passionnée que lui et pourrait avoir de la difficulté à comprendre son fort appétit et sa sensualité. Ils peuvent cependant trouver un terrain d'entente car le Chien est plus clairvoyant que le Sanglier et il reste loyal envers ce dernier. Par ailleurs, le Sanglier est suffisamment tolérant et généreux pour pardonner les travers de la femme Chien et la considérer comme une alliée noble et digne de confiance.

Homme Sanglier + femme Sanglier

Une combinaison qui peut donner de bons résultats si les partenaires en acceptent les bons comme les mauvais côtés. Étant nés sous le même signe, tous les deux sont forts, courageux et modestes mais ils peuvent manquer de motivation et de ténacité et s'avérer incapables de renforcer leurs points faibles respectifs. La sincérité et la bonne volonté de ces deux personnes pourraient devenir ruineuses sans une organisation ferme et systématique. Un des deux partenaires doit s'armer d'assez de rationnalité et de discipline pour faire face à la réalité comme à l'adversité, autrement leur loyauté et leur amour mutuels ne leur offriront pas de protection suffisante.

Chapitre 14

La rencontre des signes solaires et des signes lunaires : Les 144 combinaisons

Le Bélier

Bélier-Rat : Feu + Eau positive

Une personne possédant la franchise typique du Bélier, tempérée par l'habileté et le charme immenses du Rat. Une personne extrême-ment volontaire mais de caractère progressiste. Confiante et toujours en possession de ses facultés, elle se plonge littéralement dans une vie trépidante. Elle a par ailleurs tendance à se montrer nerveuse et irri-table. Bien renseigné et d'une curiosité insatiable, le Bélier-Rat se déplace librement dans les divers milieux sociaux où il est accepté grâce à sa personnalité vibrante.

Bélier-Boeuf : Feu + Eau négative

Une personnalité colérique et inflexible. Le Boeuf est lent et sûr ; le Bélier est maître de lui et arrogant. Les deux signes de cette combi-naison ne ménagent pas leurs mots et il pourrait en résulter beaucoup d'actions et de force de volonté mais un manque de tolérance. Néanmoins, cette personne reste prudente, car les deux animaux sont intransigeants et égoïstes lorsqu'il s'agit de préserver leur territoire. Le Bélier-Boeuf accomplit beaucoup par lui-même et demande rarement l'aide d'autrui pour régler ses problèmes. Cependant, s'il lui vient à l'esprit de défier l'autorité, il peut devenir vraiment insupportable.

Bélier-Tigre: Feu + Bois positif

Une tempête d'énergie qui ne s'éteindra pas d'elle-même. Aucun des deux signes qui composent cette combinaison n'est connu pour sa patience ou sa tolérance. Stimulant et magnétique à l'excès, le Bélier-Tigre mènera une vie tumultueuse et riche en surprises de toutes sortes. Il est difficile d'imaginer une telle personne au repos: véritable feu-follet, on la verra se promener dans toutes les directions et, parfois, entrer dans des colères inexplicables. Toujours agitée, innovatrice et d'une bravoure notoire, elle ne manque jamais d'amis ou d'ennemis. Sensuelle et possédant un attrait irrésistible, cette personne connaîtra une vie orageuse, car elle n'épargnera aucun effort pour se mettre en vedette.

Bélier-Lièvre: Feu + Bois négatif

C'est un Bélier domestiqué, gentil et possédant un calme séduisant. Cette combinaison donne une personne aux nerfs d'acier, toujours prête à fléchir en théorie mais qui refuse toujours de céder dans la pratique. La franchise du Bélier est dissimulée sous les mots soigneusement choisis du Lièvre. Un Bélier plus agréable mais plus lent que les autres. Vous pouvez vous attendre à ce qu'il soit réceptif mais ferme, enthousiaste et porté à attendre le moment propice. Le paisible et attentif Bélier-Lièvre est assuré d'une réussite tardive.

Bélier-Dragon: Feu + Bois positif

C'est une véritable torche qui éclaire la route. Il possède une noblesse innée et il se montre d'un éternel optimisme, doué d'un charisme et d'un enthousiasme irrésistibles. Toutefois, cette âme autoritaire peut se montrer dominatrice à l'excès ou encore posséder, par une confiance en elle-même inébranlable, un courage qui frôle l'imprudence. Il est le type du trapéziste qui travaille sans filet. Lorsque l'on met en cause ce qu'il croît être ses privilèges royaux, le Bélier-Dragon peut devenir un animal redoutable.

Bélier-Serpent: Feu + Feu négatif

Une personne plus profonde et aux options plus réfléchies. Possède un esprit critique remarquable et peut imposer l'obéissance aux plus faibles qu'elle. Le Serpent est sage et réservé tandis que le Bélier est une personne communicative et aux vues libérales. Le Bélier-Serpent emploie son intelligence dans tout ce qu'il fait. Cette combinaison astucieuse peut permettre des réalisations prolifiques. C'est une personne chez qui la ruse et l'action sont étroitement mêlées.

Bélier-Cheval: Feu + Feu positif

Comme on peut le constater, ce signe contient trop de feu actif. Le Bélier-Cheval est en activité constante. Cependant, le Cheval peut enseigner au Bélier à courir avec grâce et agilité et à restreindre l'utilisation de ses cornes. Il s'exprime brillamment mais souvent sans nuances. Téméraire et impatient, il est toujours prêt à commencer de nouvelles aventures, mais il manque de persévérance une fois la nouveauté disparue.

Bélier-Mouton: Feu + Feu négatif

Un Bélier plus soumis mais en apparence seulement. Il est ferme dans ses convictions et, bien qu'il semble gentil et doux, il lui arrive d'être extrêmement entêté. Son agressivité est muette et profonde mais elle peut refaire surface lorsqu'il se sent menacé. Il en résulte une personnalité dotée de plus de contrôle et de patience et exempte de ruse et de supercherie.

Bélier-Singe: Feu + Métal positif

Un caractère limpide qui ne réserve aucune surprise. Doué d'une grande facilité d'expression, il se consacre à la promotion de sa personne et de ses idées. Le Bélier-Singe possède un grand équilibre mental. Passant d'un domaine à un autre, il participe à tout. Il est insensible aux restrictions et rien ne peut le faire dévier de ses plans. Le Bélier confère au Singe une honnêteté apparente et il vous regarde dans les yeux avec sincérité. Mais ce qu'il pense peut être entièrement différent. Une fois qu'il a juré de son honnêteté, tout lui semble permis.

Bélier-Coq: Feu + Métal négatif

Le Bélier-Coq se distingue par le fait qu'il est difficile à ignorer, impossible à semer et ardu à suivre. Lorsqu'il est dans de bonnes dispositions, il est parfois vraiment indispensable; sinon il s'avère le plus parfait des mégalomanes. D'une droiture exemplaire, dotée d'intentions honorables, cette personne laisse une marque indélébile partout où elle va. Elle dit la vérité sans détour et, en définitive, elle reste fidèle à ses convictions et a une conscience on ne peut plus claire.

Bélier-Chien: Feu + Métal positif

Une personnalité équilibrée et dévouée. Confiante et généreuse, cette personne sera appréciée pour sa grande franchise et sa délicatesse. Avocat du réalisme et de l'honnêteté, le Bélier-Chien a le zèle d'un soldat lorsqu'on lui demande un sacrifice. Il recherche les accomplissements sentimentaux et spirituels de préférence aux gains matériels. Le Bélier est plein d'énergie et d'initiatives ce qui permet au cynique Chien de se remettre rapidement d'aplomb après un échec.

Bélier-Sanglier: Feu + Eau négatif

Un optimisme et une passion à toute épreuve, voilà la meilleure façon de décrire cette combinaison énergique. Dans ce cas-ci, la nature complaisante du Sanglier pourrait l'emporter sur le tempérament direct du Bélier. C'est une personnalité qui possède beaucoup d'attraits spirituels et qui déborde d'énergie. Les deux signes sont rustres, tapageurs et portés à témoigner abondamment de leur affection. Vigoureux et magnanime, le Bélier-Sanglier est un véritable Samson.

Le Taureau

Taureau-Rat: Terre + Eau positive

Un signe actif et plein d'initiative qui recherche la sécurité. Le Taureau-Rat est pratique et possède le sens de la camaraderie. Il se tient au courant des nouveautés de son époque et a de fortes tendances littéraires. L'argent a une grande signification pour cette personne et son âme réaliste lui enseigne très tôt à ne compter sur personne d'autre qu'elle-même. Le Rat est sensible et astucieux lorsqu'il s'agit de faire des compromis, tandis que le Boeuf n'est pas porté à être curieux ou attiré par l'aventure, particulièrement lorsqu'il s'agit d'argent. Une personne née sous cette combinaison peut facilement se tirer d'affaires grâce à son talent pour l'écriture ou pour la parole, mais elle n'aime pas gaspiller son argent en frais légaux. William Shakespeare était un Taureau-Rat.

Taureau-Boeuf : Terre + Eau négative

Cette personne fera une ascension lente mais régulière. Lorsque l'on traite avec un Taureau-Boeuf, il faut toujours avoir à l'esprit qu'il a quatre cornes et huit sabots et que ce véritable arsenal peut le protéger de tous les dangers. La personnalité vénusienne du Taureau est sensuelle, mais ces deux signes savent précisément ce qu'ils veulent. Ordonné, pratique et volontaire, le Taureau-Boeuf peut également s'avérer dictatorial et obsédé par un besoin de discipline. Il s'exprime de façon directe et déteste la flatterie et le langage recherché. Lorsqu'il se fâche, il peut soudainement se transformer en un véritable ouragan et, une fois qu'il a décidé quelque chose, il peut devenir aussi fermé et immuable que le Sphinx.

Taureau-Tigre : Terre + Bois positif

Le caractère pratique et efficace habituel au Taureau, est un peu allégé par l'humeur vivace et flexible du Tigre. C'est un Taureau affable et facile d'accès ou un Tigre inhabituellement stable et intellectuel, selon votre préférence. Il ou elle est porté(e) à être un peu traditionnel(le) et conservateur(trice), mais la discrétion du Taureau peut être remplacée par la simplicité du Tigre. Ferme et méthodique en ce qui concerne son but dans la vie, cette personne n'en sera pas moins chaleureuse et attirante, de même que généreuse de son temps et de son énergie.

Taureau-Lièvre : Terre + Bois négatif

Un Taureau possédant un côté délicat et contemplatif. Les deux signes sont organisés autant physiquement que mentalement, bien que le Lièvre soit un observateur plus perspicace et qu'il jouisse d'un caractère plus paisible. Le Taureau-Lièvre ne cherche pas à imposer sa volonté, mais tente plutôt de convaincre les autres par son charme irrésistible. S'il échoue par la diplomatie, il peut se retrancher derrière une obstination maussade. Disposant de la force du Taureau, ce Lièvre pourrait s'avérer moins craintif à l'égard des responsabilités.

Taureau-Dragon : Terre + Bois positif

Constant comme la lumière du phare, ce Dragon mondain est doué d'une force surhumaine et poursuit des objectifs pratiques. Moins prévisible que le Taureau conventionnel, il est parfois aveuglé par le côté éblouissant du Dragon et il manque alors d'astuce et de stimulation. Le Taureau-Dragon possède un charme particulier, bien qu'il ait tendance à être un peu lent et distant. Il est toujours franc, loyal et soucieux d'efficacité. C'est un être responsable qui investit son temps et son énergie de façon judicieuse.

Taureau-Serpent: Terre + Feu négatif

Possède une ténacité et une endurance au-delà du commun. Le Taureau-Serpent possède une personnalité doublement réaliste. Une personne porteuse de cette combinaison reste profondément convaincue de la supériorité du tangible sur l'hypothétique et est particulièrement prudente avec l'argent, en même temps que réfractaire au jeu. Elle n'est jamais la proie du doute ou de la peur. Elle a confiance dans ses propres capacités et dans son destin. Elle est particulièrement sensible à la musique et aux autres arts de même qu'à tout ce qui touche ses sens. Elle regrette rarement ses actions passées et, comme les deux signes recherchent la sécurité, le Taureau-Serpent sait profiter de toutes les occasions qui se présentent.

Taureau-Cheval: Terre + Feu positif

Dans ce cas-ci, la constance habituelle du Taureau et son amour de la régularité pourraient être nuancés par l'humeur changeante du Cheval. Il reste cependant que tous les deux portent une grande attention à leurs besoins personnels et ne s'embarrassent jamais de scrupules exagérés ou de psychanalyse profonde. Une personne née sous cette combinaison possède un fort souci de la sécurité et une calme détermination. Ce sera un Taureau plus rapide ou un cheval plus lent, mais ce sera certainement une personne vive qui se conformera toujours à la raison et à la logique.

Taureau-Mouton: Terre + Feu négatif

Un Mouton volontaire, un peu trop attaché au passé. Le Taureau est réfléchi et a des idées précises sur ce qu'il désire, ce qui idéalement, atténue l'indécision du Mouton. Toutefois, le Mouton est souple et ouvert aux suggestions alors que le Taureau ne l'est pas. Cette combinaison produit une personne dotée de beaucoup de sens commun, d'un calme persuasif ainsi que d'une grande sensibilité à la beauté. Le Taureau-Mouton aime sans doute le confort, mais il va se montrer zélé dans le but d'assurer son aisance et sa sécurité personnelles.

Taureau-Singe: Terre + **Métal positif**

Le Taureau-Singe est en apparence posé et affairé, mais il dissimule une grande imagination. La présence du Singe apporte un certain raffinement aux manières brusques du Taureau et le rend plus attrayant. Le Taureau a un caractère sain et inflexible alors que le Singe est reconnu pour son intelligence bouillonnante. Leur mélange donne une personne ambitieuse, communicative et capable de maîtriser son entourage. L'enfant de Vénus est terre-à-terre et confiant tandis que le Singe est coopératif en dépit d'une préoccupation pour ses intérêts égoïstes. Aussi, le Taureau-Singe est-il rusé mais honnête, à la fois souple et constant.

Taureau-Coq: Terre + **Métal négatif**

Cette combinaison de deux signes qui valorisent le travail physique donne une personne qui croit fermement aux mérites de la vie austère ou des épreuves d'endurance, quelles qu'elles soient. Il sortira naturellement gagnant de telles épreuves car il ne connaît pas le mot fatigue et peut épuiser tous ses concurrents. Bien que ces deux signes se caractérisent par une apparence sérieuse, le Taureau contrôle beaucoup mieux sa langue que le Coq. La personnalité qui en résulte reste assez difficile d'approche, car le Taureau et le Coq emploient tous les deux le même type d'humour laconique.

Taureau-Chien: Terre + **Métal positif**

Le Taureau-Chien est une personne prudente et stable. Elle est de commerce facile car elle fait toujours de son mieux pour mettre les autres à l'aise. Le Taureau est plutôt axé sur l'activité physique et mentale tandis que le Chien est capable de dévouement et de générosité envers les autres. Leur réunion donne une personne pleine d'endurance et de chaleur humaine. Elle est honnête et toujours disposée à échanger des idées et à prendre le point de vue de l'autre en considération. L'attitude de cette personne est positive et optimiste et, tout en étant soucieuse de plaire, elle ne néglige jamais ses besoins personnels.

Taureau-Sanglier: Terre + **Eau négative**

D'une fiabilité à toute épreuve, le Taureau-Sanglier devient aussi inaccessible qu'une forteresse lorsqu'il le décide. Par ailleurs, c'est également une personne affable et possédant un énorme appétit pour les plaisirs des sens. Une personne née sous ce double signe met beaucoup d'enthousiasme dans tout ce qu'elle fait, car son signe solaire et son signe lunaire sont tous les deux particulièrement sains et sensuels. Patient et consciencieux, le Taureau-Sanglier s'avère un ami et un confident véritables. Cette combinaison donne un Taureau plus coopératif et un Sanglier plus travailleur et persévérant.

Les Gémeaux

Gémeaux-Rat: Air + Eau positive

Une combinaison d'une énergie étonnante. Les deux signes sont également doués pour les mots et il pourrait en résulter un orateur ou un écrivain infatigable. Le Rat est prudent tandis que le Gémeaux est insouciant. Cette personne a tendance à s'intéresser à trop de projets différents et elle obtient un résultat inférieur à sa capacité. Le Gémeaux-Rat est novateur et d'agréable compagnie; cependant, il change trop facilement d'allégeance pour qu'on puisse s'y fier.

Gémeaux-Boeuf: Air + Eau négative

La virtuosité du Gémeaux élargit les perspectives étroites du Bison et lui communique davantage d'humour et de vivacité. Par ailleurs, la constance du Boeuf s'avère une bénédiction car cette personne est capable de mener ses entreprises à terme et a moins horreur de la routine. C'est une personne responsable, capable de s'imposer une certaine discipline et d'utiliser ses qualités indéniables de visionnaire.

Gémeaux-Tigre: Air + Bois positif

Un Tigre spontané. On peut compter sur lui pour briser la glace dans les réunions. Vif et loquace, il possède de grandes qualités qui s'affirment dès qu'il maîtrise un tant soit peu son instabilité et ses réactions brusques. Une personne née sous cette combinaison ne peut pas s'empêcher d'être toujours en mouvement et elle est trop pressée la plupart du temps. Si elle pouvait parvenir à s'asseoir et à planifier soigneusement avant de se lancer dans une entreprise, presque rien ne pourrait lui résister.

Gémeaux-Lièvre: Air + Bois négatif

Une personne à l'éloquence calme et extrêmement persuasive. Le comportement impromptu du mercurien Gémeaux est ici associé à la subtilité et à la discrétion du Lièvre. Une personne née avec cette combinaison sera avertie et intelligente. Les deux signes partagent la faculté de pouvoir évaluer la tendance des événements, de là la clairvoyance du Gémeaux-Lièvre. Le Gémeaux repère les entreprises valables tandis que le Lièvre élabore la meilleure façon d'en tirer profit sans trop d'efforts.

Gémeaux-Dragon: Air + Bois positif

Le Gémeaux-Dragon est un véritable volcan en activité. Il est rapide, agile et téméraire et il est reconnu pour sa débrouillardise. L'enfant de Mercure est vif d'esprit, tandis que le Dragon ne manque jamais du courage ni de la détermination nécessaires pour mettre ses idées à l'oeuvre. Une personne née de cette combinaison peut connaître une grande réussite si elle prête attention aux détails, ce que malheureusement ces deux signes négligent trop facilement de faire. Dotée du leadership propre au Dragon, et de l'entregent du Gémeaux, cette personne jouit d'une influence importante.

Gémeaux-Serpent: Air + Feu négatif

À la fois téméraire et équilibré, le Gémeaux-Serpent sera fortement remarqué. Il a un charme énorme, une dignité un peu énigmatique et ne révèle jamais ses véritables intentions. Le Gémeaux-Serpent est particulièrement attirant pour le sexe opposé. Une personne de cette combinaison n'est jamais agitée au point de perdre le contrôle. Néanmoins, le Gémeaux-Serpent est une sorte de casse-cou qui aime le risque pour le simple plaisir de mettre son jugement et ses réflexes à l'épreuve. Cependant, il ne faudrait pas trop s'en alarmer, car le Serpent est généralement suffisamment raisonnable pour contrebalancer les impulsions du Gémeaux.

Gémeaux-Cheval: Air + Feu positif

Une combinaison flamboyante et grandement instable. L'intérêt du Gémeaux pour le changement s'allie ici à la mobilité continuelle du Cheval dans une symbiose parfaite. Le Gémeaux-Cheval a de nombreux talents et des réflexes d'une extrême rapidité. Il est impossible de s'ennuyer avec lui. Il se déplace à toute vitesse, couvre des domaines

considérables mais demeure toujours superficiel. Facilement orgueilleux et perdant rapidement intérêt, ce mélange solaire-lunaire est une
véritable incarnation de Mercure.

Gémeaux-Mouton: Air + Feu négatif

C'est la réunion de la polyvalence et de la créativité. Le goût et
les manières impeccables du Mouton s'associent à l'intelligence et
à l'humour du Gémeaux pour former un équilibre sympathique. L'influence de Mercure atténue la sentimentalité du Mouton qui acquiert en
échange une part du goût de l'action et de l'esprit pratique du
Gémeaux.

Gémeaux-Singe: Air + Métal positif

Bien que cette combinaison ne produise jamais une personnalité
profonde et spirituelle, ce signe est peut-être celui du génie. Le
Gémeaux-Singe est l'incarnation de la polyvalence, car ces deux signes
réalisent des choses en apparence impossibles et lancent des idées
nouvelles à la douzaine. Le mercurien Gémeaux est adroit et séduisant
tandis que le Singe est un magicien impressionnant. Une personne née
sous cette combinaison est donc inventive et autonome; elle a aussi le
talent de toujours atteindre son but par le plus court chemin.

Gémeaux-Coq: Air + Métal négatif

L'instabilité du Gémeaux est ici améliorée par l'efficacité et le
souci de la précision du Coq. C'est une personne d'une grande candeur
et qui livre sa pensée sans détour et sans crainte des conséquences. Le
Gémeaux-Coq est tout de même soucieux de la critique et il se sent
blessé par la moindre atteinte à son ego ou la moindre opposition à
ses opinions. Le Coq de cette combinaison est des plus flamboyants.
Le personnage est autoritaire et pointilleux, mais rempli de vie et de
bonnes intentions, et il possède un grand talent d'organisateur et des
aspirations pratiques.

Gémeaux-Chien: Air + Métal positif

Un Chien aux mouvements rapides et possédant une multitude
de talents. Douée pour le théâtre, cette personne pourrait être un excellent comédien car elle projette une image appréciée du public. L'esprit
mercurien du Gémeaux s'adapte rapidement aux changements et est
facilement en proie à l'enthousiasme et à l'excitation. Le Chien est
touchant dans sa modestie et son dévouement. Cependant, cette per-

sonne pourrait souffrir du fait qu'elle poursuit des aspirations qui ne sont pas les siennes.

Gémeaux-Sanglier: Air + Eau négative

Le tourbillon d'activités coutumier au Gémeaux peut facilement étourdir son côté Sanglier. Cependant, ce dernier lui apporte la bonne volonté et l'honnêteté qui s'ajoutent à l'initiative, à la motivation et à la vivacité propres à Mercure. Le Gémeaux-Sanglier est sociable et sa capacité de régler les problèmes le rend très populaire. Il aborde les problèmes dans un esprit de synthèse scientifique mais tient toujours compte des aspects humains lorsqu'il s'agit de prendre une décision. Il recherche une vie stimulante et se sent à l'aise lorsqu'il a à changer souvent de milieux.

Le Cancer

Cancer-Rat: Eau + Eau positive

Une personnalité profondément intuitive et secrète. Le Cancer-Rat est un véritable flot d'émotions. La personnalité communicative du Rat pourrait stimuler cet enfant lunaire et atténuer ses inhibitions et sa timidité. La personne née sous ce double signe ne se laisse pas facilement attirer dans des entreprises idéalistes. Le Cancer-Rat a besoin de preuves avant d'accorder sa confiance car il ne peut se détendre que dans un milieu familier. Les deux signes sont préoccupés par la vie familiale et cette personne recherche une relation intense avec sa famille en plus de la richesse et des biens matériels.

Cancer-Boeuf: Eau + Eau négative

La personne née sous cette combinaison de signes ne sera pas aussi aimable qu'elle en a l'air. Cependant, elle est suffisamment attentive et délicate malgré son comportement parfois dictatorial. Le Cancer-Boeuf n'a rien d'un agneau et entrera dans des colères terribles si l'on s'attaque à ses droits. Le Boeuf ne permet pas au Cancer de céder complètement à ses émotions, tandis que le Cancer influence le Boeuf en atténuant son caractère autoritaire. Cette personne sait très bien écouter autrui tout en étant en même temps, ferme et compréhensive.

Cancer-Tigre: Eau + Bois positif

Un Cancer non conventionnel, plein de surprises, de vigueur et d'amour fou. Sous une façade jalouse et possessive, il est d'une grande amabilité. Le Cancer-Tigre est un amoureux exalté et un grand romantique. Il est de toutes les réunions mondaines et il peut rire ou pleurer sans grande justification. Règle générale, une personne née avec cette combinaison sera davantage accommodante du fait de la générosité du Cancer et du tempérament vif et optimiste du Tigre.

Cancer-Lièvre: Eau + Bois négatif

Le Cancer-Lièvre est une personne hésitante et renfermée pour qui le changement ou les concessions représentent autant de traumatismes. Elle n'entretient que de rares amitiés personnelles au cours de sa vie et ne dévoile son âme qu'à quelques amis. Elle aime évaluer les situations à distance, se plaçant ainsi à l'abri des problèmes. Bien qu'elle ait des dons quasi paranormaux et qu'elle soit pourvue d'une vision extraordinaire, elle a tendance à se consacrer à ses seuls problèmes personnels et à adopter une certaine indifférence à l'égard d'autrui. Bien qu'il soit responsable et sympathique, le Cancer-Lièvre est également victime d'illusions romantiques et doit craindre de devenir morose et de s'apitoyer sur lui-même lorsqu'il connaît un échec.

Cancer-Dragon: Eau + Bois positif

Nous avons ici la réunion de la sensibilité et de la dignité. Le Cancer-Dragon n'est pas aussi militant que les autres mais il possède une grande autorité. Le Dragon est idéaliste tandis que le Cancer est profond et curieux. Les impressions qui marquent ce type de personne suivent un mode lent mais permanent. Du fait de l'influence calme de la lune, ce Dragon est un peu moins entreprenant, tandis que la force du Dragon aide à développer l'instinct accumulateur du Cancer. Vivre avec cette personne peut être agréable, car le Cancer-Dragon est attentif et tolérant.

Cancer-Serpent: Eau + Feu négatif

Cette personne possède une nature à la fois mystérieuse et enchanteresse, qui n'est pas sans rappeler la réflexion de la lune sur l'eau calme d'un lac. Elle recherche les réalisations, la notoriété et beaucoup de sécurité matérielle, mais elle est dotée des qualités hermétiques du Serpent et de la nature secrète du Cancer. Elle aime à s'entourer de sa famille et de beaucoup de gens, même s'il s'agit parfois de parasites encombrants. L'enfant lunaire est protecteur et il recherche l'affection, tandis que sa partie Serpent est méfiante et éprouve une crainte incontrôlée de l'échec. Cette personne peut très bien réussir, mais il est douteux qu'elle puisse être parfaitement heureuse et à l'aise avec une âme aussi compliquée.

Cancer-Cheval: Eau + Feu positif

Une personnalité active mais au calme réservé. Bien qu'il soit raffiné et ouvert à son environnement, le Cancer-Cheval est sujet à des humeurs et à des caprices de toutes sortes. Ce Cancer n'est pas aussi porté au renoncement que lorsqu'il s'accompagne d'un autre signe lunaire, mais il a un goût sûr et une nature affectueuse. La présence du Cheval rend cette personne plus communicative et moins portée à prendre la vie trop au sérieux. Le Cancer est moins possessif grâce au Cheval qui sait faire des compromis. Il en résulte un personnage au langage et aux manières polies mais qui se protège contre le dévouement outrancier.

Cancer-Mouton: Eau + Feu négatif

Cette combinaison présente un caractère d'une grande piété, rempli de dévotion filiale et d'amour des enfants. Le Cancer-Mouton est une combinaison doublement féminine. De ce fait, il est rapidement blessé et se retire facilement dans une attitude passive. Craintif et sensible à l'inconfort et aux privations, ce type de personne recherche l'opulence et une vie de couple harmonieuse. Malgré ses diverses inhibitions, le Cancer-Mouton reste passablement altruiste et manifeste un grand intérêt pour son foyer et ses devoirs familiaux. C'est également un mécène qui soutient les arts. Il n'a rien d'une âme solitaire et il a besoin de beaucoup d'amis et d'une famille nombreuse pour se sentir heureux.

Cancer-Singe: Eau + Métal positif

Un Singe casanier et modeste au talent sûr pour les finances et capable d'investissements judicieux. Il a des goûts fastes et aime s'entourer d'un décor somptueux. Il aime montrer sa réussite en affichant des oeuvres d'art et des biens dispendieux. Cette personne est également friande de tous les nouveaux appareils destinés à simplifier les tâches domestiques. Toutefois, derrière l'apparence sérieuse du

Cancer, ce Singe garde ses grandes capacités intellectuelles et ne se refuse pas le plaisir de déjouer ses plus redoutables adversaires.

Cancer-Coq: Eau + Métal négatif

Une personnalité prudente, généreuse et efficace, aux manières chaleureuses et démonstratives. Le Cancer-Coq ne refuse jamais un service mais on note chez lui une pointe d'agressivité constante. Cette fois, les bonnes intentions du Coq autoritaire sont exprimées et appliquées avec la gentillesse et les bonnes manières propres au Cancer, ce qui lui mérite le soutien et l'approbation de tout le monde. Dans cette combinaison, la ténacité passive du Cancer s'allie à la persévérance active du Coq. Cette personne est difficile à battre, car elle ne permet pas que l'on s'interpose entre elle et ses objectifs.

Cancer-Chien: Eau + Métal positif

La sensibilité aiguisée du Cancer s'allie ici à l'équilibre émotif du Chien. Cette personne ne se montre pas trop téméraire ou émotive et s'avère capable de maintenir son équilibre et son objectivité. En dépit du franc-parler du Chien, ce signe peut apprécier la beauté et la pureté. Le Cancer-Chien peut avoir des goûts recherchés mais il est moins matérialiste. Aussi, une personne de cette combinaison démontre-t-elle une affection naturelle pour les autres et s'impose des normes élevées tout en adoptant un style de vie raffiné mais modéré.

Cancer-Sanglier: Eau + Eau négative

Les deux signes qui forment cette combinaison se caractérisent par leur émotivité et leur recherche du plaisir physique et du luxe. Le Sanglier est extrêmement sensuel et se perd facilement dans la luxure, tandis que le Cancer, d'apparence plus réservée, n'est vraiment positif que lorsqu'il renonce aux choses qui ne lui sont plus essentielles. Le Cancer et le Sanglier ont tous les deux des natures généreuses et se laissent impressionner facilement. Toutefois, bien que le fils de la lune recherche la qualité et la stabilité, le Sanglier préfère la quantité et le succès facile. Si les qualités positives de ces deux signes peuvent être réunies chez cette personne, il n'y a pas de doute qu'elle sera aimée et deviendra riche et satisfaite.

Le Lion

Lion-Rat: Feu + Eau positive

Le Rat est sensible et désire vraiment obtenir une valeur correspondant à son investissement. Le Lion met un frein à l'avarice du Rat et le rend moins calculateur. Le Lion-Rat est aristocratique, impétueux et profondément engagé. Téméraire et fier, il aime la liberté et devient très démocratique lorsqu'il accède à un poste de commande. Cette personne responsable ne néglige ni les détails ni le côté financier d'une question. L'intégrité du lion alliée à la présence d'esprit et à la sagacité du Rat communiquent à la personne née sous cette combinaison du magnétisme, du charme et de l'éloquence.

Lion-Boeuf: Feu + Eau négative

Cet individu a un côté impersonnel, bien qu'il soit d'une apparence digne. Le Lion-Boeuf se montre également théâtral et pompeux à l'occasion, car l'ego du Lion est énorme. Dans cette combinaison, la fermeté et l'attitude inflexible du Boeuf ne font que renforcer la volonté indomptable du signe solaire. Cependant le rayonnement du Lion se fait sentir sur le Boeuf qui est habituellement un peu terne et cette personne prend une nouvelle envergure. Possédant une personnalité forte et respectable, le Lion-Boeuf est habile à commander sans effort.

Lion-Tigre: Feu + Bois positif

Une personnalité ardente qui pourrait s'attaquer férocement à ceux qui lui manquent de respect ou qui abusent d'elle. Avec ses rugissements et sa crinière, le Lion-Tigre ne manque jamais d'attirer les foules. Capable d'émotions profondes et variées, cette personne peut, dans un même souffle, se montrer emportée, maussade et magnanime. Elle a tendance à adopter un comportement hautain, particulièrement lorsqu'elle n'est pas sûre d'elle-même. Le Lion-Tigre est doté de grands pouvoirs de récupération tant mentale que physique. Lorsque cette personne aime quelqu'un, sa fidélité est inconditionnelle.

Lion-Lièvre: Feu + Bois négatif

Un Lièvre possédant une certaine majesté et des qualités de chef bien qu'en réalité il soit assez égocentrique. Il possède le charisme qui soulève les foules et sa chance lui permet de traverser toutes les épreuves. Cette combinaison réunit l'agressivité du Lion et la discrétion du Lièvre et la personne née sous ces signes adoptera une attitude pacifique. Elle sait comment se rendre populaire et aura le don de poser les bons gestes au bon moment. Le signe solaire et le signe lunaire accordent beaucoup d'importance aux loisirs et, sur ce plan, cette personne pourrait poursuivre en secret des activités illicites ou coûteuses.

Lion-Dragon: Feu + Bois positif

Une personnalité à vous couper le souffle, qui s'impose avec naturel, car elle est convaincue de son droit de gouverne. Le Lion-Dragon est capable de grandes réalisations et se garde toujours quelques projets en réserve. Le Lion fournit au Dragon, déjà impétueux à l'excès, plus de munitions qu'il n'en peut utiliser et cette personnalité peut adopter une attitude tellement autoritaire qu'il sera difficile de s'entendre avec elle si on ne lui cède pas la place. Toutefois, elle est sans rancune et ses commentaires explosifs sont sa manière de se libérer l'esprit. Née sous un signe doublement royal, cette personne a beaucoup de chance et elle essaie toujours de remplir ses promesses tout en gardant une attitude généreuse envers les moins fortunés.

Lion-Serpent: Feu + Feu négatif

La vie du Lion-Serpent est faite de réussites et de tragédies qui résultent de sa grande ardeur et de son refus d'accepter la seconde place. Lorsqu'elle est dans des dispositions favorables, cette personne est un exemple de grâce, d'intelligence et d'élégance. Elle a besoin de beaucoup d'affection et de compréhension pour pouvoir développer ses qualités mais elle peut accomplir des merveilles lorsqu'elle est admirée. Toutefois, elle est également portée à se montrer capricieuse, égoïste et vaniteuse, à cause de toute l'attention qu'on lui porte et parce qu'on lui cède continuellement. Son côté chaleureux et sincère ne peut se manifester que lorsqu'elle mène une existence paisible et qu'elle réussit à s'oublier elle-même en se mettant au service des autres.

Lion-Cheval Feu + Feu positif

Née avec des dispositions aussi radieuses, cette personne éprouve rarement des doutes concernant quoi que ce soit. Idéaliste et ambitieux, passionné et vrai, le Lion-Cheval fonce vers l'avant avec optimisme mais inconstance. Il est impulsif et porté aux gestes grandiloquents et il a besoin de beaucoup de soupapes émotives pour relâcher la tension que lui apporte son énergie débordante. Individu généreux et

désinvolte, le Lion-Cheval est expressif et adore les exercices physiques.

Lion-Mouton: Feu + Feu négatif

L'assurance du Lion diminue la timidité du Mouton et lui communique du courage et de l'optimisme. Le Lion-Mouton est un personnage
respectable qui essaie sérieusement de mériter la confiance que l'on
place en lui. Moins pessimiste, et moins sensible à la critique, il peut
rester sur ses positions et obtenir l'appui qu'il recherche. C'est un
Mouton plus indépendant, renforcé par la volonté et la puissance de
caractère du Lion, mais tout de même chaleureux.

Lion-Singe: Feu + Métal positif

Une personnalité faite de la fusion de deux signes qui débordent
d'ambition et d'intelligence. Le Lion est autoritaire mais jamais sournois
ou mesquin. Ceci devrait restreindre considérablement le côté tricheur
du Singe bien que ce dernier puisse être un splendide compagnon pour
le majestueux Lion et lui permette de réussir encore mieux dans ses
entreprises. Le Lion-Singe possède beaucoup de noblesse et d'autonomie. Il est grandement audacieux et a tendance à s'immiscer dans
les affaires des autres, ce qu'il fait davantage par curiosité que par
malice.

Lion-Coq: Feu + Métal négatif

Dans ce cas-ci, la générosité du Lion atténue le penchant du Coq
à être pointilleux. Il n'en demeure pas moins que ces deux signes sont
puissants et autoritaires et peuvent aspirer à une grande réussite. Le
Coq peut s'intéresser aux questions sociales avec dévouement et
constance, tandis que le Lion aspire principalement à la gloire. Une
personne possédant cette combinaison pourrait atteindre les sommets
du pouvoir mais, hélas, elle est un peu trop autoritaire pour qu'on lui
confie de tels postes.

Lion-Chien: Feu + Métal positif

La majesté du Lion illumine l'apparence chaleureuse mais
inquiète du Chien. Grâce à ces deux signes, cette personne possède un moral très fort et une énorme confiance en elle-même.
Dotée d'un jugement plus sûr que la moyenne, elle peut généralement
prendre des décisions irréprochables. Elle déteste l'injustice et ne trahit
jamais la confiance que l'on place en elle. Le Lion est captivant tandis

que le Chien est réaliste. Cette personne choisit d'adopter le juste milieu et ne se fait pas d'illusions quant au prix de la réussite.

Lion-Sanglier: Feu + Eau négative

Un Sanglier grégaire, doté d'une humeur naturelle rafraîchissante, mais qui doit se méfier des excès. Grâce à son extraordinaire vitalité, le Lion-Sanglier communique de l'entrain à tout ce qu'il fait et met la même ardeur au travail qu'au jeu. Du fait qu'il exprime généralement ses émotions sans nuances, il est dramatique et pourrait prétendre que le théâtre est son milieu naturel. Cette personne est totalement altruiste, n'a aucune hypocrisie et est animée d'une certaine confiance enfantine qui fait ressortir le côté positif des gens avec qui elle entre en contact.

La Vierge

Vierge-Rat: Terre + Eau positive

Ces deux signes actifs produisent une personne industrieuse qui a un don naturel pour la recherche. La personnalité un peu austère de la Vierge est rendue plus charmante et joyeuse par la présence du Rat. Une telle personne possède une extrême curiosité et elle explore toutes les options qui s'offrent à elle avant de prendre la moindre décision. La Vierge-Rat est dotée de grande ingéniosité et de goût pour l'étude et elle peut avoir des capacités presque illimitées à condition de savoir tenir sa langue.

Vierge-Boeuf: Terre + Eau négative

La Vierge-Boeuf est rusée, flegmatique et son esprit dogmatique lui fait croire qu'elle a toujours raison. Peu importe son niveau d'éducation, cette personne n'arrête jamais d'assimiler de nouvelles connaissances et de les approfondir. Elle déteste par ailleurs les endroits surpeuplés ou bruyants car ceux-ci portent atteinte à ses tendances monastiques et à sa recherche de la concentration. La Vierge-Boeuf est la personne la plus qualifiée que l'on puisse trouver pour appliquer la loi à la lettre. Forte et systématique, elle applique une discipline rigide et n'hésite jamais à mettre les délinquants à l'ouvrage.

Vierge-Tigre: Terre + Bois positif

Du fait de la personnalité réservée et analytique de la Vierge et de la difficulté qu'a le Tigre à dissimuler ses sentiments, la Vierge-Tigre est moins spontanée mais elle conserve un côté brillant quoique un peu strict. Ces signes solaire et lunaire communiquent à cette personne un esprit méticuleux mais quand même chaleureux et de la prudence dans le choix de ses mots. Dotée de la témérité et du côté flamboyant du Tigre, de même que de la maîtrise de soi de la Vierge, cette personne jouit de tous les avantages des deux signes.

Vierge-Lièvre: Terre + Bois négatif

Une âme vertueuse mais solitaire qui va remplir les tâches avec un minimum de complication. La Vierge, tout comme le Lièvre, croit à l'organisation et à la prudence. Cette personne évite toujours d'offenser autrui; en fait, elle est trop attachée au protocole. Elle vérifie tous les faits dans leurs moindres détails avant de porter une accusation. La Vierge-Lièvre aime également la discussion mais dans le calme et, si possible, l'objectivité. Dans cette combinaison, le Lièvre ne craint pas d'accepter des responsabilités s'il y trouve un avantage financier.

Vierge-Dragon: Terre + Bois positif

Ces deux signes ont une confiance totale en eux-mêmes et beaucoup de connaissances, bien que la Vierge soit plus réaliste et persévérante. Cette personne aspire à la connaissance et à la perfection. Elle a besoin d'être en vedette et peut se montrer rancunière lorsqu'on s'interpose dans ses plans. Elle ne cède pas facilement et parfois, se montre complètement intraitable. Les deux signes de cette combinaison possèdent de précieuses qualités et la Vierge-Dragon est admirable d'endurance et de volonté. Toutefois, son zèle est intempestif et elle pose des gestes exagérés lorsqu'elle a une cause à défendre.

Vierge-Serpent: Terre + Feu négatif

Le souci des détails et le goût de l'organisation de la Vierge associés à l'habileté du Serpent à dissimuler ses sentiments et à manoeuvrer clandestinement font de cette personne un être secret mais extrêmement éveillé. Elle aime les études, les nobles causes et le travail et s'attache à un objectif précis jusqu'à sa réalisation. Alors que tout le monde semble ployer sous la rigueur et les tourments de la vie quotidienne, la Vierge-Serpent semble immunisée contre la fatigue, tellement sa concentration est grande. Ses seuls défauts seraient d'être autocratique, objective et efficace à l'excès.

Vierge-Cheval: Terre + Feu positif

La Vierge rend le Cheval davantage prévisible et atténue ses passions. Ses gestes deviennent plus calculés et préparés. Bien que les réflexes de la Vierge-Cheval soient un peu plus lents, elle est tout de même vive et alerte, mais moins turbulente. L'élément Terre sous lequel est placée la Vierge apaise le feu du Cheval, mais le résultat est bénéfique car il permet à cette personne de développer un sens plus grand des responsabilités.

Vierge-Mouton: Terre + Feu négatif

Le Mouton est élégant et d'une grande gentillesse mais il est un peu dépensier. La Vierge est plus sobre et contrôle mieux ses finances. Cette combinaison amène le Mouton à pratiquer des vertus d'économie, de renoncement et de détermination. Le sympathique Mouton s'avère plus volontaire si les aspects positifs des deux signes restent présents. Dans le cas contraire, cette personne serait du type de celles qui aiment prêcher mais non donner l'exemple.

Vierge-Singe: Terre + Métal positif

La Vierge est travailleuse et compétente tandis que la ruse du Singe fournit le catalyseur idéal pour les talents administratifs de la première. La Vierge-Singe est dotée d'un esprit scientifique et inventif. Sa curiosité et sa mémoire incomparables assurent son succès dans les affaires et lui permettent de gagner ses paris. C'est une personne critique qui compare et catégorise sans cesse et qui a toujours une solution pratique à offrir lorsqu'on en a besoin.

Vierge-Coq: Terre + Métal négatif

Un Coq doté d'une confiance en soi incomparable. Ces deux signes sont ceux de la vertu excentrique et cette personne intrigue par ses goûts inusités et son perfectionnisme. Esprit clair et logique, elle excelle dans le travail mental. C'est un étudiant perpétuel et, sur plusieurs sujets, on peut se fier à cette véritable encyclopédie vivante. Elle a rarement tort et enregistre méticuleusement toutes sortes d'informations qu'elle consigne pour la postérité. Elle raffole des cartes et des graphiques et ne pense réellement qu'au travail. Côté négatif, il est bon de se rappeler que ces deux signes ont la curieuse habitude de relever les travers de tout le monde.

Vierge-Chien: Terre + Métal positif

Une personne studieuse et responsable. Ces deux signes compatissants produisent une personne inquiète et profondément touchée par la souffrance humaine. Cependant, la somme de leurs admirables qualités n'en fait pas quelqu'un de très attirant. Car, bien que le Chien ait un tempérament stable, il est handicapé par la présence de la Vierge industrieuse et conformiste. Spirituelle et sans préjugés, la Vierge-Chien s'avère un modèle de fidélité et de renoncement. La capacité mentale de la Vierge et la neutralité du Chien pourraient produire un mandataire consciencieux.

Vierge-Sanglier: Terre + Eau négative

La nature sensuelle et généreuse du Sanglier pourrait rehausser la personnalité trop austère de la Vierge, tandis que les qualités intellectuelles profondes de celle-ci pourraient aider le confiant Sanglier à prendre de bonnes décisions. La Vierge-Sanglier se dévoue moins spontanément en dépit de son apparence modeste et gentille. Cette combinaison produit une personne responsable et capable de s'identifier à un groupe tout en demeurant fidèle à ses convictions personnelles. Par ailleurs, les aptitudes administratives de la Vierge s'allient à la chance propre au Sanglier.

La Balance

Balance-Rat: Air + Eau positive

Une personnalité fascinante, débordante d'énergie et d'efficacité. La Balance aime la société et les relations harmonieuses tout comme le Rat car les deux signes sont des séducteurs nés. La Balance-Rat est une personne flexible et compréhensive. Néanmoins, elle possède le sens de l'économie du Rat et conserve l'attirance de la Balance pour le travail en coopération. Du fait de ces qualités, cette personne recherche l'esthétique tout en ayant un sens aigu du commerce.

Balance-Boeuf: Air + Eau négative

La Balance-Boeuf n'est ni trop entêtée ni trop tyrannique, car l'enfant de Vénus recherche le confort et les compromis. La rigidité du Boeuf est grandement atténuée, bien qu'il soit évident que cette personne ne possède pas l'esprit de dépendance coutumier à la Balance. Communicatif et moins exigeant, ce Boeuf se lie facilement d'amitié, tout en demeurant exigeant face aux personnes qu'il cherche à imiter. Ce Boeuf sait apprécier les bons côtés de la vie et n'acceptera pas une vie laborieuse sans prévoir des loisirs. Il est certain que la Balance-Boeuf saura profiter des résultats de son labeur.

Balance-Tigre: Air + Bois positif

Un Tigre capricieux mais joyeux et possédant le côté séducteur du signe vénusien. Les deux signes ont tendance à être hésitants et on peut s'attendre à les voir changer d'idée fréquemment, ou encore rester longtemps sans prendre de décisions. Toutefois, le puissant Tigre demeure ferme lorsqu'il a décidé quelque chose et il est capable de générosité et d'ardeur au travail. Grâce au côté séducteur de la Balance, ce Tigre saisit ses proies avec un art consommé.

Balance-Lièvre: Air + Bois négatif

D'un caractère ombrageux mais adorable, la Balance-Lièvre possède la clarté d'esprit du Lièvre et son goût pour les belles choses. Ces signes solaire et lunaire sont tous les deux portés à évaluer le pour et le contre. L'individu de cette combinaison déteste les obligations permanentes et, en dépit de la grande facilité avec laquelle il évolue dans la société, il hésite toujours à entretenir des amitiés à long terme. Bien qu'elle ne recherche pas le pouvoir, la Balance-Lièvre reste équilibrée et sensible. C'est une personne aux bonnes manières et qui affiche à la fois du bon goût et de la discrétion dans ses paroles comme dans ses gestes.

Balance-Dragon: Air + Bois positif

Une personne droite, enjouée et dotée d'un grand courage. C'est un Dragon non belliqueux. Un peu débonnaire, il a une personnalité honnête et franche. La Balance penche du côté du magnétisme puissant du Dragon, mais, bien que la Balance-Dragon possède beaucoup d'énergie, elle n'a pas la constance habituelle de ses congénères. Comme les deux signes de cette combinaison sont aussi vrais et sincères, on peut s'attendre à ce que ce sujet manifeste une honnêteté et une franchise sans retenue ainsi qu'un minimum d'inhibitions.

Balance-Serpent: Air + Feu négatif

Une combinaison aguichante. D'approche facile et dotée d'un goût impeccable, la séduisante Balance-Serpent est réellement très sympathique. Il s'agit peut-être d'un penseur énigmatique mais qui a le souci de s'exprimer d'une manière plus conventionnelle. Une personne de cette combinaison est moins hésitante du fait de la fermeté et de la patience du Serpent. Et elle séduit par sa subtilité et son intelligence. Calme et extrêmement désirable, elle est attirée par le plaisir et a peut-être trop besoin de l'approbation d'autrui pour pouvoir agir de manière indépendante.

Balance-Cheval: Air + Feu positif

La Balance est dans des dispositions encore plus optimistes et généreuses et elle s'exprime avec une facilité étonnante lorsqu'elle est associée au rapide et toujours jeune Cheval. Cette personne est plus altruiste et coopérative. Néanmoins, bien que la Balance-Cheval soit d'une diplomatie hésitante lorsqu'il est question des affaires des autres, elle devient un négociateur averti lorsqu'il s'agit des siennes. En dépit de sa surprenante volubilité, cette personne est capable d'atteindre de bons résultats car elle sait où réside son avantage.

Balance-Mouton: Air + Feu négatif

La Balance-Mouton recherche l'attention et la sympathie. L'approbation et l'amitié sont pour elle de la plus haute importance. Elle peut avoir la fragilité apparente de la porcelaine, mais il y a chez cette personne à la fois de la nervosité et de la souplesse. C'est une autorité en matière artistique et elle possède un sens superbe de l'équilibre et de l'harmonie des couleurs. La Balance-Mouton est portée vers la culture, le raffinement et, assez souvent, vers un certain faste dans l'habillement. Sa nature sensible la rend hésitante à l'excès et elle perd beaucoup de temps à se rassurer en demandant l'opinion des autres. Si elle ne réussit pas à faire fructifier ses talents sous la direction des autres, elle pourrait en venir à renoncer à toute activité utile.

Balance-Singe: Air + Métal positif

Habile avec les mots, polie et attentive, la Balance-Singe a un sourire plein de promesses. Bien qu'elle puisse décevoir, elle est attirante et on peut difficilement y résister. Il est vrai qu'elle évalue et exploite les situations à son avantage, mais elle accepte à l'occasion des partenaires. Dans cette combinaison, le Singe reste entreprenant mais il dispose de la coopération démocratique de la Balance et se fait accepter plus facilement qu'à l'accoutumée.

Balance-Coq: Air + Métal négatif

Le Balance communique un grand équilibre au naturel pointilleux du Coq et celui-ci devient moins porté aux extravagances. C'est un intellectuel qui aime le confort et qui surprend par la modération de ses propos et son peu d'intérêt pour les querelles. Bien qu'elle soit méticuleuse et observatrice comme tous les Coqs, la Balance lui permet de mieux comprendre le point de vue d'autrui et cette personne est moins pointilleuse en même temps que plus animée et plus heureuse. Ce Coq a une popularité supérieure à la majorité de ses congénères.

Balance-Chien: Air + Métal positif

Le Chien est direct et honnête tandis que l'enfant de Vénus est pacifique et cherche à rester dans les bonnes grâces de tout le monde. Le naturel de cette personne lui mérite une réputation enviable. Son honnêteté et sa sérénité en font un arbitre juste et compétent, bien qu'elle ait tendance à appuyer parfois les positions de gauche. Les dispositions pacifiques de la Balance et la bienveillance du Chien envers les moins fortunés, font de cet individu une sorte de travailleur social qui, non seulement sympathise avec les gens, mais se sent obligé de les aider.

Balance-Sanglier: Air + Eau négative

Cette combinaison réunit deux signes animés de bonnes dispositions qui forment une personnalité à la fois magnanime et altruiste. Le tempérament sensible et artistique de la Balance est renforcé par l'endurance et la noblesse de caractère du Sanglier. La Balance-Sanglier est non seulement aimable et tolérante mais elle possède également une vive sensualité. Sous un extérieur fait de patience et de responsabilité, elle peut dissimuler des ambitions personnelles et des aspirations secrètes qui sont difficiles à déceler. C'est une personnalité riche comme le bon vin et qui est affectueuse, sentimentale et fidèle en amour.

Le Scorpion

Scorpion-Rat: Eau + Eau positive

Un Rat calculateur, intense et au talent incroyable. Le Rat qui aime la compétition et le Scorpion qui renforce sa volonté et son avarice, lui confèrent une efficacité de premier ordre. L'homme et la femme nés sous ce signe, sont extrêmement travailleurs et productifs. Et s'ils en avaient la possibilité, ils n'hésiteraient pas à éliminer leurs ennemis d'un trait de plume. Le Scorpion-Rat est un bon écrivain mais un politicien encore supérieur.

Scorpion-Boeuf: Eau + Eau négative

Cette personne porte l'armure du Bison et l'aiguillon mortel du Scorpion. Elle ne fait jamais les choses à moitié, se venge facilement et ne craint pas les eaux profondes que son signe représente. Possédant un ego indiscipliné et exigeant, le Scorpion-Boeuf peut devenir un grand chef religieux ou un débauché. Il peut utiliser son énorme énergie pour faire respecter la loi ou, à l'opposé, pour la contourner.

Scorpion-Tigre: Eau + Bois positif

Débordant de talents et d'attraits, le Scorpion-Tigre dégage une attirance physique sans commune mesure. Fier et confiant, il entreprend d'ambitieux projets avec l'endurance du Scorpion et l'optimisme du Tigre. Il possède des qualités ardentes car l'esprit combatif du Tigre se double de l'intensité propre au Scorpion. On peut compter avec une certitude absolue sur sa vengeance même si elle prend des formes presque inoffensives car il ne permet pas que l'on se moque de lui ou même que l'on y songe.

Scorpion-Lièvre: Eau + Bois négatif

Une personnalité récalcitrante et secrète. Le fils de Pluton est profond et l'apparence douce et modeste du Lièvre fournit une excellente couverture à ses puissantes émotions. Cette personne possède une discipline admirable mais alliée à un tempérament bouillant et elle ne pardonne pas si on la trompe. Le Lièvre sait toutefois comment conserver sa dignité même s'il doit feindre le consentement. En somme, c'est une nature sensuelle et intense que dissimule une réputation impeccable. Le Scorpion-Lièvre est parfois perturbé par des contradictions entre la passion particulière à Pluton et le goût de l'harmonie du Lièvre.

Scorpion-Dragon: Eau + Bois positif

Un Dragon sensuel et intriguant, conscient de ses préférences et de ses aversions. Cette combinaison réunit l'intensité contraignante du Scorpion et les pouvoirs terrifiants du Dragon. Cette personne pourrait avoir de la difficulté à ne pas céder à la démesure. Les deux signes débordent de vitalité et possèdent un magnétisme imposant. Avec ce charme dévastateur, il est naturel qu'on le trouve inflexible. Quant à la femme née sous ces deux signes, elle a un caractère extrémiste et est, ou bien irrésistible ou bien détestable.

Scorpion-Serpent: Eau + Feu négatif

Une combinaison où le scepticisme atteint un sommet. Le Scorpion-Serpent est doté d'une grande profondeur d'émotions et est un tacticien rusé. Dissimulant ses sentiments sous la pudeur, il est difficile à scruter. Ambitieux et orienté vers l'action, il se sent toujours attaqué et cherche à interpréter la moindre insinuation. Tout ce qui suscite sa curiosité est examiné en détail mais excessivement renfermé, il refuse de donner des explications. Par ailleurs, il se soucie peu des racontars mais on ferait bien de se montrer prudent car la colère du Scorpion-Serpent est doublement vindicative!

Scorpion-Cheval: Eau + Feu positif

Le Scorpion possède l'élément stablisateur qui peut inciter le Cheval à utiliser ses talents de façon stratégique. Dans cette combinaison, ce dernier n'a pas l'insouciance et la spontanéité communicative des autres Chevaux. Bien qu'il soit sérieux, il n'a rien de sinistre et il déteste être astreint à des tâches répétitives. Pas du tout transparent, il a un physique curieusement attirant et une nature intense qu'il doit à l'allure mystérieuse du Scorpion. Il est difficile de le faire changer d'avis une fois sa décision prise.

Scorpion-Mouton: Eau + Feu négatif

Produit de la combinaison de l'Eau et du Feu, cette personne possède beaucoup de force, tant physique que mentale, mais sa délicatesse d'expression et sa créativité peuvent tromper les observateurs les mieux avertis. La fidélité du Scorpion-Mouton va, par ordre d'importance à son intuition, à ses proches et en dernier lieu, à l'opinion publique. Toutefois, quelles que soient les combines mises au point par le Scorpion, le Mouton impose une limite au prix qu'il faut payer pour la réussite. Il ne fera pas volontairement de tort à autrui et ne s'enorgueillira pas de ses victoires. Le Scorpion est un bon complément pour le Mouton car il empêche ce dernier de trop s'apitoyer sur lui-même et le force à agir plus souvent de sa propre initiative.

Scorpion-Singe: Eau + Métal positif

Ce caractère vagabond ajouté au narcissisme et à l'intensité de Pluton, produisent un modèle d'égocentrisme. L'attitude secrète du Scorpion lui communique une façon de penser intransigeante. La soumission et le respect des autres ne figurent pas en tête de ses qualités. Toutefois, le Scorpion-Singe peut être indispensable, efficace, attirant, intelligent et particulièrement stimulant. Il est prêt à de grands efforts pour obtenir ce qu'il veut et il se montre sans pitié pour ceux qui demandent son aide. Le Singe est positif et captivant mais il s'impose d'une manière incorrigible lorsqu'il désire obtenir quelque chose. Les deux signes de cette combinaison sont passés maîtres dans l'art des représailles; cette personne est capable d'attendre le moment propice pour se venger.

Scorpion-Coq: Eau + Eau négative

Quelle endurance et quelle énergie! Cette combinaison réunit deux signes forts, individualistes et orgueilleux. Brusque et pointilleux, le Scorpion-Coq tient tout compromis en horreur. Cela équivaut pour lui à une défaite qu'il n'est pas dans sa nature d'accepter. Comme cette personne cherche toujours à gagner, elle y réussit généralement bien que les méthodes qu'elle emploie ne lui attirent pas d'amis, ce qui ne l'affecte pas car elle préfère s'isoler fièrement plutôt que de céder la moindre parcelle de terrain. Les courants marins qui accompagnent le Scorpion mettent en relief le caractère investigateur du Coq et bien peu de choses lui échappent.

Scorpion-Chien: Eau + Métal positif

Cette personne est puissante, énergique et dévouée, et fait montre de la droiture du Chien en même temps que de l'intuition profonde de Pluton. Le Scorpion-Chien aime à tenir ses promesses mais la présence du Scorpion pourrait amoindrir la nature libérale du Chien. Querelleur lorsqu'on l'excite et avare de paroles, cet individu devient entêté et quelque peu rancunier face à une défaite. Du fait de sa croyance en une fidélité absolue, le Scorpion-Chien fait le bien ou le mal avec une égale ferveur mais il ne sert jamais deux maîtres.

Scorpion-Sanglier: Eau + Eau négative

Affectueux et démonstratif mais enclin à satisfaire ses besoins en premier, ce robuste Sanglier ne pense qu'à lui. Il est sensuel, recherche le pouvoir et, poursuivant ses ambitions sans pudeur, il accepte des compromis, souvent aux dépens des autres. Il se montre extrêmement soucieux de ses droits acquis malgré une apparente générosité, ce qui n'empêche pas une foule d'admirateurs de rechercher sa compagnie. Il faut toutefois se méfier de son esprit vengeur.

Le Sagittaire

Sagittaire-Rat: Feu + Eau positive

Possédant la grâce d'un danseur, le Sagittaire-Rat est précis et rapide comme l'archer avec en plus le côté opportuniste du Rat. Le Sagittaire est le téméraire et orgueilleux fils de Jupiter et le Rat irradie le charme et l'intelligence. Cette personne est conciliante et communicative et possède une grande joie de vivre, associée à beaucoup de réalisme. Sa chance lui vient du discernement dont elle jouit pour évaluer ses impulsions car elle est un excellent juge des situations. Pleine de présence d'esprit, elle garde son emploi dans les cas d'urgence. Une personne née sous cette combinaison de signes recherche le travail et la vie de groupe.

Sagittaire-Boeuf: Feu + Eau négative

L'archer confère plus de finesse et de bonne volonté au Boeuf. Le Sagittaire-Boeuf reste autoritaire, mais ses bonnes manières et son goût exquis quoique fonctionnel compensent pour son entêtement. Sorte de perfectionniste plus avisée, cette personne est réaliste tout en ayant davantage de discernement que de style. Elle excelle à trouver le côté positif des autres ainsi que le dénouement dans les situations difficiles. Le Boeuf est un bon pilote et le Sagittaire excelle dans la mise en scène. Le Sagittaire-Boeuf possède beaucoup de talents pour les opérations de secours et est également un excellent entrepreneur. Aristocrate, sincère et d'un dévouement sans arrière-pensée, il se consacre généralement à des causes méritoires.

Sagittaire-Tigre: Feu + Bois positif

Cette personne est extrêmement alerte et réagit de façon très équilibrée. Le Sagittaire-Tigre est honnête, énergique et expressif et entretient peu d'inhibitions. Il n'aime pas les formalités et rien ne l'arrête une fois que l'on a piqué sa curiosité. La personne née avec cette combinaison de signes se caractérise par son intelligence impétueuse et son comportement coloré. Elle a tendance à se montrer didactique et moralisatrice mais elle a trop d'intelligence et d'élégance pour se montrer brutale ou grossière.

Sagittaire-Lièvre: Feu + Bois négatif

Un Lièvre libertin et pas du tout maussade. Se déplaçant librement dans tous les milieux, il a l'habileté de saisir l'incompréhensible ou, à tout le moins, de tenter sérieusement de percevoir le point de vue de ses opposants. Son aspect futuriste provient de la vision limpide que les deux signes ont en commun. Ouvert, doux et sensible, il ne s'agite jamais au point de perdre son attitude de noblesse. Doué pour la diplomatie, il est capable de courage et de calcul mais sans trop le laisser paraître. Le Lièvre a besoin de l'esprit optimiste du Sagittaire et ce dernier, à son tour, profite grandement du goût du Lièvre pour l'harmonie et la discrétion.

Sagittaire-Dragon: Feu + Bois positif

Plaisant, jovial, chaleureux, direct et également opiniâtre, le Sagittaire-Dragon est vif et dévoué mais ne supporte pas la déception. Les deux signes de cette combinaison recherchent continuellement l'action, le Sagittaire-Dragon possède un caractère autoritaire et impatient et cherche toujours à s'impliquer et à participer au plus grand nombre d'activités possibles. Ses intérêts sont nombreux et variés et son langage direct offense parfois car il ne se rend pas compte qu'il atteint les autres au point le plus sensible. Personnage noble et altruiste, il est conscient de sa valeur lorsqu'il s'offre à relever des défis auxquels personne n'ose s'attaquer.

Sagittaire-Serpent: Feu + Feu négatif

Dans cette combinaison, le Serpent est un peu plus libre et détendu et a même un faux air de nonchalance. Bien mis, informé et plein d'élans, son sens du devoir est atténué par le goût de la liberté du Sagittaire. Il ne s'attaque pas, sans relâche, à une tâche car il a trop de classe et qu'en plus, les deux signes entretiennent des idéaux élevés et recherchent la réussite bien que de manière différente. Le Serpent est prudent et tenace et choisit son heure. Le Sagittaire sait battre le fer pendant qu'il est chaud et n'hésite pas à recourir à l'action pour bâtir son destin. Cette union produit une personne sage mais sans contraintes.

Sagittaire-Cheval: Feu + Feu positif

Voilà une personne qui aime vivre en accéléré. Travailleuse, brillante et audacieuse, elle est toujours en action. Dans cette combinaison, le signe de l'archer peut nuire au Cheval car il produit trop de rapidité, d'optimisme et d'intelligence et pas assez de persévérance. Cette personne se fie à son intuition et elle a tendance à se mettre les nerfs à vif en acceptant plus de travail qu'elle n'en peut accomplir ou en laissant son imagination fertile drainer son énergie. Cependant, elle aime beaucoup le sport et l'exercice lui fournit un moyen idéal pour diminuer la pression. Le Sagittaire-Cheval montre une conviction absolue non seulement en parole mais en action.

Sagittaire-Mouton: Feu + Feu négatif

Un Mouton bien intentionné et philosophe en même temps que très au fait des changements en cours. Direct et honnête, il fuit les querelles et les tâches ingrates. Le Sagittaire-Mouton aime explorer hors des sentiers battus et présente parfois des théories étonnantes. Cette personne est plus athlétique qu'émotive, peut se moquer de ses erreurs et accepter facilement la critique constructive. Connaissant la mode et dotée d'un goût impeccable, cette personne peut adopter les nouveaux styles avec une grande élégance. Confiant dans ses capacités, ce Mouton est plus communicatif que ses congénères.

Sagittaire-Singe: Feu + Métal positif

Le Singe communique de l'endurance et un don pour l'organisation au fougueux Sagittaire. Cette personne possède à la fois de l'intégrité et un esprit impénétrable, en dépit de l'image de liberté qu'elle aime projeter. Manipulateur, astucieux et intelligent, ce Singe ne révèle jamais ses véritables positions avant d'emporter le morceau. Le Sagittaire-Singe est un illusionniste né de la combinaison des talents du distingué Sagittaire et de l'ingénieux Singe.

Sagittaire-Coq: Feu + Métal négatif

Ambitieux, bavard et actif, doté de la force de caractère commune aux deux signes, le Sagittaire-Coq se fixe des objectifs très élevés. À moins d'avoir une patience infinie, il est préférable de ne rien débattre avec lui car aucun argument ne peut le convaincre et il tentera jusqu'à l'épuisement de vous prouver qu'il a raison. Cependant, comme les deux signes sont scrupuleusement honnêtes, il est bien piètre menteur. Ne lui demandez pas de dire la vérité à moins d'être prêt à l'entendre. En dépit de cette franchise sans détour, il est relativement altruiste et n'hésite pas à vous aider s'il sent que vous en avez besoin. Le Sagittaire confère au Coq une plus grande dignité et des objectifs plus précis.

Sagittaire-Chien: Feu + Métal positif

Un Chien joyeux, aventureux mais respectable. Vif, ouvert et honnête, il est apprécié pour ses manières discrètes et son esprit équilibré. Non conventionnel et chaleureux, il laisse voir ses sentiments sans affectation. Équilibré et réaliste, il réagit rapidement et est précis dans son langage et ses manières. Il accueille les confidences avec une grande discrétion et révèle rarement un secret, même lorsqu'on le presse de le faire. Cette combinaison solaire et lunaire produit une personnalité à la fois démonstrative et réfléchie.

Sagittaire-Sanglier: Feu + Eau négative

Nous avons là un citoyen modèle. Cette combinaison produit une personne qui possède à la fois beaucoup d'humour et beaucoup d'appétit. Ces deux signes possèdent de la noblesse mais aussi de la naïveté, bien que le Sagittaire révèle plus facilement ce qu'il désire. La magnificence de Jupiter de même que la chance du Sanglier récompensent la nature confiante et spontanée de cette personne. Le Sagittaire-Sanglier ne garde rien pour lui seul, il accepte toujours de partager avec un ami. Aucun des deux signes ne succombe facilement au découragement, ce qui confère à cette personne une nature robuste et même, parfois, une certaine insensibilité. Toutefois, si elle connaît la réussite, elle n'entassera pas son argent mais va plutôt partager sa bonne fortune avec son entourage.

Le Capricorne

Capricorne-Rat: Terre + Eau positive

Cet individu est sociable, constant et talentueux. Accumulateur consommé, il étiquette, catalogue et entrepose continuellement des biens. Il ne faut pas s'en moquer, car ce type de marchand peut s'assurer un monopole dont il saura tirer grand avantage le jour venu. Le Capricorne-Rat est sage et prudent. Il est moins mobile et aventureux que les autres Rats. Fidèle et délicat, il aime à former des liens permanents. Cohabitant avec le fiable Capricorne, ce Rat est moins attiré par le risque et par le jeu. Quelle que soit son activité, ce Rat est du genre de personne qui met toutes les chances de son côté.

Capricorne-Boeuf: Terre + Eau négative

Cette union sérieuse de deux signes lents mais fiables produit une personnalité puissante et qui résiste aux épreuves et à l'adversité. Le Capricorne-Boeuf a des préjugés souvent bien ancrés et sa droiture est accablante. Brusque mais extrêmement autonome, il dissimule le côté plus souple de sa nature et il s'oblige à des prouesses de volonté sans se plaindre le moindrement. Bien qu'il puisse être tendre et dévoué envers ses proches, il manifeste rarement son affection. Cet individu austère est simple et réfléchi et a, en plus, la capacité de supporter deux fois plus de responsabilités que la plupart des gens. Le Capricorne-Boeuf atteint toujours le sommet grâce à son incessant effort de volonté.

Capricorne-Tigre: Terre + Bois positif

Le Tigre qui résulte de cette combinaison est toujours captivant mais il est moins emporté et impétueux. Comme tous ses congénères, il est doté d'un tempérament puissant, mais l'influence du Capricorne lui permet d'appliquer sa force correctement. Influencé par la chèvre de montagne qu'est le Capricorne, ce Tigre n'est pas aussi agité qu'à l'accoutumée et son tempérament est moins radical. Il n'aime pas les changements brusques et il est en mesure de tenir ses promesses. Il a le sens du devoir et il consent à travailler fort et à affronter patiemment les difficultés s'il y trouve le moyen d'améliorer ses compétences. Le Capricorne-Tigre n'est pas entièrement gouverné par son coeur comme c'est le cas pour les Tigres des combinaisons plus ardentes.

Capricorne-Lièvre: Terre + Bois négatif

Pur produit de sa société et conformiste à l'égard des valeurs hiérarchiques, le Capricorne-Lièvre a généralement une vie pleine d'imprévus car l'influence de la Chèvre le rend sceptique à l'égard de toute chose. Il sait comment investir sagement autant son temps que son argent. La docilité du Lièvre est affermie par la volonté du Capricorne et cette personne est passionnée de stratégies et manifeste une grande assurance dans l'expression de ses opinions. Ces deux signes sont également calmes, le Lièvre toujours prêt à négocier et la Chèvre le pied sûr comme toujours.

Capricorne-Dragon: Terre + Bois positif

Cette combinaison réunit l'assurance de la Chèvre de montagne et les aspirations sans limites du Dragon. Les deux signes présentent des qualités de leadership, et il en résulte une personnalité réaliste extrêmement travailleuse et d'une indéniable assurance. Exceptionnellement volontaire et imposant, ce colosse peut déplacer des montagnes. Il n'épargne personne, même pas lui-même, lorsqu'il se met en tête d'accomplir une tâche difficile. Le Capricorne-Dragon est plus athlétique que cérébral et il tient beaucoup à son intimité.

Capricorne-Serpent: Terre + Feu négatif

Intelligent et distant, pieux et grave, jouant son jeu avec une discrétion experte, le Capricorne-Serpent est un véritable roc de Gibraltar. Comme aucun de ces deux signes n'est extraverti, les passions de cette personne sont toutes en profondeur. Dotée d'une endurance remarquable, elle peut attendre ses ennemis avec une patience infinie. Toujours avide de connaissances, elle matérialise ses aspirations avec un grand réalisme et une planification prudente. On ne prend jamais un Capricorne-Serpent par surprise.

Capricorne-Cheval: Terre + Feu positif

La contribution la plus importante de la Chèvre de montagne, à cette combinaison, est la stabilité. Le Cheval présente, de ce fait, davantage de permanence et devient plus digne de confiance. Les deux signes de cette association poussent cette personne vers une activité continuelle. Réceptif mais vérifiant soigneusement ses sources d'information, le Capricorne-Cheval se montre discret tout en étant attentif aux nuances que l'on exprime dans son entourage. Beaucoup moins insouciant, ce Cheval prête un peu de sa rapidité et de sa grâce au volontaire Capricorne. Cette personne sait comment choisir ses priorités et avoir un bon rendement.

Capricorne-Mouton: Terre + Feu négatif

Dans cette combinaison, le réservé et flexible Mouton est placé sous la direction de la Chèvre de montagne. Il en résulte que cette personne sait davantage ce qu'elle veut et n'hésite pas à prendre des décisions. À cause de la chance et de la bienveillance que lui apporte le huitième signe lunaire, le Capricorne-Mouton est largement récompensé des difficultés qu'il rencontre. Moins porté à l'anonymat, ce type de Mouton joue un rôle plus actif dans son propre destin et est moins porté à se plaindre.

Capricorne-Singe: Terre + Métal positif

Ces deux signes sont organisés et compétents, bien que le Singe soit ravissant et la Chèvre, sérieuse et honnête. Le Capricorne a ici accès à l'intelligence rusée du Singe et à son imagination vive, tandis que le Singe puise dans la force de caractère du Capricorne. Il en résulte une personne calme et diligente, intelligente mais aux manières moins audacieuses.

Capricorne-Coq: Terre + Métal négatif

La personne née sous cette combinaison se distingue par sa persévérance, son efficacité et son manque de prétention. Aucun de ces deux signes n'est reconnu pour sa souplesse, ce qui entraîne que le Capricorne-Coq résiste aux tentatives visant à le transformer. Toutefois, le Coq est moins flamboyant et bavard, même s'il s'exerce à la rhétorique avec un enthousiasme évident. Rarement irritée, cette personne possède une nature rigoureusement honnête et ne tolère pas l'irresponsabilité ou les manquements à la loi.

Capricorne-Chien: Terre + Métal positif

Le Capricorne-Chien est généralement généreux et bienveillant, bien qu'il soit très prudent et qu'il s'adonne à des manies bien personnelles. Il attache une grande importance au bien-être de sa famille. Le Chien est altruiste et s'inquiète pour tout le monde, mais la Chèvre de montagne devrait lui permettre de se préoccuper également de lui-même et de voir à ses propres intérêts sans paraître avare ou égoïste. Grâce au bon raisonnement et à l'équité du Chien, le Capricorne est moins entêté et cette personne est avant tout fidèle à elle-même. Lorsqu'elle a à prendre position sur un sujet controversé, on peut être sûr qu'elle va livrer sa pensée sans ménagement.

Capricorne-Sanglier: Terre + Eau négative

Un Sanglier vigoureux, prudent et aux grandes ambitions. Les signes solaire et lunaire réunis ici, ne craignent pas les obstacles bien que le caractère conservateur de cette personne l'amène à se soucier des attentes d'autrui. Minutieux et travailleur, le Capricorne-Sanglier possède la bonne foi du Sanglier et la mentalité prudente de la Chèvre et ce travailleur consciencieux n'a rien d'un rêveur. Le

Capricorne-Sanglier respecte fièrement la tradition et ne fuit pas les responsabilités lorsqu'il s'agit de renforcer un règlement.

Le Verseau

Verseau-Rat: Air + Eau positive

Cette combinaison peut produire une eau agitée. Communicative et versatile, cette personnalité, influencée à la fois par l'air et par l'eau, s'exprime avec clarté et a besoin de variété et de liberté dans tout ce qu'elle fait. Le Verseau-Rat est moins matérialiste et il place les relations personnelles au-dessus de l'argent. Impatient et audacieux, il est parfois rebelle. Doué d'une vive perception et d'un charme séduisant, il convainc facilement les autres du bien-fondé de ses opinions. Il rachète l'instabilité de son tempérament en se consacrant aux bonnes causes et en rendant service de manière désintéressée.

Verseau-Boeuf: Air + Eau négative

La belligérance du Bison est atténuée par les manières calmes et aériennes du signe uranien. Paisible et non conformiste, l'exubérant Verseau apprend à l'inflexible Boeuf qu'il faut parfois céder pour conquérir. Le Verseau est trop intelligent pour recourir à la force brutale que le Boeuf emploierait dans un moment de vengeance. Cette personne possède également une vision élargie et une certaine grâce en société. Ce Boeuf est moins primitif que d'autres, il pourrait lui arriver de défier l'opinion publique en modifiant les règles du jeu en sa faveur.

Verseau-Tigre: Air + Bois positif

Un Tigre provocant et doté du courage et de la grâce nécessaires à la réalisation de ses rêves les plus fabuleux. Transparent et sans malice, il gagne à être connu et sait se faire aimer. Cependant, il n'entretient pas de relations prolongées et ne reste pas au même endroit assez longtemps pour que l'on puisse l'étudier convenablement. Il ne tient pas en place, et se sort toujours d'une situation fâcheuse pour retomber dans une autre. Il est passionné de publicité, très communicatif et modifie sans scrupule les règles du jeu à son avantage. Indépendant et instable, le Verseau-Tigre est animé d'idéaux brillants et toujours motivé par de grandes attentes. Son esprit est libre comme le vent et on ne devrait jamais tenter de lui imposer des contraintes car c'est une entreprise vouée à l'échec.

Verseau-Lièvre: Air + Bois négatif

Doué d'une nature optimiste et d'une grande curiosité d'esprit, cet individu n'est ni trop sensible ni susceptible. La personnalité qui résulte de ces deux signes se protège brillamment et favorise la compréhension entre les autres personnes par sa perception aiguë de leurs caractères. Les deux signes solaire comme lunaire possèdent des dons psychiques qui leur permettent de capter les ondes cérébrales et de percevoir et de comprendre les vibrations annonciatrices d'événements. Le Verseau-Lièvre a des prémonitions auxquelles on peut se fier. Toutefois, l'ouverture d'esprit du Verseau et son grand intérêt pour le progrès coïncident mal avec le Lièvre qui est hésitant à quitter les lieux et les objets familiers. Néanmoins, le Verseau-Lièvre est, dans l'ensemble, beaucoup plus disponible au monde qui l'entoure qu'imbu de sa personne.

Verseau-Dragon: Air + Bois positif

Le résultat de cette combinaison donne une personne douée d'une grande clarté d'expression et d'une autorité qu'il est difficile d'ignorer ou de défier. Le Verseau-Dragon est en perpétuel changement, il s'améliore sans cesse et sa forte individualité lui permet d'influencer son milieu, par un esprit novateur. La fourberie est complètement absente chez le fier Dragon tandis que le désinvolte Verseau se distingue par son habileté à traiter avec les gens et à régler des situations difficiles. Cette personne est parfois brusque et non conformiste, mais elle n'est jamais cruelle ou calculatrice. Les deux signes peuvent oublier et pardonner, bien que le Dragon devienne furieux lorsqu'on le contrarie tandis que le Verseau est davantage conciliant et fraternel.

Verseau-Serpent: Air + Feu négatif

Sous l'influence ouverte et aérienne du Verseau, le Serpent perd beaucoup de sa subtilité. Cette personne est plus expressive et se plaint rarement des circonstances qu'elle ne peut pas changer. Elle modifie son orientation selon les circonstances et affiche une attitude optimiste. Elle est libre d'allure et il lui arrive d'avoir une façon de penser un peu irrationnelle. Par ailleurs, elle est également sujette à des troubles nerveux lorsqu'elle ne peut pas relâcher ses tensions. L'influence du Serpent la porte également à être jalouse et à se retirer en elle-même lorsqu'elle est troublée. Autrement, on l'accepte partout facilement car cette personne jouit d'un pouvoir quasi télépathique et

334

peut réaliser ses souhaits sans avoir à faire d'efforts sérieux pour influencer les autres.

Verseau-Cheval: Air + Feu positif

C'est une personne enthousiaste, obsédée par l'esprit d'aventure et capricieuse; elle a toujours des projets de voyage réels ou imaginaires en tête. Le Verseau-Cheval vit à moitié dans le présent et garde l'autre moitié pour un futur fantaisiste. La seule chose sur laquelle il ne revient pas, c'est sur son passé troublé et, avec sa vie remplie de surprises, il ne manque certes pas de mauvais souvenirs. Optimiste et désinvolte, on peut dire avec raison qu'il déborde de joie de vivre et du goût de s'impliquer. Motivés par la recherche de la vérité, le Cheval et le Verseau gouverné par Uranus, vont d'un pas pressé, entourés par la foule et se livrant à toutes sortes d'occupations pour tenir leurs corps et leurs esprits occupés.

Verseau-Mouton: Air + Feu négatif

Il y a trop de modération chez ces deux signes amicaux et tolérants qui se consacrent à des démarches intuitives et à des activités altruistes. Le goût de la liberté du Verseau peut l'amener à refuser de se conformer et cette personne, d'une douceur apparente, cache un esprit questionneur et non conformiste. Le Mouton a une nature généreuse et sensible et il pourrait posséder les connaissances du Verseau de même que l'habileté particulière à son signe de trouver des dénouements pacifiques aux situations difficiles. Le Verseau-Mouton n'est pas très soucieux de sa popularité. Le renoncement lui est étranger et il préfère jouir de la vie même s'il doit en payer les conséquences, qui, étant donné la grande aptitude du Mouton à se faire pardonner, pourrait être relativement minimes.

Verseau-Singe: Air + Métal positif

Personnage haut en couleurs et jamais à court de mots, le Verseau-Singe associe l'intelligence et l'agilité du Singe à la grande générosité du Verseau. Les deux signes présentent un soupçon d'autoritarisme et d'impertinence et cette personne n'est pas portée à l'obéissance. Cérébrale mais joyeuse, sincère mais rusée, énergique mais compliquée, elle est la somme de la fluidité du Verseau et de la magie du Singe. Le Verseau-Singe a des opinions ultra-modernes et il est flexible et curieux joignant en cela les tactiques du Singe et la soif de connaissances du Verseau.

Verseau-Coq: Air + Métal négatif

Ce n'est pas du tout un Coq de basse-cour. Il n'est pas aussi persévérant qu'à l'accoutumée et sa montre n'est jamais à l'heure car il est en avant de son temps. Cependant, le Verseau-Coq possède le caractère direct du Coq ou, selon son propre terme une honnêteté véritable. Lorsqu'il parle, il dit ce qu'il a à dire, en dépit des réactions violentes qu'il peut provoquer. En réalité, il aime bien être différent et même choquer à l'occasion. Du fait que le Coq prête sa persévérance et le Verseau son tempérament progressiste, le Verseau-Coq est en mesure de faire des plans à long terme et il comprend les besoins futurs des gens. Il fait ses recherches avec la candeur d'un enfant et le souci du détail d'un scientifique. Ce Coq est continuellement occupé car il a toujours des recherches importantes à faire.

Verseau-Chien: Air + Métal positif

Le Chien, habituellement individualiste, est rendu plus souple et audacieux par le Verseau. Invariablement de bonne humeur, il ne refuse jamais de rendre service et a un bon mot pour tout le monde. Lorsque surgissent les problèmes, cette personne s'avère un véritable croisé. Toutefois, elle ne reste jamais suffisamment longtemps à la même place pour s'implanter quelque part et, même si elle ne manifeste jamais d'intolérance, elle n'entretient aucune relation intime. Elle est portée à être distraite lorsqu'elle se laisse absorber par ses idées et elle a tendance à déserter pour de nouvelles allégeances. Elle est également experte à instituer des réformes, possède des préoccupations universelles et ne s'attaque jamais à une institution sans en avoir vérifié elle-même la validité.

Verseau-Sanglier: Air + Eau négative

Le Sanglier a une nature affectueuse et possède une force de caractère considérable. Comme le Verseau est candide, agité et un peu insolent, cette personne va certainement susciter l'intérêt. Son talent pour l'enseignement est bien dissimulé par son apparente turbulence. Novatrice, elle ne se contente jamais de jouer un rôle établi. Ce signe produit également un caractère extrémiste et cette personne n'a pas de juste milieu. Heureux, prospère et populaire en dépit de ses défauts, le Verseau-Sanglier possède à la fois la vision large du Verseau et l'esprit coopératif et fraternel du Sanglier.

Les Poissons

Poissons-Rat: Eau + Eau positive

C'est une personnalité très agréable car le Poissons est mélodieux et intuitif tandis que le Rat est très qualifié pour prendre soin des membres de sa famille et de leurs intérêts. La personne née sous cette combinaison fait montre de créativité même si elle est timide et ne désire pas affronter le public. Elle pourrait être un écrivain prolifique du fait de sa profonde appréciation des émotions humaines. Le naturel agressif et la tendance à accumuler que l'on retrouve habituellement chez le Rat, sont en grande partie atténués et produisent une personnalité moins ambitieuse et plus paisible. Cette personne accorde la première place à son foyer et à sa sécurité. Méditatif, énergique, sensible mais productif le Poissons-Rat mérite un prix de bonne conduite.

Poissons-Boeuf: Eau + Eau négative

Assez guindé, le Poissons-Boeuf, est de nature mystique et réservée et il souffre de fortes inhibitions. Malgré cela, les gens sont attirés vers lui car il dégage un certain sentiment de sécurité et affiche le désir de contrôler son environnement immédiat. Ses manières réservées et son calme contribuent à souligner sa force et la confiance qu'il inspire. Solennel, mais possédant le goût raffiné du Poissons, il dispose également du talent qu'a le Boeuf lorsqu'il s'agit d'assumer sa stabilité financière. Sans arrière-pensée et parfaitement honnête, le Poissons-Boeuf a un ego très sensible, ce qui est dû en partie à la vulnérabilité du Poissons et à la forte exigence du Boeuf quant au respect de sa personne.

Poissons-Tigre: Eau + Bois positif

La sérénité du Poissons fait des merveilles pour la personnalité de ce Tigre. Avenant, mais sans souplesse, le Tigre affiche un calme intérieur et sa vivacité est réduite à un niveau moindre mais sans perdre son côté poétique. Le Poissons-Tigre sait rentrer ses griffes et user efficacement de psychologie lorsqu'il s'agit d'atteindre ses objectifs. Dans cette combinaison, le Poissons est actif et ferme, tandis que le Tigre se détend et rencontre moins de conflits. Cependant, il serait dangereux de croire que ce Tigre accepte de se laisser bousculer. Le Poissons-Tigre n'est peut-être pas rugissant, mais il n'en conserve pas moins sa nature féline.

Poissons-Lièvre: Eau + Bois négatif

Imaginatif et sensible, le Poissons-Lièvre est l'image même de la gentillesse, des belles manières et de la délicatesse de parole. Esprit poétique et dépendant des autres, c'est un artiste ingénieux, intelligent et exigeant. Toutefois, en dépit de son apparence modeste et sans prétention, il ne manque ni de perspicacité ni de confiance. En réalité, le fait qu'il préfère rester dans l'ombre peut témoigner de son esprit observateur et astucieux ainsi que de son côté égoïste et préoccupé de confort. Il fait beaucoup d'efforts pour stabiliser son existence et éviter les problèmes et les conflits avec les autres. Diplomate par ses manières agréables, le Poissons-Lièvre est jusqu'à un certain point narcissique.

Poissons-Dragon: Eau + Bois positif

Cet individu est doué d'une volonté indomptable. L'influence du Dragon communique de l'ambition et un sens de l'aventure au Poissons qui est habituellement timoré. Cette personne peut agir avec autorité mais sait se restreindre et a du respect pour les autres. L'influence du Poissons est également bénéfique au Dragon et, bien que cette personne puisse s'agiter considérablement lorsqu'elle est mécontente, elle ne voit pas la nécessité de tout briser comme le font les Dragons des combinaisons plus ardentes.

Poissons-Serpent: Eau + Feu négatif

Avec son calme et ses manières fluides, le Poissons-Serpent dissimule bien sa sagesse et ses pouvoirs psychiques. Il est parfois inefficace et rêveur, mais il crée toujours une bonne impression en public. Le Serpent est ardent, passionné et lucide tandis que le Poissons est profond et silencieux. Une personne aussi sensible est facilement blessée par des gestes brusques et elle cultive l'affection et l'amitié avec une émotion inapparente. Le Poissons compense pour la brutale détermination du Serpent en apportant de la bienveillance à cette combinaison et son milieu aquatique met en relief des rêves surréalistes et des observations brillantes.

Poissons-Cheval: Eau + Feu positif

Toute de finesse et de galanterie, cette personne possède une grande subtilité et est réceptive à l'humeur des autres. La patience du Poissons aura l'effet d'un tranquillisant pour la mobilité exagérée du

Cheval. Il adopte un rythme plus mesuré et réfléchit avant de passer à l'action car il est plus conventionnel qu'à l'accoutumée et il ne possède pas le sentiment d'urgence qui anime le Cheval ou la tendance du Poissons à n'écouter que son coeur. Le Poissons-Cheval est un mélange raffiné de vitesse et de sensibilité, il n'est ni trop rapide ni trop lent, ni trop efficace, ni trop sentimental.

Poissons-Mouton: Eau + Feu négatif

Ennuyeux et tracassier, mais tout de même très attirant et divertissant, le Poissons-Mouton obtient souvent la plus grosse part du gâteau à cause de sa générosité et de sa conciliation. Lorsqu'il est porté aux extrêmes, il est également sentimental et larmoyant. Il est amateur de scènes pastorales, d'antiquités et de musique d'orgue et il ne peut se sentir heureux et en sécurité que loin du public. De cette manière, il peut méditer, car la solitude fait ressortir tous les aspects positifs de son caractère.

Poissons-Singe: Eau + Métal positif

Impassible, délicat comme la lavande et compliqué comme un labyrinthe, calculateur mais inoffensif en apparence, le Poissons-Singe est le type même de l'entremetteur et il sait abuser des vendeurs comme des acheteurs avec une parfaite aisance. Le Singe a naturellement beaucoup de charme et le Poissons n'a pas son pareil pour envoûter quelqu'un. Le Métal du Singe raffermit la sentimentalité changeante du Poissons et communique davantage de substance à ses talents.

Poissons-Coq: Eau + Métal négatif

Une personnalité paisible et possédant un caractère exigeant mais coopératif. Les fibres morales et la pureté du Coq demeurent inchangées. Mais l'amour du Poissons pour les relations publiques lui permettent de présenter une image plus attrayante. Ce Coq est moins taciturne et n'a pas de tendance dogmatique, il parvient à délaisser la routine et le travail ardu et il lui arrive de penser à vivre. À la fois conservateur et bienveillant, le Poissons-Coq n'a pas de difficultés à suivre les lois, mais il adopte un mode de vie dans lequel travail et repos ont une part égale.

Poissons-Chien: Eau + Métal positif

Brave mais respectueux, le Poissons-Chien n'est pas combatif. Le Poissons rend le Chien beaucoup moins craintif et vigilant. Il préfère la sécurité, la sérénité et le confort, bien qu'il soit toujours attentif aux besoins des autres. Ravissant et attrayant malgré ses manières réservées, ce Chien inquiet bénéficie de la connaissance profonde de soi du Poissons et il est moins porté à s'intéresser aux conflits extérieurs.

Poissons-Sanglier: Eau + Eau négative

Le Poissons possède un fort instinct de survie et une calme conviction quant à sa compréhension de l'esprit humain. Le Sanglier est doté d'une vaste réserve d'énergie et d'une attitude mentale positive qui rend tout possible. La combinaison de ces deux signes peut avoir des résultats d'une grande efficacité et d'une grande harmonie si tous les deux remplissent bien leur rôle. Le Sanglier et le Poissons semblent toujours capables de trouver le soutien dont ils ont besoin et cette personne peut se tirer d'affaires avec une facilité étonnante. Totalement dévoué à ses proches, le Poissons-Sanglier leur manifeste une grande affection et il a de nombreux amis, bons et mauvais, qui ne se gênent pas pour abuser de sa bonté. Cependant, il n'aime pas les confrontations et il valorise avant tout les relations personnelles. Dans les cas graves, il préfère régler ses problèmes sans avoir recours aux tribunaux.

Table des matières

Ouvrages parus dans la COLLECTION

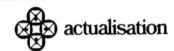

Ouvrages parus chez les éditeurs du groupe Sogides

* Pour l'Amérique du Nord seulement
** Pour l'Europe seulement
Sans * pour l'Europe et l'Amérique du Nord

LES EDITIONS DE L'HOMME

═══════════ ANIMAUX ═══════════

* **Art du dressage, L'**, Chartier Gilles
Bien nourrir son chat, D'Orangeville Christianz
Cheval, Le, Leblanc Michel
Chien dans votre vie, Le, Swan Marguerite
Éducation du chien de 0 à 6 mois, L', DeBuyser Dr Colette et Dr Dehasse Joël
Encyclopédie des oiseaux, Godfrey W. Earl
Guide de l'oiseau de compagnie, Le, Dr R. Dean Axelson
Mammifère de mon pays, Duchesnay St-Denis J. et Dumais Rolland
* **Mon chat, le soigner, le guérir**, D'Orangeville Christian
Observations sur les mammifères, Provencher Paul
Papillons du Québec, Les, Veilleux Christian et Prévost Bernard
Petite ferme, T.1, Les animaux, Trait Jean-Claude
Vous et vos petits rongeurs, Eylat Martin
Vous et vos poissons d'aquarium, Ganiel Sonia
Vous et votre beagle, Eylat Martin

Vous et votre berger allemand, Eylat Martin
Vous et votre boxer, Herriot Sylvain
Vous et votre braque allemand, Eylat Martin
Vous et votre caniche, Shira Sav
Vous et votre chat de gouttière, Gadi Sol
Vous et votre chat tigré, Eylat Odette
Vous et votre chow-chow, Pierre Boistel
Vous et votre collie, Ethier Léon
Vous et votre cocker américain, Eylat Martin
Vous et votre dalmatien, Eylat Martin
Vous et votre doberman, Denis Paula
Vous et votre fox-terrier, Eylat Martin
Vous et votre husky, Eylat Martin
Vous et vos oiseaux de compagnie, Huard-Viau Jacqueline
Vous et votre schnauzer, Eylat Martin
Vous et votre setter anglais, Eylat Martin
Vous et votre siamois, Eylat Odette
Vous et votre teckel, Boistel Pierre
Vous et votre yorkshire, Larochelle Sandra

ARTISANAT/ARTS MÉNAGERS

Appareils électro-ménagers, Prentice-Hall du Canada
* Art du pliage du papier, Harbin Robert
Artisanat québécois, T.1, Simard Cyril
Artisanat québécois, T.2, Simard Cyril
Artisanat québécois, T.3, Simard Cyril
Artisanat québécois, T.4, Simard Cyril, Bouchard Jean-Louis
Bon Fignolage, Le, Arvisais Dolorès A.
Coffret artisanat, Simard Cyril
* Construire des cabanes d'oiseaux, Dion André
Construire sa maison en bois rustique, Mann D. et Skinulis R.
Crochet Jacquard, Le, Thérien Brigitte
Cuir, Le, Saint-Hilaire Louis et Vogt Walter
Dentelle, T.1, La, De Seve Andrée-Anne
Dentelle, T.2, La, De Seve Andrée-Anne
Dessiner et aménager son terrain, Prentice-Hall du Canada
Encyclopédie de la maison québécoise, Lessard Michel
Encyclopédie des antiquités, Lessard Michel
Entretien et réparation de la maison, Prentice-Hall du Canada
Guide du chauffage au bois, Flager Gordon
J'apprends à dessiner, Nassh Joanna
Je décore avec des fleurs, Bassili Mimi
J'isole mieux, Eakes Jon
Mécanique de mon auto, La, Time-Life
Outils manuels, Les, Prentice Hall du Canada
Petits appareils électriques, Prentice-Hall du Canada
Piscines, Barbecues et patio
Taxidermie, La, Labrie Jean
Terre cuite, Fortier Robert
Tissage, Le, Grisé-Allard Jeanne et Galarneau Germaine
Tout sur le macramé, Harvey Virginia L.
Trucs ménagers, Godin Lucille
Vitrail, Le, Bettinger Claude

ART CULINAIRE

À table avec soeur Angèle, Soeur Angèle
Art d'apprêter les restes, L', Lapointe Suzanne
Art de la cuisine chinoise, L', Chan Stella
Art de la table, L', Du Coffre Marguerite
Barbecue, Le, Dard Patrice
Bien manger à bon compte, Gauvin Jocelyne
Boîte à lunch, La, Lambert Lagacé Louise
Brunches & petits déjeuners en fête, Bergeron Yolande
100 recettes de pain faciles à réaliser, Saint-Pierre Angéline
Cheddar, Le, Clubb Angela
Cocktails & punchs au vin, Poister John
Cocktails de Jacques Normand, Normand Jacques
Coffret la cuisine
Confitures, Les, Godard Misette
Congélation de A à Z, La, Hood Joan
Congélation des aliments, Lapointe Suzanne
Conserves, Les, Sansregret Berthe
Cornichons, Ketchups et Marinades, Chesman Andrea
Cuisine au wok, Solomon Charmaine
Cuisine aux micro-ondes 1 et 2 portions, Marchand Marie-Paul
Cuisine chinoise, La, Gervais Lizette
* Cuisine chinoise traditionnelle, La, Chen Jean
* Cuisine créative Campbell, La, Cie Campbell
Cuisine de Pol Martin, Martin Pol
* Cuisine du monde entier avec Weight Watchers, Weight Watchers
Cuisine facile aux micro-ondes, Saint-Amour Pauline
Cuisine joyeuse de soeur Angèle, La, Soeur Angèle
Cuisine micro-ondes, La, Benoît Jehane
Cuisine santé pour les aînés, Hunter Denyse
Cuisiner avec le four à convection, Benoît Jehane
* Cuisiner avec les champignons sauvages du Québec, Leclerc Claire L.
Cuisinez selon le régime Scarsdale, Corlin Judith
Cuisinier chasseur, Le, Hugueney Gérard
Entrées chaudes et froides, Dard Patrice
Faire son pain soi-même, Murray Gill Janice
Faire son vin soi-même, Beaucage André
Fine cuisine aux micro-ondes, La, Dard Patrice
Fondues & flambées de maman Lapointe, Lapointe Suzanne
Fondues, Les, Dard Partice
Menus pour recevoir, Letellier Julien
Muffins, Les, Clubb Angela
Nouvelle cuisine micro-ondes, La, Marchand Marie-Paul et Grenier Nicole
Nouvelle cuisine micro-ondes II, La, Marchand Marie-Paul et Grenier Nicole
Pâtés à toutes les sauces, Les, Lapointe Lucette
Patés et galantines, Dard Patrice
Pâtisserie, La, Bellot Maurice-Marie
Poissons et fruits de mer, Dard Patrice
Poissons et fruits de mer, Sansregret Berthe
Recettes au blender, Huot Juliette
Recettes canadiennes de Laura Secord, Canadian Home Economics Association
Recettes de gibier, Lapointe Suzanne
Recettes de maman Lapointe, Les, Lapointe Suzanne
Recettes Molson, Beaulieu Marcel
Robot culinaire, Le, Martin Pol
Salades des 4 saisons et leurs vinaigrettes, Dard Patrice
Salades, sandwichs, hors d'oeuvre, Martin Pol
Soupes, potages et veloutés, Dard Patrice

2

BIOGRAPHIES POPULAIRES

Daniel Johnson, T.1, Godin Pierre
Daniel Johnson, T.2, Godin Pierre
Daniel Johnson - Coffret, Godin Pierre
Dans la fosse aux lions, Chrétien Jean
* Dans la tempête, Lachance Micheline
Duplessis, T.1 - L'ascension, Black Conrad
Duplessis, T.2 - Le pouvoir, Black Conrad
Duplessis - Coffret, Black Conrad
Dynastie des Bronfman, La, Newman Peter C.
Establishment canadien, L', Newman Peter C.
* Léonard de Vinci, L'homme et son temps, Alberti de Mazzeri Sylvia
* Maître de l'orchestre, Le, Nicholson Georges

Maurice Richard, Pellerin Jean
* Monopole, Le, Francis Diane
Mulroney, Macdonald L.I.
Nouveaux Riches, Les, Newman Peter C.
* Paul Desmarais , Un homme et son empire, Greber Dave
Prince de l'Église, Le, Lachance Micheline
Saga des Molson, La, Woods Shirley
Sous les arches de McDonald's, Love John F.
* Trétiak, entre Moscou et Montréal, Trétiak Vladislav
* Une femme au sommet - Son excellence Jeanne Sauvé, Woods Shirley E.

DIÉTÉTIQUE

Combler ses besoins en calcium, Hunter Denyse
* Compte-calories, Le, Brault-Dubuc M., Caron Lahaie L.
Contrôlez votre poids, Ostiguy Dr Jean-Paul
* Cuisine sage, Lambert-Lagacé Louise
* Diète rotation, La, Katahn Dr Martin
Diététique dans la vie quotidienne, Lambert-Lagacé Louise
Livre des vitamines, Le, Mervyn Leonard
* Maigrir en santé, Hunter Denyse
* Menu de santé, Lambert-Lagacé Louise
Oubliez vos allergies, et... bon appétit, Association de l'information sur les allergies
Petite & grande cuisine végétarienne, Bédard Manon

* Plan d'attaque Weight Watchers, Le, Nidetch Jean
Plan d'attaque plus Weight Watchers, Le, Nidetch Jean
Recettes pour aider à maigrir, Ostiguy Dr Jean-Paul
* Régimes pour maigrir, Beaudoin Marie-Josée
Sage bouffe de 2 à 6 ans, La, Lambert-Lagacé Louise
Weight Watchers - cuisine rapide et savoureuse, Weight Watchers
Weight Watchers-Agenda 85 -Français, Weight Watchers
Weight Watchers-Agenda 85 -Anglais, Weight Watchers

DIVERS

* Acheter ou vendre sa maison, Brisebois Lucille
* Acheter et vendre sa maison ou son condominium, Brisebois Lucille
* Acheter une franchise, Levasseur Pierre
* Assemblés délibérantes, Les, Girard Françine,
* Bourse, La, Brown Mark
* Chaînes stéréophoniques, Les, Poirier Gilles
* Choix de carrières, T.1, Milot Guy
* Choix de carrières, T.2, Milot Guy
* Choix de carrières, T.3, Milot Guy
* Comment rédiger son curriculum vitae, Brazeau Julie
* Comprendre le marketing, Levasseur Pierre
Conseils aux inventeurs, Robic Raymond
* Devenir exportateur, Levasseur Pierre
* Dictionnaire économique et financier, Lafond Eugène
Étiquette des affaires, L', Jankovic Elena
* Faire son testament soi-même, Me Poirier Gérald, Lescault Nadeau Martine (notaire)
* Faites fructifier votre argent, Zimmer Henri B.
* Finances, Les, Hutzler Laurie H.
* Gérer ses ressources humaines, Levasseur Pierre
* Gestionnaire, Le, Colwell Marian
* Guide de la haute-fidélité, Le, Prin Michel
* Je cherche un emploi, Brazeau Julie
* Lancer son entreprise, Levasseur Pierre

Leadership, Le, Cribbin, James J.
Livre de l'étiquette, Le, Du Coffre Marguerite
* Loi et vos droits, La, Marchand Me Paul-Émile
Meeting, Le, Holland Gary
Mémo, Le, Reimold Cheryl
Notre mariage (étiquette et planification), Du Coffre Marguerite
Patron, Le, Reimold Cheryl
Relations publiques, Les, Doin Richard, Lamarre Daniel
* Règles d'or de la vente, Les, Kahn George N.
* Roulez sans vous faire rouler, T.3, Edmonston Philippe
Savoir vivre aujourd'hui, Fortin Jacques Marcelle
Séjour dans les auberges du Québec, Cazelais Normand et Coulon Jacques
Stratégies de placements, Nadeau Nicole
Temps des fêtes au Québec, Le, Montpetit Raymond
Tenir maison, Gaudet-Smet Françoise
* Tout ce que vous devez savoir sur le condominium, Dubois Robert
Univers de l'astronomie, L', Tocquet Robert
Vente, La, Hopkins Tom
* Votre argent, Dubois Robert
Votre système vidéo, Boisvert Michel et Lafrance André A.
* Week-end à New York, Tavernier-Cartier Lise

3

ENFANCE

* **Aider son enfant en maternelle**, Pedneault-Pontbriand Louise
* **Aider votre enfant à lire et à écrire**, Doyon-Richard Louise
  Alimentation futures mamans, Gougeon Réjeanne et Sekely Trude
  Années clés de mon enfant, Les, Caplan Frank et Theresa
  Art de l'allaitement maternel, L', Ligue internationale La Leche
* **Autorité des parents dans la famille**, Rosemond John K.
  Avoir des enfants après 35 ans, Robert Isabelle
  Bientôt maman, Whalley J., Simkin P. et Keppler A.
  Comment amuser nos enfants, Stanké Louis
* **Comment nourrir son enfant**, Lambert-Lagacé Louise
  Deuxième année de mon enfant, La, Caplan Frank et Theresa
* **Développement psychomoteur du bébé**, Calvet Didier
  Douze premiers mois de mon enfant, Les, Caplan Frank
* **En attendant notre enfant**, Pratte-Marchessault Yvette
* **Encyclopédie de la santé de l'enfant**, Feinbloom Richard
  Enfant stressé, L', Elkind David
  Enfant unique, L', Peck Ellen
  Évoluer avec ses enfants, Gagné Pierre Paul

  Exercices aquatiques pour les futures mamans, Dussault J., Demers C.
  Femme enceinte, La, Bradley Robert A.
  Fille ou garçon, Langendoen Sally et Proctor William
* **Frères-soeurs**, Mcdermott Dr. John F. Jr.
  Futur Père, Pratte-Marchessault Yvette
* **Jouons avec les lettres, Le**, Doyon-Richard Louise
* **Langage de votre enfant, Le**, Langevin Claude
  Maman et son nouveau-né, La, Sekely Trude
  Manuel Johnson et Johnson des premiers soins, Le, Dr Rosenberg Stephen N.
* **Massage des bébés, Le**, Auckette Amédia D.
  Merveilleuse histoire de la naissance, La, Gendron Dr Lionel
  Mon enfant naîtra-t-il en bonne santé? Scher Jonathan et Dix Carol
  Pour bébé, le sein ou le biberon? Pratte-Marchessault Yvette
  Pour vous future maman, Sekely Trude
  Préparez votre enfant à l'école, Doyon-Richard Louise
* **Psychologie de l'enfant**, Cholette-Pérusse Françoise
* **Respirations et positions d'accouchement**, Dussault Joanne
  Soins de la première année de bébé, Kelly Paula
* **Tout se joue avant la maternelle**, Ibuka Masaru
  Un enfant naît dans la chambre de naissance, Fortin Nolin Louise
  Viens jouer, Villeneuve Michel José
  Vivez sereinement votre maternité, Vellay Dr Pierre
  Vivre une grossesse sans risque, Fried Dr Peter A.

ÉSOTÉRISME

Coffret - Passé - Présent - Avenir
Graphologie, La, Santoy Claude
Hypnotisme, L', Manolesco Jean
Lire dans les lignes de la main, Morin Michel

Prévisions astrologiques 1985, Hirsig Huguette
Vos rêves sont des miroirs, Cayla Henri
* **Votre avenir par les cartes**, Stanké Louis

HISTOIRE

Arrivants, Les, Collectif
* **Civilisation chinoise, La**, Guay Michel

* **Or des cavaliers thraces, L'**, Palais de la civilisation

INFORMATIQUE

* **Découvrir son ordinateur personnel**, Faguy François
  Guide d'achat des micro-ordinateurs, Le, Blanc Pierre

Informatique, L', Cone E. Paul

4

JARDINAGE

Culture des fleurs, des fruits, Prentice-Hall du Canada
Encyclopédie du jardinier, Perron W.H.
Guide complet du jardinage, Wilson Charles
* **J'aime les rosiers,** Pronovost René
J'aime les violettes africaines, Davidson Robert

Petite ferme, T. 2 - Jardin potager, Trait Jean-Claude
Plantes d'intérieur, Les, Pouliot Paul
Techniques du jardinage, Les, Pouliot Paul
* **Terrariums, Les,** Kayatta Ken

JEUX/DIVERTISSEMENTS

Améliorons notre bridge, Durand Charles
* **Bridge, Le,** Beaulieu Viviane
Clés du scrabble, Les, Sigal Pierre A.
Collectionner les timbres, Taschereau Yves
* **Dictionnaire des mots croisés, noms communs,** Lasnier Paul
* **Dictionnaire des mots croisés, noms propres,** Piquette Robert
* **Dictionnaire raisonné des mots croisés,** Charron Jacqueline

Finales aux échecs, Les, Santoy Claude
Jeux de société, Stanké Louis
* **Jouons ensemble,** Provost Pierre
Livre des patiences, Le, Bezanovska M. et Kitchevats P.
* **Ouverture aux échecs,** Coudari Camille
Scrabble, Le, Gallez Daniel
Techniques du billard, Morin Pierre

LINGUISTIQUE

* **Anglais par la méthode choc, L',** Morgan Jean-Louis
* **J'apprends l'anglais,** Silicani Gino

Petit dictionnaire du joual, Turenne Auguste
Secrétaire bilingue, La, Lebel Wilfrid

LIVRES PRATIQUES

Bonnes idées de maman Lapointe, Les, Lapointe Lucette
Chasse-taches, Le, Cassimatis Jack
* **Maîtriser son doigté sur un clavier,** Lemire Jean-Paul

* **Mon automobile,** Collège Marie-Victorin, Gouv. du Québec
* **Se protéger contre le vol,** Kabundi Marcel et Normandeau André
Temps c'est de l'argent, Le, Davenport Rita

MUSIQUE ET CINÉMA

* **Guitare, La,** Collins Peter
Piano sans professeur, Le, Evans Roger

Wolfgang Amadeus Mozart raconté en 50 chefs-d'oeuvre, Roussel Paul

NOTRE TRADITION

Coffret notre tradition Écoles de rang au Québec, Les, Dorion Jacques
Encyclopédie du Québec, T.1, Landry Louis
Encyclopédie du Québec, T.2, Landry Louis
* **Généalogie, La,** Faribeault- Beauregard M., Beauregard Malak E.
Histoire de la chanson québécoise, L'Herbier Benoît
Maison traditionnelle, La, Lessard Micheline

Moulins à eau de la vallée du Saint-Laurent, Adam Villeneuve
Objets familiers de nos ancêtres, Genet Nicole
* **Sculpture ancienne au Québec, La,** Porter John R. et Bélisle Jean
Vive la compagnie, Daigneault Pierre

PHOTOGRAPHIE (ÉQUIPEMENT ET TECHNIQUE)

* **Apprenez la photographie avec Antoine Desilets,** Desilets Antoine
  Chasse photographique, Coiteux Louis
  8/Super 8/16, Lafrance André
  Initiation à la Photographie, London Barbara
  Initiation à la Photographie-Canon, London Barbara
  Initiation à la Photographie-Minolta, London Barbara

Initiation à la Photographie-Nikon, London Barbara
Initiation à la Photographie-Olympus, London Barbara
Initiation à la Photographie-Pentax, London Barbara
* **Je développe mes photos,** Desilets Antoine
* **Je prends des photos,** Desilets Antoine
* **Photo à la portée de tous,** Desilets Antoine
Photo guide, Desilets Antoine

PSYCHOLOGIE

Âge démasqué, L', De Ravinel Hubert
* **Aider mon patron à m'aider,** Houde Eugène
* **Amour de l'exigence à la préférence,** Auger Lucien
Au-delà de l'intelligence humaine, Pouliot Élise
Auto-développement, L', Garneau Jean
Bonheur au travail, Le, Houde Eugène
Bonheur possible, Le, Blondin Robert
Chimie de l'amour, La, Liebowitz Michael
Coeur à l'ouvrage, Le, Lefebvre Gérald
Coffret psychologie moderne Colère, La, Tavris Carol
* **Comment animer un groupe,** Office Catéchèsse
* **Comment avoir des enfants heureux,** Azerrad Jacob
* **Comment déborder d'énergie,** Simard Jean-Paul
Comment vaincre la gêne, Catta Rene-Salvator
* **Communication dans le couple, La,** Granger Luc
* **Communication et épanouissement personnel,** Auger Lucien
Comprendre la névrose et aider les névrosés, Ellis Albert
* **Contact,** Zunin Nathalie
* **Courage de vivre, Le,** Kiev Docteur A.
Courage et discipline au travail, Houde Eugène
Dynamique des groupes, Aubry J.-M. et Saint-Arnaud Y.
Élever des enfants sans perdre la boule, Auger Lucien
* **Émotivité et efficacité au travail,** Houde Eugène
Enfant paraît... et le couple demeure, L', Dorman Marsha et Klein Diane
Enfants de l'autre, Les, Paris Erna
* **Être soi-même,** Corkille Briggs D.
* **Facteur chance, Le,** Gunther Max
* **Fantasmes créateurs, Les,** Singer Jérôme
Infidélité, L', Leigh Wendy
Intuition, L', Goldberg Philip
* **J'aime,** Saint-Arnaud Yves
Journal intime intensif, Progoff Ira
Miracle de l'amour, Un, Kaufman Barry Neil
* **Mise en forme psychologique,** Corrière Richard

* **Parle-moi... J'ai des choses à te dire,** Salome Jacques
Penser heureux, Auger Lucien
* **Personne humaine, La,** Saint-Arnaud Yves
* **Plaisirs du stress, Les,** Hanson Dr Peter G.
* **Première impression, La,** Kleinke Chris, L.
Prévenir et surmonter la déprime, Auger Lucien
* **Prévoir les belles années de la retraite,** D. Gordon Michael
* **Psychologie dans la vie quotidienne,** Blank Dr Léonard
* **Psychologie de l'amour romantique,** Braden Docteur N.
* **Qui es-tu grand-mère? Et toi grand-père?** Eylat Odette
* **S'affirmer et communiquer,** Beaudry Madeleine
* **S'aider soi-même,** Auger Lucien
* **S'aider soi-même d'avantage,** Auger Lucien
* **S'aimer pour la vie,** Wanderer Dr Zev
* **Savoir organiser, savoir décider,** Lefebvre Gérald
* **Savoir relaxer et combattre le stress,** Jacobson Dr Edmund
* **Se changer,** Mahoney Michael
* **Se comprendre soi-même par des tests,** Collectif
* **Se concentrer pour être heureux,** Simard Jean-Paul
Se connaître soi-même, Artaud Gérard
* **Se contrôler par le biofeedback,** Ligonde Paultre
* **Se créer par la Gestalt,** Zinker Joseph
* **S'entraider,** Limoges Jacques
* **Se guérir de la sottise,** Auger Lucien
Séparation du couple, La, Weiss Robert S.
Sexualité au bureau, La, Horn Patrice
Syndrome prémenstruel, Le, Shreeve Dr Caroline
* **Vaincre ses peurs,** Auger Lucien
Vivre à deux: plaisir ou cauchemar, Duval Jean-Marie
* **Vivre avec sa tête ou avec son coeur,** Auger Lucien
Vivre c'est vendre, Chaput Jean-Marc
* **Vivre jeune,** Waldo Myra
* **Vouloir c'est pouvoir,** Hull Raymond

ROMANS/ESSAIS

Adieu Québec, Bruneau André
Baie d'Hudson, La, Newman Peter C.
Bien-pensants, Les, Berton Pierre
Bousille et les justes, Gélinas Gratien
  Coffret Joey
C.P., Susan Goldenberg
Commettants de Caridad, Les, Thériault Yves
Deux Innocents en Chine Rouge, Hébert Jacques
* **Dieu ne joue pas aux dés,** Laborit Henri
Dome, Jim Lyon
* **Frères divorcés, Les,** Godin Pierre
IBM, Sobel Robert
Insolences du Frère Untel, Les, Untel Frère
ITT, Sobel Robert
J'parle tout seul, Coderre Emile

Lamia, Thyraud de Vosjoli P.L.
Mensonge amoureux, Le, Blondin Robert
Nadia, Aubin Benoît
Oui, Lévesque René
Premiers sur la lune, Armstrong Neil
* **Rick Hansen, Vivre sans frontières,** Hansen Rick,
  Taylor Jim
* **Sur les ailes du temps (Air Canada),** Smith Philip
Telle est ma position, Mulroney Brian
Terrosisme québécois, Le, Morf Gustave
* **Trois semaines dans le hall du Sénat,** Hébert
  Jacques
Un doux équilibe, King Annabelle
* **Un second souffle,** Hébert Diane
Vrai visage de Duplessis, Le, Laporte Pierre

SANTÉ ET ESTHÉTIQUE

* **Ablation de la vésicule biliaire, L',** Paquet Jean-
  Claude
* **Ablation des calculs urinaires, L',** Paquet Jean-
  Claude
* **Ablation du sein, L',** Paquet Jean-Claude
Allergies, Les, Delorme Dr Pierre
Art de se maquiller, L', Moizé Alain
* **Bien vivre sa ménopause,** Gendron Dr Lionel
Cellulite, La, Ostiguy Dr Jean-Paul
Cellulite, La, Léonard Dr Gérard J.
* **Chirurgie vasculaire, La,** Paquet Jean-Claude
* **Dialyse et la greffe du rein, La,** Paquet Jean-Claude
Être belle pour la vie, Meredith Bronwen
Exercices pour les aînés, Godfrey Dr Charles,
  Feldman Michael
Face lifting par l'exercice, Le, Runge Senta Maria
Grandir en 100 exercises, Berthelet Pierre
Hystérectomie, L', Alix Suzanne
* **Malformations cardiaques congénitales, Les,**
  Paquet Jean-Claude
Médecine esthétique, La, Lanctot Guylaine
Obésité et cellulite, enfin la solution, Léonard Dr
  Gérard J.

Perdre son ventre en 30 jours H-F, Burstein Nancy et
  Matthews Roy
* **Pontage coronarien, Le,** Paquet Jean-Claude
Santé, un capital à préserver, Peeters E.G.
Travailler devant un écran, Feeley Dr Helen
Coffret 30 jours
30 jours pour avoir de beaux cheveux, Davis Julie
30 jours pour avoir de beaux ongles, Bozic Patricia
30 jours pour avoir de beaux seins, Larkin Régina
30 jours pour avoir un beau teint, Zizmor Dr
  Jonathan
30 jours pour cesser de fumer, Holland Gary et
  Weiss Herman
30 jours pour mieux organiser, Holland Gary
**30 jours pour perdre son ventre (homme et
femme),** Matthews Roy, Burnstein Nancy
30 jours pour redevenir un couple amoureux, Nida
  Patricia K. et Cooney Kevin
**30 jours pour un plus grand épanouissement
sexuel,** Schneider Alan et Laiken Deidre
Vos dents, Kandelman Dr Daniel
* **Vos yeux,** Chartrand Marie et Lepage-Durand
  Micheline

SEXOLOGIE

Adolescente veut savoir, L', Gendron Lionel
Contacts sexuels sans risques, Prévenir le SIDA,
  IASHS
Fais voir, Fleischhaner H.
Guide illustré du plaisir sexuel, Corey Dr Robert E.
  Helg, Bender Erich F.
* **Ma sexualité de 0 à 6 ans,** Robert Jocelyne
* **Ma sexualité de 6 à 9 ans,** Robert Jocelyne

* **Ma sexualité de 9 à 12 ans,** Robert Jocelyne
Nous, on en parle, Lamarche M., Danheux P.
Plaisir partagé, Le, Gary-Bishop Hélène
* **Première expérience sexuelle, La,** Gendron Lionel
* **Sexe au féminin, Le,** Kerr Carmen
* **Sexualité du jeune adolescent,** Gendron Lionel
* **Sexualité dynamique, La,** Lefort Dr Paul
* **Shiatsu et sensualité,** Rioux Yuki

7

SPORTS

100 trucs de billard, Morin Pierre
Le programme pour être en forme
Apprenez à patiner, Marcotte Gaston
Arc et la chasse, L', Guardon Greg
* **Armes de chasse, Les,** Petit Martinon Charles
* **Badminton, Le,** Corbeil Jean
* **Canadiens de 1910 à nos jours, Les,** Turowetz
  Allan et Goyens Chrystian
* **Carte et boussole,** Kjellstrom Bjorn
* **Chasse au petit gibier, La,** Paquet Yvon-Louis
Chasse et gibier du Québec, Bergeron Raymond
Chasseurs sachez chasse, Lapierre Lucie
* **Comment se sortir du trou au golf,** Brien Luc
* **Comment vivre dans la nature,** Rivière Bill
* **Corrigez vos défauts au golf,** Bergeron Yves
Curling, Le, Lukowich E.
Devenir gardien de but au hockey, Allair François
Encyclopédie de la chasse au Québec, Leiffet
  Bernard
Entraînement, poids-haltères, L', Ryan Frank
Exercices à deux, Gregor Carol
Golf au féminin, Le, Bergeron Yves
Grand livre des sports, Le, Le groupe Diagram
Guide complet du judo, Arpin Louis
* **Guide complet du self-defense,** Arpin Louis
Guide d'achat de l'équipement de tennis, Chevalier
  Richard et Gilbert Yvon
Guide de l'alpinisme, Le, Cappon Massimo
Guide de survie de l'armée américaine
Guide des jeux scouts, Association des scouts
Guide du judo au sol, Arpin Louis
Guide du self-defense, Arpin Louis
Guide du trappeur, Le, Provencher Paul
Hatha yoga, Piuze Suzanne
Initiation à la planche à voile, Wulff D., Morch K.
* **J'apprends à nager,** Lacoursière Réjean
* **Jogging, Le,** Chevalier Richard
Jouez gagnant au golf, Brien Luc
Larry Robinson, le jeu défensif, Robinson Larry
Lutte olympique, La, Sauvé Marcel
* **Manuel de pilotage,** Transport Canada

* **Marathon pour tous,** Anctil Pierre
Maxi-performance, Garfield Charles A. et Bennett Hal
  Zina
* **Médecine sportive,** Mirkin Dr Gabe
Mon coup de patin, Wild John
Musculation pour tous, Laferrière Serge
Natation de compétition, La, Lacoursière Réjean
Partons en camping, Satterfield Archie et Bauer
  Eddie
Partons sac au dos, Satterfield Archie et Bauer Eddie
Passes au hockey, Champleau Claude
Pêche à la mouche, La, Marleau Serge
Pêche à la mouche, Vincent Serge-J.
Pêche au Québec, La, Chamberland Michel
* **Planche à voile, La,** Maillefer Gérald
* **Programme XBX,** Aviation Royale du Canada
Provencher, le dernier coureur des bois,
  Provencher Paul
Racquetball, Corbeil Jean
Racquetball plus, Corbeil Jean
Raquette, La, Osgoode William
* **Rivières et lacs canotables,** Fédération québécoise
  du canot-camping
* **S'améliorer au tennis,** Chevalier Richard
Secrets du baseball, Les, Raymond Claude
Ski de fond, Le, Roy Benoît
* **Ski de randonnée, Le,** Corbeil Jean
Soccer, Le, Schwartz Georges
Stratégie au hockey, Meagher John W.
Surhommes du sport, Les, Desjardins Maurice
* **Taxidermie, La,** Labrie Jean
Techniques du billard, Morin Pierre
* **Technique du golf,** Brien Luc
Techniques du hockey en URSS, Dyotte Guy
* **Techniques du tennis,** Ellwanger
* **Tennis, Le,** Roch Denis
Tous les secrets de la chasse, Chamberland Michel
Vivre en forêt, Provencher Paul
Voie du guerrier, La, Di Villadorata
Volley-ball, Le, Fédération de volley-ball
Yoga des sphères, Le, Leclerq Bruno

le jour, éditeur

ANIMAUX

Guide du chat et de son maître, Laliberté Robert
Guide du chien et de son maître, Laliberté Robert

Poissons de nos eaux, Melançon Claude

ART CULINAIRE ET DIÉTÉTIQUE

Armoire aux herbes, L', Mary Jean
Breuvages pour diabétiques, Binet Suzanne
Cuisine du jour, La, Pauly Robert
Cuisine sans cholestérol, Boudreau-Pagé
Desserts pour diabétiques, Binet Suzanne
Jus de santé, Les, Brunet Jean-Marc
Mangez ce qui vous chante, Pearson Dr Leo

Mangez, réfléchissez et devenez svelte, Kothkin Leonid
Nutrition de l'athlète, Brunet Jean-Marc
Recettes Soeur Berthe - été, Sansregret soeur Berthe
Recettes Soeur Berthe - printemps, Sansregret soeur Berthe

ARTISANAT/ARTS MÉNAGERS

Diagrammes de courtepointes, Faucher Lucille
Douze cents nouveaux trucs, Grisé-Allard Jeanne
Encore des trucs, Grisé-Allard Jeanne

Mille trucs madame, Grisé-Allard Jeanne
Toujours des trucs, Grisé-Allard Jeanne

DIVERS

Administrateur de la prise de décision, Filiatreault P. et Perreault Y.G.
Administration, développement, Laflamme Marcel
Assemblées délibérantes, Béland Claude
Assoiffés du crédit, Les, Féd. des A.C.E.F.
Baie James, La, Bourassa Robert
Bien s'assurer, Boudreault Carole
Cent ans d'injustice, Hertel François
Ces mains qui vous racontent, Boucher André-Pierre
550 métiers et professions, Charneux Helmy
Coopératives d'habitation, Les, Leduc Murielle
Dangers de l'énergie nucléaire, Les, Brunet Jean-Marc
Dis papa c'est encore loin, Corpatnauy Francis
Dossier pollution, Chaput Marcel

Énergie aujourd'hui et demain, De Martigny François
Entreprise et le marketing, L', Brousseau
Forts de l'Outaouais, Les, Dunn Guillaume
Grève de l'amiante, La, Trudeau Pierre
Hiérarchie ethnique dans la grande entreprise, Rainville Jean
Impossible Québec, Brillant Jacques
Initiation au coopératisme, Béland Claude
Julius Caesar, Roux Jean-Louis
Lapokalipso, Duguay Raoul
Lune de trop, Une, Gagnon Alphonse
Manifeste de l'Infonie, Duguay Raoul
Mouvement coopératif québécois, Deschêne Gaston
Obscénité et liberté, Hébert Jacques

9

Philosophie du pouvoir, Blais Martin
Pourquoi le bill 60, Gérin-Lajoie P.
Stratégie et organisation, Desforges Jean et
    Vianney C.

Trois jours en prison, Hébert Jacques
Vers un monde coopératif, Davidovic Georges
Vivre sur la terre, St-Pierre Hélène
Voyage à Terre-Neuve, De Gébineau comte

ENFANCE

Aidez votre enfant à choisir, Simon Dr Sydney B.
Deux caresses par jour, Minden Harold
Être mère, Bombeck Erma
Parents efficaces, Gordon Thomas

Parents gagnants, Nicholson Luree
Psychologie de l'adolescent, Pérusse-Cholette
    Françoise
1500 prénoms et significations, Grisé Allard J.

ÉSOTÉRISME

* Astrologie et la sexualité, L', Justason Barbara
Astrologie et vous, L', Boucher André-Pierre
* Astrologie pratique, L', Reinicke Wolfgang
Faire se carte du ciel, Filbey John
Grand livre de la cartomancie, Le, Von Lentner G.
* Grand livre des horoscopes chinois, Le, Lau
    Theodora
Graphologie, La, Cobbert Anne
* Horoscope et énergie psychique, Hamaker-Zondag

Horoscope chinois, Del Sol Paula
Lu dans les cartes, Jones Marthy
* Pendule et baguette, Kirchner Georg
* Pratique du tarot, La, Thierens E.
Preuves de l'astrologie, Comiré André
Qui êtes-vous? L'astrologie répond, Tiphaine
Synastrie, La, Thornton Penny Traité d'astrologie,
    Hirsig Huguette
Votre destin par les cartes, Dee Nerys

HISTOIRE

Administration en Nouvelle-France, L', Lanctot
    Gustave
Histoire de Rougemont, Bédard Suzanne
Lutte pour l'information, La, Godin Pierre
Mémoires politiques, Chaloult René
Rébellion de 1837, Saint-Eustache, Globensky
    Maximillien

Relations des Jésuites T.2
Relations des Jésuites T.3
Relations des Jésuites T.4
Relations des Jésuites T.5

JEUX/DIVERTISSEMENTS

Backgammon, Lesage Denis

LINGUISTIQUE

Des mots et des phrases, T. 1, Dagenais Gérard
Des mots et des phrases, T. 2, Dagenais Gérard

Joual de Troie, Marcel Jean

NOTRE TRADITION

Ah mes aïeux, Hébert Jacques

Lettre à un Français qui veut émigrer au Québec,
    Dubuc Carl

OUVRAGES DE RÉFÉRENCES

Petit répertoire des excuses, Le, Charbonneau Christine et Caron Nelson

Règles d'or de la vente, Les, Kahn George N.

PSYCHOLOGIE

* **Adieu,** Halpern Dr Howard
Adieu Tarzan, Frank Helen
* **Agressivité créatrice,** Bach Dr George
Aimer, c'est choisir d'être heureux, Kaufman Barry Neil
* **Aimer son prochain comme soi-même,** Murphy Joseph
* **Anti-stress, L',** Eylat Odette
Arrête! tu m'exaspères, Bach Dr George
Art d'engager la conversation et de se faire des amis, L', Grabor Don
* **Art de convaincre, L',** Ryborz Heinz
* **Art d'être égoïste, L',** Kirschner Joseph
* **Au centre de soi,** Gendlin Dr Eugène
* **Auto-hypnose, L',** Le Cron M. Leslie
Autre femme, L', Sevigny Hélène
Bains Flottants, Les, Hutchison Michael
* **Bien dans sa peau grâce à la technique Alexander,** Stransky Judith
Ces hommes qui ne communiquent pas, Naifeh S. et White S.G.
Ces vérités vont changer votre vie, Murphy Joseph
Chemin infaillible du succès, Le, Stone W. Clément
Clefs de la confiance, Les, Gibb Dr Jack
Comment aimer vivre seul, Shanon Lynn
* **Comment devenir des parents doués,** Lewis David
* **Comment dominer et influencer les autres,** Gabriel H.W.
Comment s'arrêter de fumer, McFarland J. Wayne
* **Comment vaincre la timidité en amour,** Weber Éric
Contacts en or avec votre clientèle, Sapin Gold Carol
* **Contrôle de soi par la relaxation,** Marcotte Claude
* **Couple homosexuel, Le,** McWhirter David P. et Mattison Andres M.
* **Devenir autonome,** St-Armand Yves
* **Dire oui à l'amour,** Buscaglia Léo
* **Ennemis intimes,** Bach Dr George
États d'esprit, Glasser Dr William **Être efficace,** Hanot Marc
Être homme, Goldberg Dr Herb
Famille moderne et son avenir, La , Richar Lyn
Gagner le match, Gallwey Timothy
Gestalt, La, Polster Erving
Guide du succès, Le, Hopkins Tom
Harmonie, une poursuite du succès, L', Vincent Raymond
* **Homme au dessert, Un,** Friedman Sonya
Homme en devenir, L', Houston Jean
* **Homme nouveau, L',** Bodymind, Dychtwald Ken
Influence de la couleur, L', Wood Betty
* **Jouer le tout pour le tout,** Frederick Carl

Maigrir sans obsession, Orback Suisie
Maîtriser la douleur, Bogin Meg
Maîtriser son destin, Kirschner Joseph
Manifester son affection, Bach Dr George
* **Mémoire, La,** Loftus Elizabeth
* **Mémoire à tout âge, La,** Dereskey Ladislaus
* **Mère et fille,** Horwick Kathleen
* **Miracle de votre esprit,** Murphy Joseph
* **Négocier entre vaincre et convaincre,** Warschaw Dr Tessa
Nouvelles Relations entre hommes et femmes, Goldberg Herb
* **On n'a rien pour rien,** Vincent Raymond
* **Oracle de votre subconscient, L,** Murphy Joseph
Parapsychologie, La, Ryzl Milan
* **Parlez pour qu'on vous écoute,** Brien Micheline
* **Partenaires,** Bach Dr George
* **Pensée constructive et bon sens,** Vincent Dr Raymond
Personnalité, La, Buscaglia Léo
Personne n'est parfait, Weisinger Dr H.
Pourquoi ne pleures-tu pas?, Yahraes Herbert, McKnew Donald H. Jr., Cytryn Leon
Pourquoi remettre à plus tard? Burka Jane B. et Yuen L. M.
Pouvoir de votre cerveau, Le, Brown Barbara
Prospérité, La, Roy Maurice
* **Psy-jeux,** Masters Robert
* **Puissance de votre subconscient, La,** Murphy Dr Joseph
Reconquête de soi, La, Paupst Dr James C.
* **Réfléchissez et devenez riche,** Hill Napoléon
* **Réussir,** Hanot Marc
Rythmes de votre corps, Les, Weston Lee
S'aimer ou le défi des relations humaines, Buscaglia Léo
Se vider dans la vie et au travail, Pines Ayala M.
* **Secrets de la communication,** Bandler Richard
Sous le masque du succès, Harvey Joan C. et Datz Cynthia
* **Succès par la pensée constructive, Le,** Hill Napoléon
Technostress, Brod Craig
* **Thérapies au féminin, Les,** Brunel Dominique
Tout ce qu'il y a de mieux, Vincent Raymond
Triomphez de vous-même et des autres, Murphy Dr Joseph
Univers de mon subsconscient, L', Dr Ray Vincent
Vaincre la dépression par la volonté et l'action, Marcotte Claude
Vers le succès, Kassoria Dr Irène C.
* **Vieillir en beauté,** Oberleder Muriel

11

Vivre avec les imperfections de l'autre, Janda Dr Louis H.
* Vivre c'est vendre, Chaput Jean-Marc

* Vivre heureux avec le strict nécessaire, Kirschner Josef
Votre perception extra sensorielle, Milan Dr Ryzl
Votre talon d'Achille, Bloomfield Dr. Harold

ROMANS/ESSAIS

À la mort de mes 20 ans, Gagnon P.O.
Affrontement, L', Lamoureux Henri
Bois brûlé, Roux Jean-Louis
100 000e exemplaire, Le, Dufresne Jacques
* Ça s'est passé à Montréal, Steinberg Donna
C't'a ton tour Laura Cadieux, Tremblay Michel
Cité dans l'oeuf, La, Tremblay Michel
Coeur de la baleine bleue, Le, Poulin Jacques
Coffret petit jour, Martucci Abbé Jean
Colin-Maillard, Hémon Louis
Contes pour buveurs attardés, Tremblay Michel
Contes érotiques indiens, Schwart Herbert
Crise d'octobre, Pelletier Gérard
Cyrille Vaillancourt, Lamarche Jacques
Desjardins Al., Homme au service, Lamarche Jacques
De Z à A, Losique Serge
Deux Millième étage, Le, CarrierRoch
D'Iberville, Pellerin Jean
Dragon d'eau, Le, Holland R.F.
Équilibre instable, L', Deniset Louis
Éternellement vôtre, Péloquin Claude
Femme d'aujourd'hui, La, Landsberg Michele
Femme de demain, Keeton Kathy
Femmes et politique, Cohen Yolande
Filles de joie et filles du roi, Lanctot Gustave
Floralie où es-tu, Carrier Roch

Fou, Le, Châtillon Pierre
Français langue du Québec, Le, Laurin Camille
Hommes forts du Québec, Weider Ben
Il est par là le soleil, Carrier Roch
J'ai le goût de vivre, Delisle Isabelle
J'avais oublié que l'amour, Doré-Joyal Yves
Jean-Paul ou les hasards de la vie, Bellier Marcel
Johnny Bungalow, Villeneuve Paul
Jolis Deuils, Carrier Roch
Lettres d'amour, Champagne Maurice
Louis Riel patriote, Bowsfield Hartwell
Louis Riel un homme à pendre, Osier E.B.
Ma chienne de vie, Labrosse Jean-Guy
Marche du bonheur, La, Gilbert Normand
Mémoires d'un Esquimau, Metayer Maurice
Mon cheval pour un royaume, Poulin J.
Neige et le feu, La, Baillargeon Pierre
N'Tsuk, Thériault Yves
* Objectif camouflé, Porter Anna
Opération Orchidée, Villon Christiane
Orphelin esclave de notre monde, Labrosse Jean
Oslovik fait la bombe, Oslovik
Parlez-moi d'humour, Hudon Normand
Scandale est nécessaire, Le, Baillargeon Pierre
* Thrax, Guay Michel
Train de Maxwell, Le, Hyde Christopher
Vivre en amour, Delisle Lapierre

SANTÉ

Alcool et la nutrition, L', Brunet Jean-Marc
Bruit et la santé, Le, Brunet Jean-Marc
Chaleur peut vous guérir, La, Brunet Jean-Marc
Échec au vieillissement prématuré, Blais J.
Greffe des cheveux vivants, Guy Dr
Guérir votre foie, Jean-Marc Brunet
Information santé, Brunet Jean-Marc
Magie en médecine, Sylva Raymond
Maigrir naturellement, Lauzon Jean-Luc
Mort lente par le sucre, Duruisseau Jean-Paul

40 ans, âge d'or, Taylor Eric
Recettes naturistes pour arthritiques et rhumatisants, Cuillerier Luc
Santé de l'arthritique et du rhumatisant, Labelle Yvan
* Tao de longue vie, Le, Soo Chee
Vaincre l'insomnie, Filion Michel,Boisvert Jean-Marie, Melanson Danielle
Vos aliments sont empoisonnés, Leduc Paul

Beaulieu Michel,
Je tourne en rond mais c'est autour de toi
La représentation
Sylvie Stone
Bilodeau Camille,
Une ombre derrière le coeur
Blais Marie-Claire,
L'océan suivi de Murmures
Une liaison parisienne
Bosco Monique,
Charles Lévy M.S. Schabbat
Bouchard Claude,
La mort après la mort
Brodeur Hélène,
Entre l'aube et le jour
Brossard Nicole,
Armantes
French Kiss
Sold Out
Un livre
Brouillet Chrystine,
Chère voisine
Coup de foudre
Callaghan Barry,
Les livres de Hogg
Cayla Henri,
Le pan-cul
Dahan Andrée,
Le printemps peut attendre
De Lamirande Claire,
Le grand élixir
Doyon Louise,
Les héritiers
Dubé Danielle,
Les olives noires
Dessureault Guy,
La maîtresse d'école
Dropaôtt Papartchou,
Salut Bonhomme
Doerkson Margaret
Jazzy
Dubé Marcel,
Un simple soldat
Dussault Jean,
Le corps vêtu de mots
Essai sur l'hindouisme
L'orbe du désir
Pour une civilisation du plaisir
Engel Marian,
L'ours
Fontaine Rachel,
Black Magic
Forest Jean,
L'aube de Suse
Le mur de Berlin P.Q.
Nourrice!... Nourrice!...
Garneau Jacques,
Difficiles lettres d'amour

Gélinas Gratien,
Bousille et les justes
Fridolinades, T.1 (1945-1946)
Fridolinades, T.2 (1943-1944)
Fridolinades, T.3 (1941-1942)
Ti-Coq
Gendron Marc,
Jérémie ou le Bal des pupilles
GevryGérard,
L'homme sous vos pieds
L'été sans retour
Godbout Jacques,
Le réformiste
Harel Jean-Pierre,
Silences à voix haute
Hébert François,
Holyoke
Le rendez-vous
Hébert Louis-Philippe,
La manufacture de machines
Manuscrit trouvé dans une valise
Hogue Jacqueline,
Aube
Huot Cécile,
Entretiens avec Omer Létourneau
Jasmin Claude,
Et puis tout est silence
Laberge Albert,
La scouine
Lafrenière Joseph,
Carolie printemps
L'après-guerre de l'amour
Lalonde Robert,
La belle épouvante
Lamarche Claude,
Confessions d'un enfant d'un demi-siècle
Je me veux
Lapierre René,
Hubert Aquin
Larche Marcel,
So Uk
Larose Jean,
Le mythe de Nelligan
Latour Chrystine,
La dernière chaîne
Le mauvais frère
Le triangle brisé
Tout le portrait de sa mère
Lavigne Nicole,
Le grand rêve de madame Wagner
Lavoie Gaëtan,
Le mensonge de Maillard
Leblanc Louise,
Pop Corn
37 1/2AA
Marchessault Jovette,
La mère des herbes

Marcotte Gilles,
La littérature et le reste
Marteau Robert,
Entre temps
Martel Émile,
Les gants jetés
Martel Pierre,
Y'a pas de métro à Gélude-La-Roche
Monette Madeleine,
Le double suspect
Petites violences
Monfils Nadine,
Laura Colombe, contes
La velue
Ouellette Fernand,
La mort vive
Tu regardais intensément Geneviève
Paquin Carole,
Une esclave bien payée
Paré Paul,
L'improbable autopsie
Pavel Thomas,
Le miroir persan
Pollak Véra,
Rose-Rouge
Poupart Jean-Marie,
Bourru mouillé
Robert Suzanne,
Les trois soeurs de personneVulpera
Robertson Heat,
Beauté tragique

Ross Rolande,
Le long des paupières brunes
Roy Gabrielle,
Fragiles lumières de la terre
Saint-Georges Gérard,
1, place du Québec Paris VIe
Sansfaçon Jean-Robert,
Loft Story
Saurel Pierre,
IXE-13
Savoie Roger,
Le philosophe chat
Svirsky Grigori,
Tragédie polaire, nouvelles
Szucsany Désirée,
La passe
Thériault Yves,
Aaron
Agaguk
Le dompteur d'ours
La fille laide
Les vendeurs du temple
Turgeon Pierre,
Faire sa mort comme faire l'amour
La première personne
Prochainement sur cet écran
Un, deux, trois
Trudel Sylvain,
Le souffle de l'Harmattan
Vigneault Réjean,
Baby-boomers

COLLECTIF DE NOUVELLES

Aimer
Crever l'écran
Dix contes et nouvelles fantastiques
Dix nouvelles de science-fiction québécoise

Dix nouvelles humoristiques
Fuites et poursuites
L'aventure, la mésaventure

LIVRES DE POCHES 10/10

Aquin Hubert,
Blocs erratiques
Brouillet Chrystine,
Chère voisine
Dubé Marcel,
Un simple soldat
Gélinas Gratien,
Bousille et les justes
Ti-Coq
Harvey Jean-Charles,
Les demi-civilisés
Laberge Albert
La scouine

Thériault Yves,
Aaron
Agaguk
Cul-de-sac
La fille laide
Le dernier havre
Le temps du carcajou
Tayaout
Turgeon Pierre,
Faires sa mort comme faire l'amour
La première personne

15

NOTRE TRADITION

DIVERS

Achevé   Imprimerie
d'imprimer Gagné Ltée
au Canada Louiseville